復刻版

文學建設

第9巻

第5巻第1号～第5巻第4号
（昭和18年1月～4月）

不二出版

復刻にあたって

一、復刻にあたっては、左記所蔵の原本を使用しました。記して感謝申し上げます。
　　三上聡太氏
一、復刻にあたっては、墨一色で印刷しました。なお、表紙は各巻の巻頭にカラー口絵として収録しました。
一、原本の破損や汚れ、印刷不良により、判読できない箇所があります。
一、原本において、人権の点からみて不適切な語句・表現・論がある場合でも、歴史史料の復刻という性質上、そのまま収録しました。

（不二出版）

（著作権につきましては、調査いたしておりますが、不明な点も多くございます。お気づきの方がいらっしゃいましたら、小社までご連絡下さい）

〈第9巻　収録内容〉

第五巻第一号　一九四三年（昭和十八年）一月一日　発行

第五巻第二号　一九四三年（昭和十八年）二月一日　発行

第五巻第三号　一九四三年（昭和十八年）三月一日　発行

第五巻第四号　一九四三年（昭和十八年）四月一日　発行

復刻版収録一覧

復刻版巻数	原本巻号数	発行年月日
第1巻	第1巻第1号	1939(昭和14)年1月1日
	第1巻第3号	1939(昭和14)年2月1日
	第1巻第3号	1939(昭和14)年3月1日
	第1巻第4号	1939(昭和14)年4月1日
	第1巻第5号	1939(昭和14)年5月1日
	第1巻第6号	1939(昭和14)年6月1日
第2巻	第1巻第7号	1939(昭和14)年7月1日
	第1巻第8号	1939(昭和14)年8月1日
	第1巻第9号	1939(昭和14)年9月1日
	第1巻第10号	1939(昭和14)年10月1日
	第1巻第11号	1939(昭和14)年11月1日
	第1巻第12号	1939(昭和14)年12月1日
第3巻	第2巻第1号	1940(昭和15)年1月1日
	第2巻第3号	1940(昭和15)年2月1日
	第2巻第3号	1940(昭和15)年3月1日
	第2巻第4号	1940(昭和15)年4月1日
	第2巻第5号	1940(昭和15)年5月1日
	第2巻第6号	1940(昭和15)年6月1日
第4巻	第2巻第7号	1940(昭和15)年7月1日
	第2巻第8号	1940(昭和15)年8月1日
	第2巻第9号	1940(昭和15)年9月1日
	第2巻第10号	1940(昭和15)年10月1日
	第2巻第11号	1940(昭和15)年11月1日
	第2巻第12号	1940(昭和15)年12月1日
第5巻	第3巻第1号	1941(昭和16)年1月1日
	第3巻第3号	1941(昭和16)年2月1日
	第3巻第3号	1941(昭和16)年3月1日
	第3巻第4号	1941(昭和16)年4月1日
	第3巻第5号	1941(昭和16)年5月1日
	第3巻第6号	1941(昭和16)年6月1日

復刻版巻数	原本巻号数	発行年月日
第6巻	第3巻第7号	1941(昭和16)年8月1日
	第3巻第8号	1941(昭和16)年9月1日
	第3巻第9号	1941(昭和16)年10月1日
	第3巻第10号	1941(昭和16)年11月1日
	第3巻第11号	1941(昭和16)年12月1日
第7巻	第4巻第1号	1942(昭和17)年1月1日
	第4巻第3号	1942(昭和17)年2月1日
	第4巻第3号	1942(昭和17)年3月1日
	第4巻第4号	1942(昭和17)年4月1日
	第4巻第5号	1942(昭和17)年5月1日
	第4巻第6号	1942(昭和17)年6月1日
第8巻	第4巻第7号	1942(昭和17)年7月1日
	第4巻第8号	1942(昭和17)年8月1日
	第4巻第9号	1942(昭和17)年9月1日
	第4巻第10号	1942(昭和17)年10月1日
	第4巻第11号	1942(昭和17)年11月1日
	第4巻第12号	1942(昭和17)年12月1日
第9巻	第5巻第1号	1943(昭和18)年1月1日
	第5巻第3号	1943(昭和18)年2月1日
	第5巻第3号	1943(昭和18)年3月1日
	第5巻第4号	1943(昭和18)年4月1日
第10巻	第5巻第5号	1943(昭和18)年5月1日
	第5巻第6号	1943(昭和18)年6月1日
	第5巻第7号	1943(昭和18)年8月1日
	第5巻第8号	1943(昭和18)年11月1日
	第5巻第9号	1943(昭和18)年11月1日

第５巻第１号

第５巻第２号

第５巻第３号

第５巻第４号

國民文學の旗の下に

文學建設

紀元二千六百三年

新年增大號

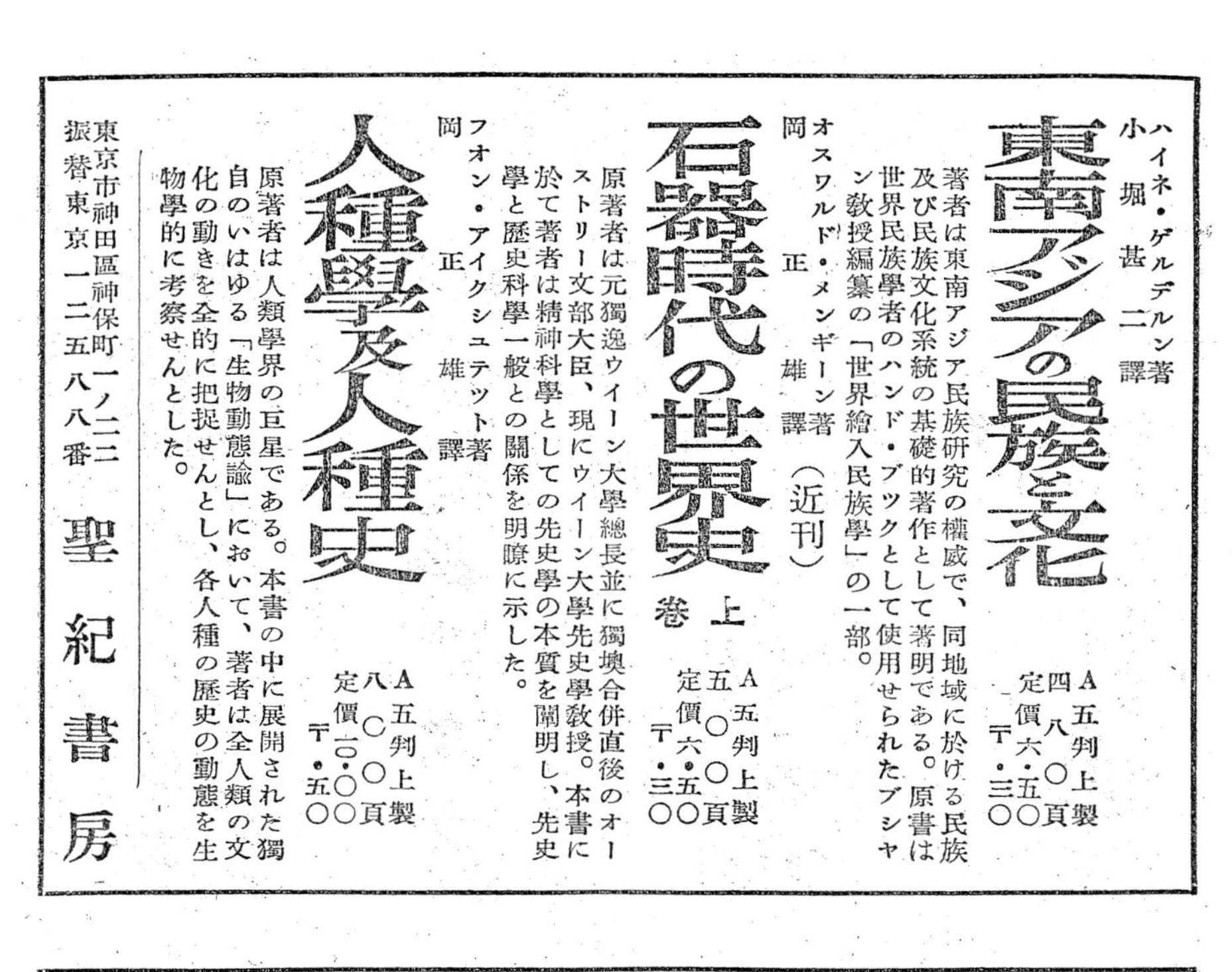
ハイネ・ゲルデルン著
小堀甚二譯
東南アジアの民族と文化
著者は東南アジア民族研究の權威で、同地域に於ける民族及び民族文化系統の基礎的著作として著明である。原書は世界民族學者のハンド・ブックとして使用せられたブシャン教授編纂の「世界繪入民族學」の一部。
A五判上製 四八〇頁 定價六・五〇 〒・三〇
オスワルド・メンギーン著
岡正雄譯
(近刊)
石器時代の世界史 上巻
原著者は元獨逸ウィーン大學總長並に獨墺合併直後のオーストリー文部大臣、現にウィーン大學先史學教授。本書に於て著者は精神科學としての先史學の本質を闡明し、先史學と歴史科學一般との關係を明瞭に示した。
A五判上製 五〇〇頁 定價六・五〇 〒・三〇
フォン・アイクシュテット著
岡正雄譯
人種學及人種史
原著者は人類學界の巨星である。本書の中に展開された獨自のいはゆる「生物動態論」において、著者は全人類の文化の動きを全的に把捉せんとし、各人種の歴史の動態を生物學的に考察せんとした。
A五判上製 八〇〇頁 定價一〇・〇〇 〒・五〇
東京市神田區神保町一ノ二二
振替東京一二五八八番
聖紀書房

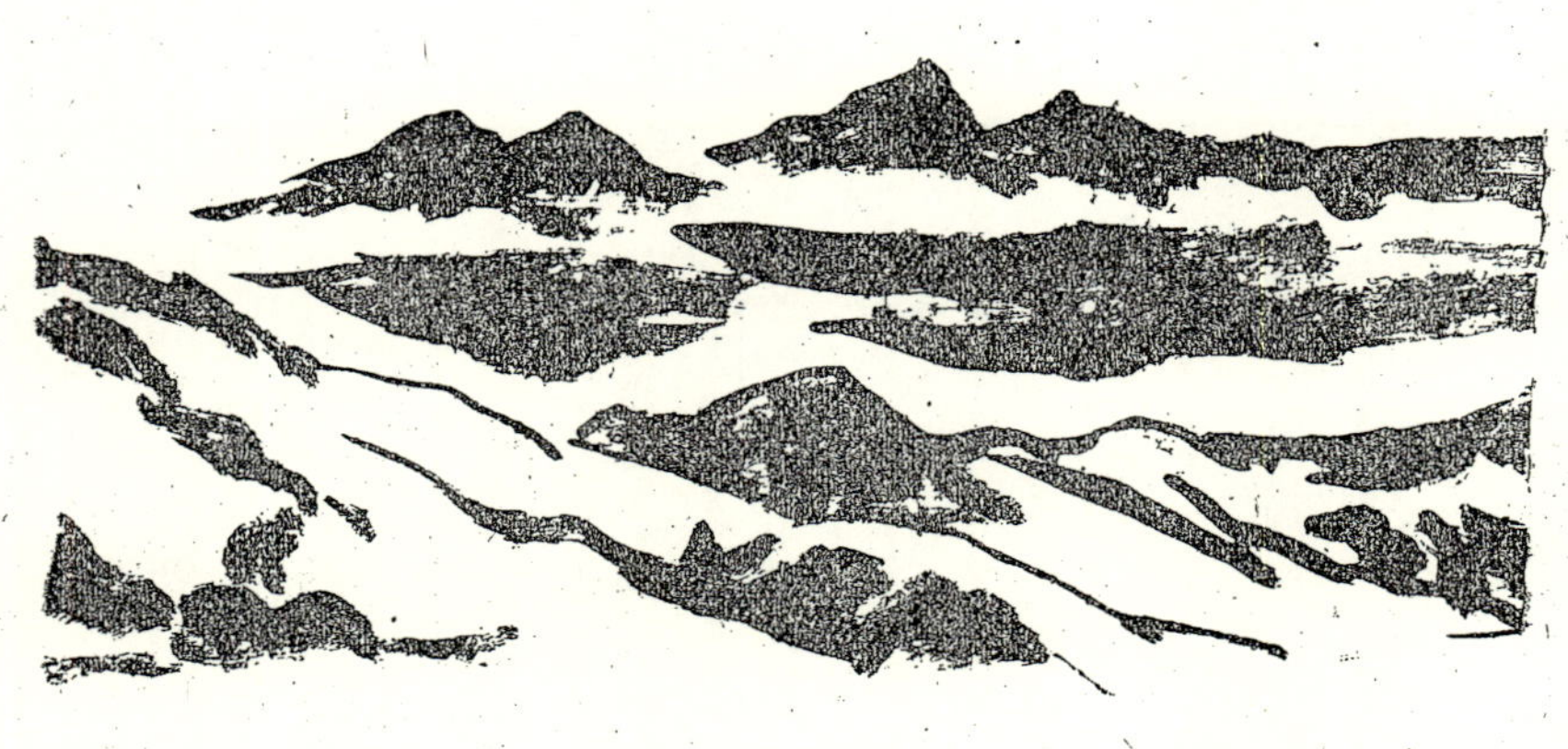

文學建設 新年特大號 目次

文學建設

第五巻第一號

宣言

我等の主張する國民文學は、國民の傳統を溫床に、國民精神を根幹とする新文學である。所謂純文學でもなければ所謂大衆文學でもない。又純文學と大衆文學との混血兒でもない。日本人の精神を骨格とし、日本文學の傳統を衣裳とする新文學である。我等はこの國民文學の旗の下に新文學建設の運動に邁進する。

『チヤハヤ・マタハリ』（現地報告）

――インドネシア人と芝居――

陸軍報道班員　北町一郎

（馬來派遣富第八九九一部隊九會田毅）

パレンバン名物のこと

スマトラと云つても廣い。その南部地區の主邑パレンバンは、人口に於て本島第一の都會なりと或る旅行案内記に記されてゐる。從つて茫漠たるジヤングルの中を流れるムシ河にのぞみ、浮き家を含めてのパレンバンもまた廣いと云ふ次第になるが、ここでの名物は何かと聞かれたら、返事は蓋し大した困難ではあるまい。第一に製油事業であり、これは全世界の石油なるものを解する限りの人々が折紙を惜しまぬところであらう。名物の第二に、チヤハヤ・マタハリなりと擧げることは、そのかみの女性マタ・ハリをしのぶ探偵小說フアンが、蘭印に第二世スパイ出沒したかと微笑する程度で、敢て名物として述べたてゝも現在地に住まぬ人たちには、さつぱり理解出來ないのも無理からぬ次第なりと信ずる。

チヤハヤ・マタハリは、インドネシア語で TJAHAJA MATAHARI と綴る。チヤハヤは光、光線の意味であり、マタハリはとりも直さず太陽である。太陽光線を意味するチヤハヤ・マタハリは、グドン・チヤハヤ（チヤハヤ劇場）にたてこもる劇團の名稱であつて、この劇場にはゆかしくも千早劇場と日本名が併用されてゐるが、この二つの太陽のあるところ、パレンバンに夜の光を放たうといふわけである。

一介の劇團チヤハヤ・マタハリをパレンバン名物の一つなりと誇稱せんとするに就ては、私には私なりの理由がある。第一に初演以來今日まで、毎週木曜日の定期休業を除くほかは一回も休演することなく、しかも驚くべきことに毎日の出演物が悉く新しく、二度と同じ芝居をむしかへすことをせぬ。公演既に百七十回をはるかに突破し（九月末）、一回の公演も日本內地のやうに晝夜二回、三回興行といふ慾ばつたものではなくて、一晩一回だけとあつさりしてゐる。從つて既に二百本近い脚本が書かれ、それ以上の回數の舞臺稽古が實行されたことになる。脚本をまとめるのは二十五才の青年アリコー君を主力とし、座長のハジ・グーン君が手傳つてゐるが、假令純然たる創作でなく諸々の小說、劇、映畫、傳說、新聞三面記事等から取材飜案してゐるとしても、一座の俳優にそれぞれ適役を考へ、出演人物を整理し、演出時間を計算に入れ、その上限られた豫算の中で大道具、小道具、背景などと分配せねばならぬことを思ふと、これはまことに偉大なる『創作』と云ふの外はない。日本內地での流行作家が如何にがんばつても、一ケ月に二十數篇の『創作』は中々の至難事であらう。この劇團の存在を敢てパレンバン名物の一つに算へる理由は、實はかかるところにある。

それでは何故に毎晩變りの興行をしてゐるかと云ふに、一週間とか十日間などの長期興行では、お客が來ないといふのが最大の理由である。客種も映畫の愛好家とは可成りに違つてゐて、多數の常得意があるのと、パレンバンは一般に經濟狀態が豐かなのと相まつて、毎晩づゝの公演でも結構やりくりがつくのである。

チヤハヤ・マタハリの演劇は、ジヤワの影繪芝居や、古典的なワーヤン（日本の歌舞伎スタイルの舞踊とも云ふべきもの）などと違ひ、內地流の言葉によれば所謂『新劇』に屬するものである。その上演種目は、現代物を主とし、時に時代物をも加へる。用語はインドネシア語(マライ語)、服裝は特殊な種目の外はインドネシア人の日常生活に據つてゐる。

次に先づある日上演された現代劇の梗概を記してみよう。

『アエル・マタ・イブ』(母の涙)のこと

第一景・夫婦の居間。

回敎寺院の見える部屋。夫と妻が話してゐるが、夫はひどく不機嫌である。彼は道樂者で、貞淑な妻がこの頃特に氣にいらず、もの足りない。といふのは彼に好きな女が出來たからである。用事にかこつけて、夫は遊びに出かけてゆく。

第二景・レストラン。

男の客と女給がふざけてゐる。そこへ夫が入つてくる。彼は女に首つたけの樣子である。結婚を求めると、妻のあることを理由に、女は一應拒絶する。しかし彼は現在の妻を離縁することを誓つて、更に結婚を强ひる。女は承知する。博徒達がどや〳〵入つて來て、博打を始めると、夫もまた加はるが、忽ち持ち金を全部とられてしまふ。女に明日を約して彼はレストランを出る。

第三景・夫婦の居間。

夫が歸つてくる。妻を離縁するために彼は適當な理由を作らねばならない。そこで掃除が不行き屆とか、調度品の配列が悪いとか、料理がまづいとか、日常生活の叱言から始めて、遂に妻としての資格なしと斷じ離縁を申し渡す。妻は泣いて家を出てゆくが、彼女は妊娠してゐて、しかも今は身重なのである。ここに、この家の下男は俠氣のある男で、主人のやり方に憤慨し、妻君に同情して、喧嘩腰に辭職を申し出て家を去り、妻君を護るためにその跡を追ふ。

第四景・下男の家。

下男は妻君を保護して、田舍の自分の家へ伴れて來る。若い女と一緒なのを見て、母親は息子が戀愛沙汰から主家を追ひ出されたものと誤解し、二人を難詰するが、やがて誤解もとけ溫い同情に變る。妻君は產氣づいて女の子を產む。しかし、このまゝでは子供を立派に育てる資力もなく、將來成功させてやる見込もないので、里子に出すことを三人で相談する。

第五景・巡査の家。

巡査夫婦が食後の話をしてゐる。彼等には子供がないので、いつも何となく淋しいものがある。下男の母親が來て、里子の話をする。巡査夫婦は赤ん坊の生れた事情を知り、身許も確かなので、喜んで貰ひ子を承知する。巡査は子供の母へ金を渡すが、それは子供を買ふといふ意味の金でなく、小遺錢のつもりで受取つてくれと云ふ。女は金を納める。

第六景・夫の家。

第一景と同じ部屋。新しく迎へられた妻がベツドに寢てゐる。彼女の横に赤ん坊（男の子）が寢てゐる。夫は初めての子供を大變愛してゐる。しかし妻は產後の具合がわるく、遂に死んでしまふ。

第七景・公園。

この間に約二十年が經過してゐる。幕があくと、木立のある庭で、テーブルセツトがあり、女が青年を待つてゐる。やがて青年が來る。彼等は相愛の仲なのである。二人は結婚を誓ひあふ。

第八景・青年の家。

青年がその父親と話してゐる。父親は息子に結婚すべき年であることを說き、ある人からその相談があつたといふ。青年は戀人のあることを父に告げ、結婚の許を乞ふ。その戀人の父は巡査であり、身許も確かなので、父親は大分心を動かされ、ともかく巡査親娘に會つてみようと云ふ。ところで、この青年の父親こそは、二十年前に貞淑な妻を離緣した人物なのである。彼は現在は素行も改つてゐるらしく、その後妻も迎へてゐないが、既に白髮が相當まじつてゐる。

第九景・巡査の家。

青年の父が巡査をたづね、娘にも會ひ、息子の嫁には適當であると思ふ。そこで緣談を切り出すと、巡査も承知するが、話の末に娘は貰ひ子であることが分る。娘の實母が呼ばれてくる。彼女こそ青年の父親に追ひ出された前妻なのである。彼女は眼前の男が昔の夫であることを直ちに知るが、男の方では今は苦勞で老いた彼女を前妻とは氣がつかない。彼女は男の氣ままから捨てられる女が如何にみじめなものであるかを、二十年の恨みをこめて縷々と述べ始める。遂に男も相手が妻であつたと知つて、驚愕すると共に深い悔恨におそはれる。息子が來て事情を知る。子供等の戀は悲しい結果に終り、親たちの割れた枝は遂に元へ戻らない。——幕。

芝居の思考のこと

以上が『母の淚』の梗概であるが、一讀して直ちに所謂新派悲劇に屬するものであることが分る。マライ芝居は、かういふ悲劇（現代劇）と、任俠を扱つたものが多く、裁判沙汰に終るものも多いやうである。また海賊とか、殺人などを配したものもある。演出の單調を救ふために、端役のジョンゴス（男の使用人）が滑稽な役を受け持つて、大いに觀客を笑はせることが多い。私は昭南でのマライ歌劇團と、このチャハヤ・マタハリの芝居しか見てゐないので、マライ半島全部のことやスマトラ全土の芝居の事情はくわしくは知らないけれども、ジヤワにゐた人の話を聞いてみると、大體これに似た芝居であるやうだし、チヤハヤ・マタハリの人々も各地方を巡業してゐたのが多いので、およそ現在のマライ芝居がこの程度のものであることが想像される。

舊蘭領印度に、古くから芝居と云はれたものは、かのワーヤンである。これに三種類があつて、第一はワーヤン・クリ(Wajang korit 皮の芝居の意)で、內地で影繪芝居と稱されてゐるもの。第二は、ワーヤン・カユ(Wajang kajoe 木の芝居の意)で、これは人形芝居である。第三は、ワーヤン・オラン(Wajang orang 人の芝居の意)で、扮裝した人間(俳優)がワーヤンを演ずる。これらの內容はよく知られたものばかりで、神々の武勇とか爭鬪を扱つたものが多いやうである。ワーヤン・オランの演出は內地の歌舞伎の踊りに通ずるものがあり、支那芝居に似てゐるところもある。思ふに、現實的な演出が次第に形象化され、抽象されたフオルムに從つて或るスタイルを示すやうになると、すべてかういふ共通點があらはれてくるのであらう。ワーヤン・クリの影繪を見て觀客はその人物を云ひあて、演ぜられる內容を理解する。芝居好きの人は夜を徹してこれを見物する。ワーヤン・クリも人形を見せるワーヤン・カユも、その演出のスタイルは決して現實的、寫實的なものではない。これに反してチヤハヤ・マタハリ流の芝居は、所謂新劇的な演出によるものであり、人々はこれをワーヤンとは云はないのである。日本に於ける新劇の發達過程と同じやうな傾向をたどり、また一面には映畫の普及に刺戟されて、かういふ芝居が人々に迎へられるやうになり、耳目に入り易いところから青年層に迎へられ支持されてゐるのであらう。この種の劇團は、南部スマトラだけでも、南のはづれのタンヂヨン・カランに一つ(その名をスマトラ歌劇團といふから大きいと思つた。公演は一月に二日か三日位の程度なのである)、昔は日本人が澤山居住してゐたジヤンビーに一つ(これは每晚興行してゐる)その他の小さな町にも一二あるやうである。それらの俳優は常設の劇團幹部を除いては、先づ素人の域に屬することも明らかである。この點、チヤハヤ・マタハリの諸君は先づ俳優を職業とするものであり、座長のハジ・グーン、妻君のテナー、人氣歌手のミス・ウオーなどは、戰前のシンガポールで、ショー・ブラザー(支那人の兄弟で映畫興行界に絕大な勢力を占めてゐた)の映畫スタヂオに屬し、彼等主演の映畫が數本もある位である。戰事と共にパレンバンへ逃れてきて、後に皇軍の指導下に一座を組織するやうになると、それまでパレンバンにあつたもう一つの劇團は人氣を失つて、遂に解散の狀態となり、ある者はチャハヤ・マタハリへ吸收されてしまつた。

　さて『母の涙』の梗概に戻るが、この芝居は決して傑作でもなく絶大な大衆的な好評を博したものでもないが、現在のマライ芝居の一つの斷面を示すとともに、觀客の思考力の一つの標準を現はしたものとして、とりあげる氣になつたのである。『母の涙』は勸善懲惡と云はないまでも、夫婦又は家庭生活の倫理觀（それは極く通俗的な淺いものではあるが）を扱つてゐる。貞淑な妻から別の女へ走つた夫の不幸、後妻の死、捨てられた妻の苦勞、子供たちの不幸な戀愛、さういふものが扱はれてゐる。そして、かういふテーマの芝居が實に多く、映畫（インドネシア人の俳優と演出によるもの）でも私の見た數本のものはこの域を出ないものであつた。一般に回教徒は一人の本妻の外に、三人までの妻帶を許されてゐるといふので、とかく淫らがましい聯想が伴ふやうに考へられるが、彼等の倫理觀はもつとまじめなもののやうに思はれるのである。これが一夫一婦制の外國の映畫や小說の影響によるものか、或はオランダ政府あたりの教化に從つたものか（オランダ政府などは、そんなことを指導したとは思はれないのだが）、それらの事情は今の私の未だ知らぬところであるが、何れにしても四人の妻といふやうな生活や、支那の第一夫人第二夫人などとは、可成りに違つたものを劇も映畫も取扱つてゐるのが多いのである。これは觀客に健全娛樂を提供することを、指導の上では消極的な意味での一つの基本原理とする場合に（現にチャハヤ・マタハリは私たちの仕事の一つに定められてゐる）喜ぶべき現象であると思ふ。彼等の實際生活についてみても、數人の妻帶を『實行』するものは、少數の『オラン・カヤ』（金持、富豪の意）位のもので、私たち貧乏人には關係のないことだと云ふ。これに似たことなら、日本內地にだつて無いことはなからうし、また回教の教義が富豪のための『細則』をこしらへた如才なさとも云へるかも知れぬ。

　『母の涙』の中で、私たちの思考と隨分距たりのある場面がある。第四景で、生れた子供の將來を幸福にするために、他人へ子供を呉れるといふ考へ方である。日本の芝居ならば、自分の腹を痛めた子供のことであるから、假令どんな苦勞をしても立派に育てあげると母が決意するところである。それが簡單に貰ひ子探しをすることを母たる本人も保護者も相談一決してしまふ。この芝居の重要な伏線になるための細工とのみ斷じ切れないのは、マライ芝居の中で里子を扱つたものが案外に多いことを私は知つたからである。さういふ芝居や映畫では、眞實の母の愛情や涙も勿論重要なテーマにはなつてゐるが、それよりも里子にする根本の觀念に倫理的な批判が殆んど加へられてゐないことに注目する必要がある。極く無雑作に、簡單に子供を呉れてしまふ。觀客も大して不審をはさまない。日本人的な犧牲の精神といふ尊さがない。これが周知の現實の問題であるかの如く取扱はれるのは、インドネシアたちの過去何百年かの生活習慣に由來してゐるのかも知れないし、或は戶籍法などの不備な點から簡單に扱はれた故かも知れぬし、同時に彼等の家族生活や『家』の問題が、日本のそれとは同日に論ずることの出來ぬものを含んでゐるとも云へるであらう。

なほ第五景では巡査が子供を貰ふために登場してくる。マライ芝居では、よく巡査が一役を演ずる。これは巡査の社會的地位が普通人よりも重く見られてゐるからで、收入は少くとも、田舍の部落にあつては相當の名家といふわけである。

次に芝居の演出に就て述べるべきだが、その前に少し毛色の變つたものを紹介しておきたい。題名は『折れた橋』の意である。

『デエンバタン・パタア』(折れた橋の意)のこと

この劇は古代インドの傳說に取材し、インドネシア演劇用に脚色されたものである。

インドの或る州に二人の王族が住んでゐたが、兄弟であるのにとかく不和が絶えず、その地方は亂れがちであつた。兄王チャンギス・ミラヂには相續者となるべき王子がない。彼は心やさしい王妃の諫めもきかず暴政を布いて人民の反感を買つてゐた。それにひきかへ弟王ナシール・ドウラットには人民が心服し、可愛い王子がゐる。兄王はいつか弟王に攻め滅ぼされて領地を奪はれることを怖れ、機會があれば自分の方から弟王を攻擊しようと考へてゐる。

或る日兄王チャンギスは、一人の弟王の家臣を捕へて、自分の家來になるやうに强制するが、弟王に忠實な家臣はその命令を受けつけない。怒つたチャンギス王は彼を投獄し、見せしめにその子を殺して首を持つてくるやうに部下へ命ずる。——この劇は、ここから始まる。

第一景・瀧の前。

兄王チャンギスの王妃が瀧の見える廣場で侍女たちの踊を見て樂しんでゐる。一人の使者が包を捧げて來る。王妃が包を開くと、殺された子供(捕へられた弟王の家臣の子)の首が入つてゐるので驚き、王の虐政を嘆いて、投獄された弟王の家臣へ金を與へひそかに逃がしてやる。そこへチャンギス王が現はれ、誤つて王妃へ屆けられた首包の行方を訊ねるが王妃は事實を語らず、却つて王を諫める。怒つた王は弟王に戰を挑む手紙を書き使者に持たせてやる。

第二景・弟王ナシールの王宮。

ナシール王が王妃、王子と語らつてゐる所へ兄王の使者が到着し、挑戰狀を渡す。平和を愛するナシール王も遂に開戰の意を決し、直ちに參謀長ロスタム・ヂヤンを呼び事情を告げる。參謀長は兵をひきゐて出陣しようとするが、王は兄との決戰を望んで自ら陣頭に立つ。そして出征に際し一通の手紙を參謀長に托し、若し自分が戰死した際に王妃へ渡せと命ずる。

第三景・山中。

戰は始められた。弟王の軍は利あらず次第に退いてゆく。混戰となつた。ある山中で兄王と弟王とは偶然に出合ひ、激しい爭が續けられた後、弟王は敗れて捕へられ投獄される。

第四景・弟王の王宮の庭。

弟王の參謀長ロスタムが主君の安否を氣づかつてゐると、王の護衞兵が來て戰死したと知らせる。參謀長は兵の不甲斐なさに激怒の餘り、彼を斬り、王の出陣に際して預かつた手紙（遺書）を王妃に渡す。王が既に死んだと知つて王妃は悲しみ、王子を一人で寢かせてあるのも忘れて狂人のやうに飛び出す。そこへ第二の使者が來て王は戰死したのでなく捕へられたと告げるので、參謀長は大いに喜び救出に出發する。その後へ兄王チヤンギスの兵が忍びこみ、弟王の王子を奪つて姿を隱す。

第五景・兄王チヤンギス國内の町。

チヤンギス國内へ潛入した參謀長は、折よく知人のサリムに合ひ、主君救出の手傳を賴む。しかしサリムの父は獄舍の番人なので助力を斷わるが、通りかかつた獄舍の料理人の子に事情を打ちあけて、助けを求めることになる。

第六景・牢獄。

牢番が坐つてゐると、賑やかな踊り子達の聲や音樂が聞えるので呼びとめて踊りを所望する。その隙に女裝して踊り子に化けた料理人の子が番人から鍵を盜み、參謀長と協力してナシール王を逃がしてしまふ。

第七景・橋。

兄王チヤンギスの王宮。國内の平和の爲に王を殺さうと決心した王妃が、眠つてゐる王を刺さうとした時、弟王の參謀長ロスタムが忍び入つて來て、チヤンギス王を殺すのは自分の役目だと云ひ、王を搖り起して決鬪を求める。そこへ弟王の王子を連れて家來が戾つて來る。參謀長は驚いて王子を奪ひ、劔を以てチヤンギス王と爭ふ。鬪爭が續き舞臺は變つて橋にかゝる。參謀長と王子の命が危く見えた時、不思議にも橋は二つに折れて危險を脫する。

第八景・ナシール王の王宮。

王と王子を失つて嘆き悲しんでゐるナシール王妃。そこへ王が無事に歸つて來て夢かと喜ぶ。更に參謀長が王子を連れて來るので、久しぶりに王宮は喜びにあふれる。參謀長は王の許を得て兄王チヤンギスの王妃を助けるために出發する。

第九景・森の中。

チヤンギス王の怒にふれた王妃が、今や處刑されやうとしてゐる。參謀長が現はれて王と鬪爭し、遂に王を捕虜にする。

第十景・會議。

大臣達が兩國の平和と次の王を定めるために會議を開いてゐる。兄王も弟王も、互に戰に敗れ、或は捕虜になつてゐるので、兩國を合せた新しい國の王となる資格がない。そこで兄王妃の發言によつて、兩國を統治する者は弟王の王子以外にはないことが定められる。かくて新しい王が宣言され、久しい不和は消え、二つの國は一つになつて、人民の上に始めて幸福が訪れた。――幕。（未完）

（富第八九九一部隊檢閲濟）

◇受贈雜誌御禮◇

○講談倶樂部○ユーモアクラブ○講談雜誌○文藝日本○につぽん○現代女性○海の村○愛の日本○ふるさと○くろがね○メトロ時代○向上○開拓○文藝情報

白衣の歸還（1）

陸軍宣傳隊囑託　岩崎榮

敵襲

モーリス・コリスといふ英人が、一九三七年の秋書いた手記の一節に、次のやうな文章がある。

――ラングーン市街の入口に、英國資本の、スチール株式會社といふ大會社の、英人社員の寄宿舍があつた。寄宿者の大部分は、ビルマに來て間もない連中だつた。毎朝九時に出勤し、夕刻六時半前に歸宿することは稀だつた。この熱帶地方では、日が非常に永かつたのだ。若い彼等は、午後七時から、八時半までの間は、好きな娯樂に打ち興じ、それから夕食を會食する。毎土曜日の午後は彼等の天地で、ゴルフやテニスなどをやつたあと、きれいな女の友人や愛人をつれて來て踊り明かすのであつた――。

われ〳〵ビルマ方面軍の宣傳隊員は、右のスチール會社アパアトメントを宿舍にしてゐた。

ラングーンへ一ばん最初に突入した〇〇師團と一緒に、わが宣傳隊の一部も、ビルマの首都に踏み込んだ。そして、ラングーンの山の手と下町の境界線にあたる、だから市街の入口とモーリス・コリスが書いてゐる地點に、凹型に、堂々と聳え建つ白亞の大建築即ち、スチール會社の英人獨身社員のアパアトメントだつたといふ、それを占用することにした。

そこからおよそ一粁許りの距離にある宣傳隊事務所へ、我々も毎朝九時に出勤し、午後は五時に歸つて來て、イギリス人達が會食した食堂で會食し、彼等が殘して行つたテニスコートで、庭球をやり、彼等のクラブであつた一階の大ホールで、球を撞いたりレコードをかけたりした。

自分の室は、建物の正面玄關から二階に上つて左袖になつてゐる九號室で、高光一也畫伯と同居した。

隣の十號室には、高見順と豊田三郎とが起臥した。その他百人に近い全員が、二階、三階、四階の多くの室に割據してゐた。

この建物の裏にあたつて一棟の棟割長屋が附屬し、そこにはボーイやコツクなど召使の印度人とその家族が住んでゐた。

かうした生活様式は、つい一ケ月前迄此處にゐたイギリス人どもの營みと、ほゞ同じ樣なものであつた。たゞこの建築物の立場から云はしむれば、その生活内容で、イギリス人的なあらゆる悪徳が、日本人的なあらゆる美點と入れ換つただけだと云ふであらう。

例へば、我々は決して女性を引きづり込みダンスなぞは試みなかつた。亦召使の印度人達に對し、決して奴隷扱ひにせず、裏の長屋に住む彼等の妻子に對してでも、言葉をかけたり、色んなものを與へたりした。

自分と高光君との召使は、パルデスと云ふ若い印度人だつた。自分が猛烈なデング熱にかゝり、病床に呻吟してゐる時、パルデスは單なる主從關係を離れ、熱心に介抱してくれ、無智な彼等の間に信じられてゐるらしい呪や祈禱めいた事までしてくれた。

パルデスの妻君は高光畫伯によつて吾等の部屋へ招きあげられた。使用人の家族がマスター（旦那）の部屋なぞへ出入りする事はイギリス人時代には絶對に許されてもゐず、また彼等として夢にも思はなかつた大問題である。所がパルデスは、日本人はイギリス人とは雲泥の差で、東洋人は皆兄弟だと云つてゐるし、亦わし共と同じ佛陀の子であるから變に怖れたり遠慮したりする事は、却つて不道德だと云つた意味の教訓を與へ、ひどく恐縮した若くて可愛いゝ自分の妻を我々の所へ連れて來た。

高光君はこの女をモデルに、一枚の肖像畫を描き上げた。

それから亦高光畫伯は、も一人きれいな印度人娘を描きたいと云ひ出し、パルデスの妻君に、適當なモデルを連れて來てくれろと賴んでゐた。

二・三日たつた。デング熱が餘程輕くなつたので、その日自分は、高光君などと一緒に、久し振りで隊へ出勤し、午後宿舍へ歸つて見ると、部屋の一隅にあるソファーに二人の印度婦人が、腰かけて待つてゐた。

一人は無論パルデスの妻君だつたが、も一人は未知の娘であつた。併し、未知とは云ふものの何となく、何處かで見たことのある樣な氣持にならせる顏だつた。

「あれ、この娘は――何だか初對面ぢあないぞ」

高光君がさう云つてその娘の前に兩腕をくんだ仁王立ちになり、しみ〴〵と顏を見つめる。

娘は困つた樣な嬌羞の色を全身的に漂よはせ、パルデスの妻君の背に顏をかくした。

それは日本の可憐な娘たちの態度を彷彿させ急に、千里遠征の吾等の胸に油の樣な鄕愁を泛かばせた。

パルデスの妻君が、

「この人は私のおともだちです、この下の映畫館の近所にある帽……………」

と云ひかけたとき、高光君も自分も同時に一齊に、

「あゝ、帽子屋だ。さうだ〳〵」

と、互に顏を見合せた。

宿舍の門を出て通りを左へ下り、鐵道の跨線橋を渡ると、とつつきの左角に映畫館があり、そこを左に折れると右側は印度人街で、片側は鐵道の貨車ヤードになつてゐた。

この通りはいつも我等の下町通ひの通路だつた。そこに一軒の帽子屋があり、店頭では一人の若い印度人の女が熱心に帽子を縫つてゐた。この女の顏は、キリストを女性にした樣な端麗さで、すらりとした肢體の皮膚の色は、飴の樣な肌目と鳶色の光澤を見せた。そしてその鳶色の形のいゝ足首に金の輪をはめてゐて紅いスカートの裾で、いつも朝陽や夕陽にチラ〳〵と光つてゐた。みんなはこの女性を、ミス印度と云ひ合ひ夫々に色んな角度からの關心を繫いでゐた。

この女がパルデスの妻君によつて自分達の部屋へ現はれてゐるのだつた。

高光君はこの好もしいモデルを得て活き〳〵と緊張し、一週間かゝつて十號を一枚みごとに描き上げた。

彼女は、私より餘程美しいと云ひながらも嬉しさうな表情を隱さうとはしなかつた。

彼女は翌日も遊びに來ると約束したが、その夜しばらく途絕えてゐた敵機の空襲があつた爲、當分外出しないからとパルデスに傳言して來た。敵機は每晩缺かさず襲つて來た。その都度亦きつと大小の被害があつた。

敵機は月明に乘じ、カルカツタの方から來る、だから月が早ければそのおとづれは宵の中となり、月が晚ければ夜明け

頭となる。

高光君と、もうお見えになる時刻だよと、云つてゐると遙かの雲の上で一種嫌な胸が重くなる樣な感じの唸りが、響いて來る。

敵は先づラングーン市街西北十粁許りの所にあるミンガラドン飛行場を襲ふ。それから一直線に我等の宿舍の上あたりへ急降下して來る。宿舍の四圍には日本軍やビルマ獨立義勇軍の重要な機關が幾つもあると敵は信じてゐるらしい。亦宿舍のすぐ下は例の貨車ヤードである。敵は此處をも目標としてゐる。それから彼等は埠頭を荒して逃げ歸る。

月のない夜でも照明彈を投下し、ラングーン全市も滿月の如く明るくして、襲來する事もあつた。終ひには晝間堂々とアメリカの所謂空の要塞が現はれ、我が戰鬪機と、市民の頭上で鬪ひ擊墜されたり遁走したりした。

ある夜明けにも、猛烈な敵襲があり、宿舍全體が地震の樣に振動し壁にかけて置いたマチスやゴッホの額がバタ〳〵と床に落ちた。

すぐ夜が明けパルデスが駈け上つて來て、この下の鐵道側の印度人街に大きな爆彈が三つ落ち印度人がたくさん死にました、と云ふので、朝飯前の散歩をその方面へと下りて見た。敵機は鐵道を破壞する目的で投彈したらしいが例のお手並だから見事に狂つて印度人街を縦に、しかし之は極めて正確な三十米の距離を以て點を打つた樣に三箇所を爆碎してゐた。

自分はとつさに例の帽子屋がどうなつたかを心配し、走る樣にその前あたりへ行つて見た。帽子屋は不幸にも半壞の狀態にあつた。奧の方は燃えてゐる。半分壞れた家の二階の窓から女の片足が一本ぶら下つてゐた。大腿部から切れてとんだものらしい。切口が下に向いてゐる爲脚は一滴の血にも汚されてはゐなかつた。きれいな蠟細工の樣なすらりとした鳶色の脚だつた。自分はハッと胸を衝かれた。あの女の脚である。足首の黃金の足輪が街路樹の葉陰を洩れて來る朝陽に燦然と光つてゐた。宿舍へ歸つて朝飯を食ひながら食卓を共にしてゐる高光君に自分は脚の話はしなかつた。

その夜から自分の右足が激しく痛み出し、一夜まんじりとも出來なかつた。高光君も遂に起きて來て足を揉んで吳れた。痛む足を揉まれながら始めて高光君に帽子屋の女の脚の事を話した。

「フウン」と、云つたまゝ高光君は蚊帳の一隅に眼を据ゑ、しばらく默つてゐたが、やがて、

「寒い！　ウイスキーがあつたね」

と云ひながら蚊帳の外に出た。

（つゞく）

自問自答

打木村治

近いうちまた本を出すのだがね、と、何も自分がこれから出す本の廣告をするわけではないが、まあ親しい友人と合つて、そんな話でも出れば、つい洩すこともある。

すると相手は、まだこちらが長篇とも短篇集ともいはぬ先から、ああさう、君は長いものをよく書くね、と、頭から長篇小說ときめてしまふ。そんな時、ついこちらもその口車に乘つてしまつて、それがだよ、君、長篇小說ぢやないんだよ創作集なんだ、と、創作集に何か少し得態のわからぬ卑下した感情を意識しながら、さう答へる。

すると相手は、なーんだ、とはまさかいはぬが、氣のせいか幾分輕く聞き流すやうになつたみたいにこちらに映ることがある。で、相手もはつとするらしいが、こちらも、そんなふうな答へ方をしてしまつてから、ぞつとするのである。

それが、相手が、こちらを長篇作家とでもきめてかかつての言葉なら、そしてまたこちらが長篇作家らしい仕事でもしてゐてさういはれるのなら、何も問題はないが、全々さうでないところから、『本』といへば長篇小說、長篇小說より創作集の方が、何んか一段肩身の狹いやうな雰圍氣を、しらずしらずつくつてしまふ、といふところに、近頃問題を感ずるのである。

この創作集といふときに感ずる感情を、も少し突つ込んでみれば、創作集に編入する創作の一篇一篇に對する、作家としての責任とか、或は自信とか、つまり良心の問題からなら、それは結構なことであるし、今後こそますますさうした態度は尊重されねばならず、過去に於ても、誰もがして來た自重心であつた。これは自重であつて、卑下ではなかつた。ところが唯今のそれは、むしろ自重ではなく、一種の卑下みたいに私には思へてならないのである。卑下するといふ感情は、何か對照物がなければならない。それが長篇小說であることは明なのである。創作集にまつはるかうした一切の感情は、すべて長篇小說を對照に泛べてであるやうである。

何んか質が落ちてゐるやうな氣がしたり、思ひ切り吐き出すべきことが、吐き出せてゐないやうに思へたり、しらずしらず、今日長篇小說の持つ力の流れに壓倒されてゐて、そして、いまどき創作集などといふ氣持に囚はれ、羞しいやうな錯覺を起こすのではないだらうか。羞しいやうな錯覺といふのは、いつてみれば、最も現代日本のお役に立つてゐるのは長篇小說で、この急激に變化して來た時代に、長い間かかつて書き溜めた創作をまとめた創作集なんか、何になるか、現代の躍進日本の世相をとらへて書き下ろした長篇小說に比べて、お役に立つところ遙に尠い、といつた考へ方からだらうと思はれる。

こんなことを考へたのは私一人かと思つてゐたら、先日ある友人と話してゐるうち、先からこのことを話し出され、びつくりした。その人は、近く創作集を出すのだが、この長篇の多い、生きのいい時代に羞かしいやうだといつた。はてさて、そんな空氣が、どこかに立ちはじてゐるのであらうか。莫迦らしいことだと、私は思ひなほすのである。

曾てわれわれは、長篇小說の流行を要望した。この國に長篇小說が出ないと嘆息した。それもそんな古い過去のことではない。昭和九年頃のことかと思ふ。その頃小說本といへば創作集のことであつた。創作集すら容易に出せるものでなかつた。まして長篇小說となれば、まづ原稿のまま塵とともに同居で終るのが運命であつた。まことに夢である。

今日創作集といふものが、人人の氣持の中で、そんなふうな位置づけをされたとすれば、それはとんでもないことだと思ふ。われわれは、長篇小說を流行させて、短篇小說を殺す氣持は毛頭ないのである。二つ揃つて文學の大道が開けるのである。短篇小說は、創作集にまとめられる運命に於て、はじめて作家とその人の文學とを、世に役立てるものなのである。作家は、自己の短篇小說を、殘らずまとめる責任と矜持とを持たねばならず、また作者から、創作集に入ることを拒まれるやうな作品は、はじめから創作ではないのであり、更にまた作家は、創作集に入れられぬやうな作品を、本來持たぬ筈のものなのである。かうした矜持より出た創作集は、斷じて祖國の文化のためお役に立つことに於て、長篇小說に劣るものではないのである。われわれは長篇小說の奔流に壓倒されて、長篇小說を對照に、創作集の位置づけに錯覺を來してゐたとすれば、おろかにも、長篇小說の惡書の横行こそ更に惡質であることを、見落としてゐたといふ、至極平凡な理由に歸着するのである。

考ふべきことは、創作集が羞しいのではなくて、それに編入さるべき作品のうちに、一作でも羞しいものがあるかないかといふことである。これは創作集を出す間際になつて考へたのでは遲いので、月々雜誌に書くその時に考ふべきことである。さういふ態度こそ、特に現代日本文化の推進に對して長篇とか短篇とかいふことを超えて、お役に立つことではないかと思ふのである。

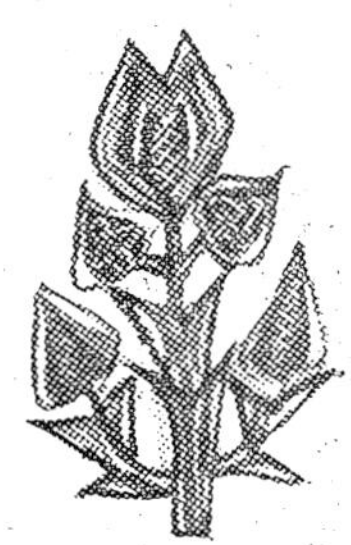

大破と小成

岩倉政治

僕は自分のめざした仕事が思はしく進まぬやうなとき、いつでも、もつと身邊的なものにかゝらうかといふ誘惑を感じる。

身邊的なもの必ずしも手輕に成功するわけではないのだが、それでもついそこへ考へがゆくのである。これは、僕ごとき薄志弱行の徒としては自然のなりゆきだとも思はれる。小說は充分わが身についた世界でなくては讀むに堪えるものとはならぬのだから、できるだけ破綻を招かないでわりに氣易く書き出せさうなものとなると、おのづから身邊を見廻すことになるのであらう。實際僕はさういふ次第から幾つかの身邊的作品を書いてきた。

しかし、これは作家が小成に安んじようとする至極現狀維持的な道であることを思はないでは居られぬ。僕は、たとへば大きなロマンに手をつけた場合の破綻を惧れてゐるのだ。この卑屈な根性がロマンを離れて身邊へと僕を寄りつかせてゐるやうに思ふ。

古今の大作家たちが書いたやうな堂々たるロマンの中に、身邊的な血の通ひを吹き込んで藝術的に成功するためには、作家は作家に必要なあらゆる才能にめぐまれてゐなくてはならず、同時に非常に深く廣い體驗をもたねばむつかしい。到底お手輕にできることではない。順調に學校を出て、それから幾年かを文學仲間で泳ぎ暮したといふふうな、息災結構な人種、ないしはそれと程遠からぬ僕らには、ちよつと手に負へ兼ねるものがある。

正宗白鳥氏は曾つてシエクスピアの「タイタス・アンド・アンドロニカス」に示されてゐる人間の惡黨性について感服した旨を書いてゐたが、さういふ人間の惡の深さについてもまた善の强さについても、たかの知れた理解しかもてない僕の如きおぼつちやんが、大小說の創作にしりごみするのは無理からぬ次第なのである。

それでは、わが國にはシエクスピアほどの人間學者が本來居なかつたのかといへば決してさうは思はれないので、たとへば法然とか親鸞とかは、多分もつと深刻な人間學者であつたといふ氣がする。さうするとやはり、僕らの至らなさであつて、僕らはそれを恥とせねばならぬのである。僕らはその貧しさを補ふ熱意をもたねばならぬのである。

僕は、そんなわけで、自分が身邊ものに惹かれ勝ちなのは、自分の「分を知る」つゝましさではなくて怠惰だと思つてゐる。

わが身邊を離れるとなれば、非力の僕はきつと大きな失敗をやるだらう。しかしそれだけまた、覺悟するところも深いし、事の成否に拘らず得るところは大きいだらうと思ふ。大破を惧れて出撃しないやうな海軍にいかなる戰果も期待できない。これは日本の傳統ではない。

僕は或る種の「大衆文學」はもちろん愛しないが、それらの「大衆文學」にロマン的な創作をゆだねて、ひたすら小成に安んじてゐる或る種の「純文學」もそれに劣らずけちなもので、恥づべきだと考へる。

だが僕らが身邊事に就きがちであるのは、怠惰の精神だけで片附けられぬ點も考へられぬではない。わが國に於ける隨筆文學の傳統といふものは、僕らの血肉に生きてゐるので、それはそれでまた一つの獨自な價値をもつてゐるし、だから現代の身邊小說の中に再生してきてゐるのである。

おもふに、日本のやうな、濃い血脈で結ばれた小ぢんまりした家族國家では、白々しく小說をつくるなどといふのは、よほど圖々しい人間にのみ出來たことで、先づつつましやかに所懷を述べる隨筆形式がふさはしかつたのであらう。善良なわが國の文人は、自然そこへ赴きがちであつたらう。今日でも隨筆的身邊小說に終始してゐる作家は、きつと、とびぬけて自信の強い人か、それでなければ比較的善良な弱氣な人だらうと思ふ。

自分からまるで飛び離れた一大物語りなどを書いてゐる外國の文豪などは、實に圖々しく白ばくれた人間だつたかもしれない。

しかし小說などに志したといふことが、元來善良なる人間の仕業ではないやうな氣がする。もしさうなら、なまじひつゝましやからしく氣取らないで、大いに白ばくれたところを展開する方がむしろ堂々としてゐる。

日向高千穗　　中澤巠夫

高千穗の谷ゆ湧きいづる霧はれて日向國原ひろくはろけし

日向なる高千穗の嶺に朝日さし國原やゝに明けそめにけり

すめみまの天降りましける高千穗の峯美しく日はさしそめぬ

傳記に就いての雜感

森　銑三

一

近頃私のとこへも、本屋さんが頻繁に來る。用件はといふと、大抵は書下しの長篇の傳記をといふ註文である。私は書くこと以外には能のない人間だから、出來ることならば幾らでも引受けたいが、長篇の書下しの傳記が、さうやすやすと作られるのではない。然もその題目は、なるべく國史の上で著名な人物がいゝ。少しも一般的な國史に名前の出てゐる人で無くては困るといふ。私としては、書くならばまだ何人も手を附けてゐない、閑却せられてゐる人物を取上げたい。その邊が本屋さんの希望と大分食ひ違つて來る。それで話は不得要領に終つてしまふ。しかしまたその內には別の本屋さんが來て、また同じやうな問答を繰返さねばならなくなる。われながら御苦勞さまなことをしてゐる。

二

この一二年來、傳記書類の出版が激増してゐる。そしてますます激増の度を加へて行かうとする狀態にあるらしい。さうした傾向は出版業者側が作つたのか、出版文化協會あたりの指導の結果さうなつたのか、それとも讀者側の要求が自ら然らしめたのか、その邊のところは私には、よく分らない。何にしても盛なことといはざるを得ぬが、しかしながら、それが喜ぶべき傾向かどうか、それは俄かに何ともいはれない。

假に昭和十七年の一年間に出版せられた傳記書類を總ざらへして、その內から良書として永い生命を有するであらう書物がどれだけあるかを調べて見るならば、いかに出版部數が夥くして、そしてまたいかに良書の尠きかに驚く結果になりはせぬだらうか。しかしさうした調査をすることに依つて、どのやうな題目が選ばれてゐるか、いかに出版者が人氣のある人物の通俗的傳記を出したがつてゐるか、著者にはどのやうな人がゐて、どのやうな書き方をしてゐるかといふやうなことの知られて來るだけでも參考になるものがあるかも知れない。そしてまたそれに依つて、今後に於ける傳記書類續出の傾向に對して、いかなる對策を講ずべきかといふことも考へられて來よう。出版文化協會には、傳記に關する部會などはなささうであるが、少しでもよい傳記書類の生れるやうにするために、時々はその方面の圖書を審査する係にある人と、出版者側と、著者側とが懇談して、意見の交換をする必要などもあるのではあるまいか。

三

傳記書類の出版せられるものに對しては、私は多少の注意を拂つて來てゐるが、最近その方面の良書にどのやうなものがあつたかと問はれると、忽ちにして返答に窮する。この間も某紙にそのことを書いて、叢傳としては石濱純太郎氏の浪華儒林傳、各傳としては柳田先生の菅江眞澄を擧げて置いた。しかしこの二つの書物は、今度新たに書下されたものではない。傳記書類の流行に乘じて現れたのでもない。さうしたこととは沒交涉に作られたものたることを知らねばならぬ。

この二書の前には米國の新聞記者ウォシュパンの著乃木の飜譯が出た。譯者は目黒眞澄氏である。これは推薦圖書にもなつて、相當に廣く讀まれたらしいが、實は既に大正の末に一度版になつて、一向に注意せられずにしまつたものが、改めて版にせられたのである。この二三の例からしても、傳記書類も、よいものは際物として作られたもの以外にあるといふことがいはれはせぬかと思はれる。

浪華儒林傳も、菅江眞澄も、乃木も、何れも東京大阪の大書肆から出版せられた。私等が傳記書類の良書とするものは、都會の大書肆が一面商品として作つたものよりも、却つて個人で出版して、一部の人々にだけ配つたものや、地方で版にしたものの中にあるのであるが、事變後自費出版などはますます困難になつてしまつたし、地方の書肆なども活動が困難になつてしまつた。この種の市場に現れなかつたものとしては、岡澤慶三郎中將の成章堂巖田健文などが、大いに感謝すべきものだつた。和裝で、書物としての出來も大變いゝ。しかしそれだけにこれらは書肆の賣品にはならないもので、かやうな營利を目的としない書物などは、今後ますます出版が困難になるであらうと思ふと、現在の出版機構にも大きな缺點の存することを認めざるを得なくなる。

四

傳記書類は夥しく版にせられても、良書は實に乏しい。讀物としての傳記だけが作られて、研究的な傳記は一向に出ない。讀物としての傳記にも、私は價値を認めぬのではない。否大いにその價値を認めたいと願つてゐる者であるが、遺憾にしてその方面にも推稱するに足る良書が現れぬ。出るものは安價な態度で先人の研究を丸取りにした、種本の見え透いてゐるものばかりである。その種本も十分に消化せられてゐなくて、生ごなれのまゝを吐出したやうなものばかりがつぎつぎと送り出されてゐる。一體どうしたらよいであらうか。

五

出版業者は算盤と離れることが出來ない。だから傳記書類もなるべく著名な、一般の人氣に投ずる人物を扱つたものばかりを出さうとする。勢ひ各所の企畫と企畫とが差し合ひ、今までに既に何部も傳記の出來てゐる人の傳記がまたしても作られることになり、執筆者は受動的に出版者の註文に應じて、感激もないものを書くことになる。表面だけは打込んで書いてゐるやうに見せかけても、その實は一向にさうでなく、讀んで見て迫力に乏しい、氣のないものばかりが出來上る。

一方著作者としては書きたい人物があるにしても、それがあまり聞えない人物では、出版者側で引受けてくれぬ。況して無名の士が、過去の無名の人物の傳記をいかに骨を折つて書いて見たところで、書肆を通じてそれを世に問ふことなどは、まづ絶望に近いといつてよからう。

六

出るものは出なくてもよいものばかりで、出て欲しいと思ふほんたうの良書は出ない。さうした狀態をどうしたらよいのであらうか。私としては、出版文化協會あたりが率先して傳記の稿本の審査をすることを始めて、內容のよいものは進んで書肆への仲介の勞を取つてくれることをすべきではないかと思ふ。出版文化協會はたゞ出版者達とのみ接觸する機關のやうになつてゐるらしいが、著者と協會とが接觸する機會も作られてよいのではあるまいか。そして審査せられた原稿が最初からして協會の推薦圖書として出版者の手へ渡されるならば、出版者としても仕事がし易くなりはせぬだらうか。

七

今一つよい傳記家を養成するために、課題を掲げて傳記を募集をすることもしてよいのではあるまいか。これまで新聞社や雜誌社や書肆などで、通俗的な國史の募集をしたことはあるが、まだ傳記の募集はしてゐないらしい。例へば近世に於ける科學者だとか、維新の志士だとか、明治大正に於ける地方の篤行家だとか、或はわが鄕の先人といふやうな漠然とした題でもよからう。さうした課題に依つて、原稿を募集して、優秀なものは幾つでも版にするやうにすればよい。青少年を對象とした讀物風の傳記ならば、課題と共に據るべき參考書を明示して置いてもよい。そしてまたその原稿には、是非とも參考文獻をも明示せしむべきである。それに擧げたる文獻だけを一覽しても、その內容の大體は見通が附く。私等の傳記學會は、まだまだ力に乏しいが、もし有力な書肆の協力が得られるならば、さうした仕事を始めてもよからうか、とも秘かに考へてゐる。

八

傳記書類が盛に出るといふは、粗製濫造に陷つてゐるのに外ならぬ。私等多少でも人物の研究に携つてゐる者に取つて、これは喜ぶべき現象どころか、却つて憂ふべき狀態にあるものと考へられる。私としては、さうした流行などには左右されないで、自分がどうでも傳へたいと思ふ人物を打込んで書かうとする人々が多く出て、さうした人々の手になつたまじめな傳記が相ついで公にせられる機運を作りたいものと思ふ。そしてそれにはやはり出版文化協會あたりが一肌拔いで、優秀な傳記家の養成といふことよりして考ふべきではないかと思ふ。そして表面的には地味でも、十分安心して讀まれる、中に力の籠つた傳記が見たい。さうしたものがつぎつぎと出るやうでなくては、私等にはありがたくない。

自分で根本的に研究してかゝらうといふのではなくて、何かすぐに利用の出來る。よい種本はないかと探し廻つてゐるやうな人ばかり多いやうなのには、うんざりさせられる。

九

本屋さんは大勢來ても、なかなか私等と考へ方が一致しない。それは致方のないことかも知れぬが、本屋さんも出版文化協會の一員たる以上は、傳記書類に就いても、今少しまじめに考へる必要があらうと思ふ。

現代作家研究 11

村雨退二郎論

東野村章

1

（歴史文學）は、いま、この國の文壇に、最近では珍らしい旋風を卷き起してゐる。種々な見解と探究と論議が交錯し、泡立ち、かつて振り向きもしなかつたところの作家達までが注視の眼を瞠く。

歐米輸入の思想の中に、僅かな據りどころを、或は自我の殼の中に、自慰的な棲家を得ようとし、更に、急激な時代の變化に、周章て、崩壞する足下の土塊を見ながら民族意識を、見當違ひの國策のお先棒を據がうとする混亂に際して、慥に、それは多量の榮養素を含んだものゝ注射であつた。遲きに過ぎた感がないではないが、（歴史文學）への注視は、この國の文學の一歩前進を意味するものである。しかし、交錯し、泡立つ論議が、流行の便乘的空騷ぎに終つてはゐないだらうか。今日だけの問題に捉はれた底のない旋風ではないであらうか。

此處まで考へてくるとき、この國の文學を代表してゐたといふ過去の文壇の弱體に、今更らながら驚かないではゐられない。と、同時に、この（過去の）文壇の外に、默々として、（歴史文學）を旣に築きゆく一群の歴史文學作家のあつたことを知らねばならぬ。

「歴史小説が盛んになつて來た最大の原因は、時節柄日本歴史の再認識といふことが强調されるやうになつた。そこから來てゐることは、今更ら改めて言ふまでもないが、それと同時にもう一つある。それは、大衆文學が行詰つてしまつた。その行詰りは時代小説が歴史上の認識に就いて、一般の信用を失つてしまつたから、どうしてもその行詰りを打開するには、歴史的に確實な題材を以て出直さなければならない。さういふ考へが作家なりヂヤアナリストなりに起つて來た。その結果である。」

最近の（歴史文學）の問題に就いても言へるこの一文は、昭和十四年、「文學建設」第二號に於て、これから述べようとする村雨退二郎が、既に述べてゐたところのものである。

村雨退二郎は、（歴史文學）の作家である。そして、忽然として、今日、昨日の時流に乘つて現れた（歴史文學作家）ではない。

既に、かつて、自慰的な自我の境地に小さな感傷を吐露してゐた作家も、それではならない現實に眼覺め、假令、起ち上ることが出來なくとも、踠いてゐることは、（歴史文學）の擡頭がその一つの表れとしても、見ることが出來るのである。――だが、われわれは、その踠いてゐる作家達だけが、問頭となり、また、それが、この國の作家を代表するかのやうに言はふとする舊體依然たるヂヤーナリズムが、この儘に過されてゐることに不思議を感じないではゐられない。

狭いこの國の文壇は、依然として狭くていゝものであらうか。（大東亞文學）と叫び、（亞細亞文學）と叫ばうとも、この狭い文壇の上に、どれだけの期待を持つことが出來るであらうか。

（瀕死の白鳥）の感傷はアメリカ的だ。愛するこの國の文學が、より高く、より大いなるものとなるため、今迄の狭い文壇は解體されねばならぬ時期の來てゐることを知らねばならぬ。假令ば、（歴史文學）の問題にしても、（文壇）で話題にならないところに、其處で問題とされてゐるものより更に深い（正統歴史文學）の運動のあることを、いつたい誰が執りあげた者があらうか。

2

かうした僕の考へ方が、極端に過ぎるといふなら、もう一度、自然主義思潮から頽唐思潮への展開にあつた大正初期から現代までの文藝思潮の流れを、振り返つて貰ひたい。そして、現在、（國民文學）の樹立と理想のあるところまで思考を進めて貰へば、狭隘なる文壇の姿を見ることが出來るであらう。

（狭隘なる文壇）の衰弱は、（國民文學）へのあの激しい烈々たる熱情をも、數年をさへ數へずして、忘れようとしてゐるのだ。しかし、默々として（國民文學）への一路を進む作家のあることを喜びたい。

いま、村雨退二郎を論ずるにあたつて、かうした、(文壇)の姿のあることを述べねばならなかつたのは、村雨退二郎らの主張する(正統歴史文學)の意義も、(文壇)に旋風を起した(歴史文學)とそれとの相違をも分明しないのではないかと思はれたからに他ならない。

昭和十六年三月號の「文學建設」に——當時(狹い文壇)にも(國民文學)が問題になつてゐた——國民文學研究の特輯に寄せた村雨退二郎は「文學の活きて行く途」と題する中に「國民文學の創造に適しない作家があつても、これは賦性のしからしめるところだから、賦性と時代性を睨み合はして適正妥當の文學行動をとる外なからうといふ忠告も私には理解できない。適不適の問題なら、もちろん賦性上のことだが、私たちにとつては、適不適ではなくて、國民精神の源流に立ち還るのか立ち還らないのか、といふはつきりした問題なのである。

從つて國民文學の樹立に邁進する作家たちは「賦性と時代性を睨み合はして、適正妥當な……」處世技巧によつて一身の保全を圖るなぞといふ政治家的考慮を要しないし、文學の方では國民文學を攻擊しつゝ、一方では國家的要求に忠實に服從するといふ首鼠兩端を持すやうな行き方はできないのである。」と、當時の(狹い文壇)の姑息な思考に一矢を向けてゐる。

彼の思索の絲は、縺れずに伸びてゆくのである。一作一作の血の滲むやうな實行を土臺にして、國民文學は「小説らしい小説」を復活しなければならない。自然主義的な寫實主義が、日本文學の主流をなして以來、國民は永い間、ほんとうの小説、文學としての面白さをもつた小説を讀むことができなかつた。それは日本の文學の不幸であつたばかりでなく、國民文化の上から見ても、甚だ悲しむべき現象であつた。

小説は、讀者を苦しめるためにあるものではない。小説の面白さは、小説の條件であり宿命である。どんなに高遠な理想を説いてゐても、どんなに深刻な人生に觸れてゐても、そのことだけでは小説は讀まれない。小説は小説としての約束をもつてゐる。

國民文學は、いはゆる純文學でもなければ、いはゆる大衆文學でもない、またこの二つの文學を折衷した中間文學でもない。あるひは人によつて、高級な内容と平易な形式とを兼備しようとしてゐる點から、これを折衷文學と思ふ者があるかもしれないが、國民文學のほんたうの意味はさういふ點にはない。それはたゞ小説らしい小説を復活した結果が、外見上折衷のやうに見えるといふだけのことである。

國民文學の樹立といふことは、國民主義の立場に立つて、國民生活と結びついた新しい現實的理想主義文學を打ち樹てるといふことである。

3

村雨退二郎のこれまでの作品、並びに評論を辿つてくるとき、理論と實行とが、尤も密接なる關聯の中にあるのを感じるのである。理論から實行が生れ、實行を經て新しい理論が生れてゆくのを見るのである。(國民文學)に對する思考が、作品を追つて流れてゆくのを感じるのである。

作家は、凡ての意味の探究をもつてゐなければならない。(心の琴線)も、(文學者の眼)といふことも、結局は、常に抱かれた探究の中から生れてくるものである。探究の世界から作品が生れてくるものである。探究の深さは、自ら作品の深さともなつて現れる。人生を、人間を、社會を、運命を、作家の(眼)は、常に探究をもつて注視する。

理論から實行が生れ、實行を經て、新しい理論が生れてゆくのも、村雨退二郎の激しい探究の流れを指すものである。いや、村雨退二郎の名と共に浮ぶのは、ひとすじの燃ゆるやうな(探究)の熱情なのである。嶮しい道を、ひたすら探り、究めゆく熱情の塊を、强靱な鞭のやうにしてすゝんでゆく作家なのである。かつて、「歴史的に確實な題材を以て出直さねばならぬ」と、當時の作家達に警鐘を亂打しなければならなかつた彼の熱情の塊は、激しい意慾と、理想の旗を押したてゝ、「正統歴史文學」への發展を齎した。

「歴史文學が、まだ史上著名な人物、事件を專ら取扱つてゐた時代には、歴史文學は即ち歴史小説であつた。然し、作家が史上無名の人物、事件に目を轉じ、またテーマ小説の便宜的方法として歴史時代を取扱ふに至つて、歴史小説と時代小説の境界線は次第に不明瞭になつて來た。

鷗外の「佐橋甚五郎」「阿部一族」は歴史小説である。だが、「高瀬川」は翁草に原話があつても歴史小説とは云へない。菊池氏の「蘭學事始」は歴史小説であるが、杉田玄白よりも史上數倍有名な人物を取扱つた「忠直卿行狀記」は、歴史小説とは云へない。それは最も重要な部分で、史的事實と背馳してゐるからである。

「曾てのテーマ小説のエピゴーネンは、今も尙嚴正な批判の埒外に歴史文學の形をとつて棲息してゐる。本庄の「石狩川」がさうだ。吉川氏の「源賴朝」もさうだ。(中略)何のために歴史小説を書くか？ といふ質問に對して、それらの作家が答へ得ることは、單に便宜上の問題だけだらう。」

「歴史文學に於て、史學はどういふ位置を占めるか、といふことに就いて、從來はつきりした議論が出ず、たゞ昔の事を書くのだから、出來るだけ制度、風俗、地理等の考證をして、時代的雰圍氣を出すようにした方がよい、といふ程度のことしか云へなかつたのは、はつきりした考へがなかつたからである。私も嘗て、史的考證は、讀者の高等常識に反撥しない程度までやれば好いといふ效果論を唱へたことがあるが、これは誤りである。」

「歴史文學は、考證小說に足踏みをしてゐるべきではなく、それを乘越えて行かなければならない。考證は、考證の結果を衒學的に振りまはすための考證でもなく、單なる時代的雰圍氣の着色のための考證でもなく、文學以前の史學の方法として理解されるべきものである。」

「勿論作家は、史家の代辯者として歴史物語を書くのではない。作家の歴史文學は、作家自身の主張であつて、それは史學のみによつて成立つものではないが、歴史文學が、歴史時代に材を採るといふ點で、現代文學と明確に區別される以上歴史の眞實を把握するための史學が、歴史文學の最も重要な基礎であることは疑ふ餘地がないのである。」

少し長いと思つたが、「正統歴史文學」の實踐的一面を語るものとして、多くの大膽な言葉を含む、彼の(正統歴史文學に就いて)の一文から拔いた。こゝに示されてゐる確固として動かぬ(歴史文學)への探究の一端は、村雨退二郎の文學の底を流れてゐるものである。彼は、更に、其處から、先に拔萃した(國民文學)に就いての一文にまで探究は進む。なほ、彼は、探究と同時に作品行動へ、思考と共に伸びてゆくのである。

4

さて、冒頭に於て、(狹隘なる文壇)の(歴史文學)に對する問題が、單に空騷ぎに終るのではないかと恐れたが、それは、單に、故意に(狹隘)と見、(衰弱)とみたのではないことは、(國民文學)の問題に對する、今日の彼等の態度を考へるとき、此處にあらためて書き記すまでもなく分明とすることと思ふ。

だからといつて、(國民文學)から、われわれは視線をそらせることが出來るであらうか。ますます、より以上に(國民文學)への努力を續けねばならないのだ。

「國民文學は國民の中から生れて國民のために存在する文學の全部である。國民の中から生れて國民のために存在する、といふ言ひかたは、必ずしも意識的なる意圖を含めるつもりのものではなく、むしろ文學する時に意識的に行はれるのではなくて、純粹に文學するのであるならば、それは、國民の中から生れたものとして國民のために存在するといふことを第一の結果として持つに相違ないのであることを、言はんとするのである」(國民文學試論――新關良三)といふ言ひ方も、決して誤つた見方ではないが、一つの國の(國民のために存在する文學)であるとするには、些か滿ち足りぬものがある。其處で、短いが、深い意味をもつ、「國民主義の立場に立つて、國民生活と結びついた新しい現實的理想主義文學を打ち樹てる」といふ、村雨退二郎の言葉が浮んでくるのである。と、同時に村雨退二郎の作品に向ふ態度も、此處にあることを思ふのである。

彼の長篇小說「富士の歌」は、その實踐的作品であつた。「私はこの作品を、(中略)國民文學的立場を守つて書いた、と公言できることを誇りに思ふ」と、序言に於て述べてゐる。現實的理想主義文學の理論は「富士の歌」によつて、作品として表れたのである。その意味からも、僕は、多くの期待をもつて讀んだ。

……萩の東郊土原の農家おとせの一人子の半六が、長州少年鼓笛隊の隊長として突撃の太鼓を叩き鳴らしながら、壯烈な戰死をとげるまでの、短いが、數奇な人生を描いた作品である。

人間を描き、人間を贖めるところから文學は生れてくる。文學の感動は、さうした中から微妙な音色でもつて流れてくるのだ。

其處で、問題は、如何に人間を描き、如何に人間を贖めるかにあるのだ。作者の探究は此處から出發する。と、同時に作品の文學への態度も、こゝから發見(みつ)けられるものであると思ふ。

枝葉を突くかの如き、單なる表現技巧に對して、何彼と批判めいた言を聞くが、それは、最後の問題でいゝのだ。國民文學への努力の過程にある今日、先づ、問題としなければならないのは、この(如何に……)の探究、態度にあるのではないか。言葉をかへて言へば、作家の文學への心構へ、精神といつた點に就いて、もつともつと考へられねばならない時期にあるやうに思ふ。

如何に人間を描く……か。この作品の場合、作者が言明してゐるやうに、それは、現實的現想主義の立場から描かうとしてゐるのはあきらかである。更に一歩を進めて、現實的理想主義が、どういふ角度から、この作品の底を流れてゐるかにあることを考へたい。

自然主義全盛の時代には、自然主義の考へかたがあつた。個人主義的物質文明の時代には、個人主義的物質文明の考へ方があつた。今日、われわれは二千六百年の歷史を通じて流れる日本精神をもつて何を考へねばならないか。現實的理想主義とは、その(何を)の一つの解答であるのだ。

さう考へてくるとき、「富士の歌」の一篇の中に、村雨退二郎は、自然主義や、個人主義の時代の作品にはなかつた新しいものを描かうとしたのである。國民文學が、今までにない新しい日本の文學を創造することにあるのは言ふまでもない。國民文學への氏の理論が、作品へ追究したひとつの事實は、作家として、正に大きな努力である。

理論では、一應締めくゝりが出來ても、作品の中に理論を實踐として進めてゆく努力のなみなみならぬことは、想像に餘りがある。良心のある作家にとつては、屢々經驗するところではなからうか。

5

僕は、その主張の一つの現れとして、運命の中から、理想主義とする炎を見たのである。村雨退二郎が運命を瞶める作家であるやうに言はれてゐることも、見た動機であつたかも知れない。成る程、(運命)の問題なら、自然主義時代の作家も筆にしてゐたかもしれない。が、如何に運命をみたかに僕の期待はあつたのである。

……辰之助と共に旅立つた半六は、江戸で丁半の見張りをやるとは夢には想はなかつたやうに、彼のゆくてには次から次へと、思ひがけぬ渦があつた。それは、運命の流れに乘つた笹小舟のやうでもあつたが、その流れの中に、凡てを委して了つた半六ではなかつた。小さな彼の胸には、大いなる意志の火が燃えてゐた。敢然として、流れに反逆するのであつた。——意志、それは、人間の一つの强さではなからうか。逆運の中に身を委せて了つたかにみえる辰之助にも、最後には凡てを斷ち切つて立つ意志の力があつた。

此處に、僕は、理想主義の一つの姿をみるのである。運命に敢然として挑戰する意志——其處に、新しい作者の運命感があると思ふのだ。運命を描きながら、運命に捉はれてゐない作者の眼は何をみようとしてゐるか。僕にも、理想主義の一つの表れが判つてくるやうに思へるのである。

「辰之助が、自墮落な自分達の暮しに愛憎をつかし、一つには大村先生のお目鑑をたがへたことへのお詫びのため、上野の戰で立派な働きをして死なうと決心し、引留めるお露を振切つて飛出したら、金杉橋に先廻りして、面當に見てゐる前であの畔から、眞逆樣に身を投げてしまつたといふことです」

「まア、お可哀さうに！ ずいぶん苦勞をなさつたことでせう」

お梨枝のその言葉は同情ではなかつた。運命に負けた者への、强い意志をもつことの來ぬ者への嘲笑さへあるやうに思へる。しかし、作者は、そのお露の最後にも批判の眼を注ぐのであつた。(「いや、あの女は、死なしてやつた方が、あの女のために仕合せだつたのです……生きてゐれば、罪と一緒に歩かずにはゐられない女……生きるためには、どんなことでも恥と思はない女だつたのです。あの女には、人間はどんな風に生きて行かねばならぬかといふ考へはなかつたのです。あの女がどんなことをしたか、私には言へません。兎に角、あの女が辰之助を滅茶々々にしてしまつたのです。あの女もそれに氣付いてゐたことでせう。氣付いてゐても、どうすることもできない。定めし今頃は、冥途でほつとしてゐることでせう」)

　人間はどんな風に生きて行かねばならぬか――お露の自墮落な生活を描いたあと、描いたことに對しての作者の追究である。善人を、或は勇者を、或は愛國の志士をつぶさに贖め描くことも、如何に人間が生きてゆかねばならぬかの解答であらうが、かうした、逆な描き方に、近頃流行の國策小說への批判をも含むものではないだらうか。さうした意味からも「富士の歌」は、多くの問題を提示した小說である。

　正統歷史文學を書くといふ確固とした信念と、現實的理想主義文學を目標としての撓みなき努力の作家であると同時に古きものの打破を心がけ、押し進む作家でもあることを裏づけるものに「黑潮物語」の一篇がある。

　勿論、この一篇に限つて特にさうであるといふのではない。注意してみてゐる讀者には、恐らく、殆どの作品に、さうした氣魄と努力の跡を窺へることゝ思ふ。が、「黑潮物語」は、その構成に於て、かつて、日本の文學にはなかつたところのものを創造してゐる點で、高く買はれるべき作品であると思ふ。

　一篇が、幾人かの手記と日記によつて構成されてゐる。全く目的の異つたその幾つかの日記を通じて、讀者はたゞ一ツの物語を追つてゆくのである。外人の手記があり、日本人の日記があるが、たゞ一つの物語へ何時か焦點が合つてゆくのである。クララ姫――この可憐な姫の數奇な運命は、自然の流れに身を委した木の葉に似て哀れであるが、その運命を通して、人生と眞實への深い思索が、讀者の腦裡に何時までも、何時までも殘るのである。

「小說には、小說的構成といふものがある。それは小說文學の、免るべからざる約束であつて、その法則から外れると、これは小說ではない、と言つて排斥されてしまふ。史書に史書の體があり、論文に論文獨特の方法がある限り、文學も亦文學の法則から外れることはできないのかもしれない」と、作者はこの冒險を終つたあとで思索する。全く、われわれは、文學の法則といつたものが、その構成表現に於て、一つの觀念化したものを考へてはゐないだらうか。新しいものへの創造には、かうした面での鬪ひがあることを知らねばならない。あらゆるものの檢討があつて、はじめて、新しいものへの出發があるのだが、無意識のうちに〈法則〉の慣習が、われわれを捉へてはゐないだらうか。

「作家が、その眞實を掴まうとして苦しむ「人生」はどうだらう。人生はいつでも小說的にできてゐるものであらうか。あるひは小說的な方法で掴まれたものだけが、人生の眞實であらうか。小說文學の既定の法則から外れたところには、人生の眞實は無いのであらうか。

と言ふのは、私のこの「黑潮物語」の結末である。この小說を讀んだ人の中には、これは小說的結末になつてゐないぢやないか。と言ふ人があるかもしれない。實際、今までの小說の約束から見ると、こんな朦朧とした結末は結末ではないだらう。」

出發があり、山があり、悲しみか、喜びか、とにかく分明とした結末があるといふのが、今迄の小說であつた。作者は、いづれかの結末に於て描いてきたところのものへの批判の斷定を下す――といふ方法をもつて構成してきた作品が多い。

それは作者の言はうとするところを、より分明と判らせる爲であつたかも知れない。が、この「黑潮物語」では、作者はさうした姬の運命を、人生を、眞實を、讀者の批判による斷定を、讀者のそれぞれの心に委せようといふのである。讀者は、この一篇を讀了したあと、ある限りの想像力で文學にならない結末を想ふに違ひない。

この新しいこゝろみは、この作品の場合には、成功してゐると思ふ。しかし、小說が、何らかの批判をもつものとしてその批判を讀者によつて決定づけようとすることが、どんな場合にも成功するものとは思はれない。ある場合、其處に無理が生れないとも限らないのではないかと思はれもする。むしろ、この作品での新しさは、結末の問題ではなく、幾つかの手記・日記から、一つの中心點へ結びつけてゆく技術的特異さにあるのではないかと考へる。

6

村雨退二郎の創作への努力は、かうして、幾つかの面からもなされてゐるのである。理論と實踐が、後になり先になつて築いてゆくところ、果しもなく、茫大な文學の世界を、眼のあたりに見せて呉れる心地さへするのである。

「富士の歌」は長篇であるが、「黑潮物語」は中篇である。

に僕の讀んだものゝうち長篇が二篇ある。「坂本龍馬」——「火術深秘錄」の二篇である。

「坂本龍馬」——は、土佐郷士篇、海軍操練所篇、肥前長崎篇の三部に分つた長篇である。土佐郷士篇——は、幼年期から青年へ、成長する龍馬を、野人頟太郎や秀才琢馬を配して浮彫し、その中に、上士格と輕格との封建制度に於ける、階級制度の桎梏を突き破り、新らしい天地を築かうとする思想の根底をなすところのものを成育する性格を描きつゝ、德川末期の社會を、更に都會と地方との問題を批判してゐる。

海軍操練所篇——は、勝安房が兵庫に開いた海軍操練所に於ける龍馬の生活が展開し、元治元年、禁門變を中心として騷然たる社會の動搖が操練所の空氣をかきみだし、その中に透徹した海舟の心境、後年の龍馬の海國策、尊王開國論の思想が釀成されてゆく。遂に海軍操練所は閉鎖されるが。

肥前長崎篇——は、お元とお龍の二人の女性が龍馬をめぐつて描かれ、伏見寺田屋の龍馬遭難の直前で終つてゐる。

この一篇で作者は何を描かうとしたのであらうか。「それは英雄の單なる傳記ではない。又動亂の世相でもない。搖れ動く歷史を貫いて逞しく生きて行く强い日本人の精神の發展である」とみた土屋光司の言は、何人も感じる讀後感ではないだらうか。更に、細かくみるなら、此處でも村雨退二郎のもつ人生への追求があるのをみるのである。

「火術深秘錄」は、津輕、南部兩家二百五十年來の仇敵の間柄をめぐつて、兵聖閣の大事業をもつ下斗米秀之進（後の相馬大作）を描いた作品である。前半と後半とに、作者の筆の辷りに幾分比較されるところがある。これは前半雜誌連載中の分割的執筆からくるものであるが、村雨退二郎の近作の一つとして、「富士の歌」——「坂本龍馬」の流れの一階段を示すものである。秀之進の人間性追究は、坂本龍馬に比して遙かに手硬いものが感じられ、これまでの思索が、この作品に集結してゐるのを感じるのである。

人間を、人生を、運命を贖めることも、長篇のもつ時間的ゆとりが、それを許すのだと言ふ人があるかも知れない。しかし、旣に述べてきたやうに、それは、創作以前の作者の魂に含まれるもので自然と作品の中にも滲み出てくるものであることは言ふまでもない。從つて、長篇に於ける村雨退二郎のさうした魂の問題は、長篇のみに於ける表はれではなく、短篇の中にもあるのをみるのである。

むしろ、その點では、短篇の方が凝集した美しさがあるやうにさへ思はれるのである。

無論、長篇に於ける(深さ)は短篇では期待出來ぬものである。が綜合的にではなく、個々の面を捉へての(深さ)は、短篇でなくてはみられぬものである。個々の面といふのでは説明が足りぬやうだが、人間を、人生を、運命を、讀めるうちの、その一つの面、例へば、人生のあるひとつの姿といつた點では、長篇では味へぬ(深さ)があると思ふのである。

「愁風嶺」——「おすみ」——「七里香草堂」——「ある日の草雲」——「改暦變」——「妖美傳」——「落書」——「西鄉と俵門」等の作品である。

このうち、どの作品をとつても、作者の(讀める眼)を感じるのである。

「やあ、ありがたう奥さん」

「奥さんとは何だ?」

「奥さんにちがひないだらう」

處平は苦笑した。

「大阪で律子を追拂つたのは誰だい?」

「う——」

武助はちよつと困つた表情をした。

「なるほどあれも我輩だ。しかし我輩の心境も最近は變化した。澤山言ふことはない。我輩は改めて、處平にも律子さんにも敬意を表しよう」

この「愁風嶺」の一節のたんたんたる筆致の中に、思はず心を摑まれるものがある。心を摑まれる。それは何だらう。

かうした面では、村雨退二郎は獨自なものをもつてゐる。

「ある日の草雲」の良さは、さうした意味の哲學的深さにある。いろんな約束を離れて、のびのびと書いてゐるこれらの作品が、作者の描かうとするものを充分に描いた、(それは、たえず讀める人間性の故に)また、われわれの心をも捉へるものであるといふ事實を示してゐる。

村雨退二郎には、短篇のうちで、もう一つの流れのあるのをみるのである。それは、「盤山僧兵錄」——「柳生の五郎左」——「仇討墨田川」——「ひよつと齋出陣」——「走る蒲生君平」等の作品の流れである。

物語の面白さは、或ひはこの方があるかも知れないし、これらとて、決して(深さ)のない作品だとは言へない。だが、何かしら約束に縛られた窮屈さが感じられる。

この二つの流れに就いて聞いたところ、それは、性格の二つの面、つまり、性格の表裏だと答へられた。同時に、意識的に生れるものではなく、自然にさういふ結果が出るやうである。書かうとする素材にぶつかつたとき、忽然として芽生える興味、それが、結果として、かういふ風に二つの面に表れるのではあるまいかと思へる。だから、素材に含まつたところのそれぞれの面ではなく、素材が消化し、作品となつてからこの面が表れるのであらう。

作品集「妖美傳」には、「妖美傳」――「小原鐵心」――「誓願寺門前」――「若き武士道」――「天眞良寛」――「此君抄」――「思案橋」――「うきしづみ」――「埋草になつた話」――「朝霧」――「出羽守の羽織」――「研辰討」――「美童奇譚」――「逃げた式部」の十四篇の短篇が收められてゐる。「純粹で眞劍な態度を持し、飽迄も對象に食下つて、さうしてその凄じい眞實の中から、人生の意義を發見しようといふ努力を示してゐる。この根底の深い人生肯定の精神が、村雨君の作品を文學的香氣の高いものにしてゐる」といふ、これらの作品に對しての久米正雄の言が、誠に適切な言であることは、既に此處まで述べてきたところをみても點頭けることゝ思ふ。

この作品集では、先の二つの面がさう顯著ではない。強いて、分ける必要もないが、「愁風嶺」に續く流れが、「妖美傳」――「誓願寺門前」等の作品によつて芽生えてゐるのをみるのである。そして、それが村雨退二郎の文學する態度の表れとみることが出來るのである。

「人間には浪人があるが、犬には浪人がない……。」

すこし行つてから、七郎兵衛がさう呟いた。そして言葉を續けた。

「傳兵衛。今度生れる時には、犬に生れて來い。まちがつても、人間なぞに生れるではないぞ！」

この「誓願寺門前」の結末は、かつて、政治の實際にも關係した村雨退二郎の眼の鋭さであるが、それだけではないことは、彼の作品の殆どが、さうした面を何處かにもつてゐることゝ同時に、人間追究の態度が、さうした社會を、人間を批判的に見るだけでなく、其處から、善を善とみようとする日本的な文學精神を窺ふことが出來るからである。

彼が、たえず口にする、古代日本人の人間性追究による、日本精神のありやう――に、立脚したところの「國民文學」の方向は、彼の作品のうちで、既に活動を開始してゐると言ふことが出來よう。

さうだ。國民文學は、漸く生れつゝあるのだ。勿論、單なる文藝思潮の一傾向としてゞはなく。

在來の輸入思想によつて形づけられたこの國の文學の眠りから醒めるときにきてゐる。

獨自の日本精神をもつて、朝日の昇るあの莊嚴さをまきちらしながら生れつゝあるのだ。そして、村雨退二郎の存在は此處まで、導いてきたところの大いなる支柱の一端であつたと共に、これからの先頭をきる追究者であるのだ。

今後の村雨退二郎のペンの先には、實に多くの期待がかけられてゐるのである。

國民文學論

—文建現代小説部會に寄せて—

鹿島孝二

1

文學建設に「現代小説部會」が出來て、月々同人が相寄り、眞摯に現代小説の理想を檢討し、その實踐具體化について鞭撻し合ひ、切瑳琢磨することになつたのは、まことに意義あることゝ思ふ。

昨年來國民文學の聲は高くなつたが、未だその定義のはつきりしてゐない今日、之を明確に定義づけ、吾等はかゝる文學を建設するのだと天下の聲明することは、文學建設の責務であると痛感する。

文學建設はその出發の當初に於てテーゼの一つとして、「定型固定主義の打破」といふスローガンをかゝげた。舊來の文學に飽き足りない吾等が、それに代るべき新文學を建設せんとして集まつたのがこの文學建設であつた譯だ。

併し飜つて見ると、このスローガンには否定的意志が強く認められるのに反して、建設的目標が明確でなかつたことを吾々は反省しなればならない。即ち、定型固定の通俗文學を打破して、さて如何なる新文學を作るか、その作らるべき新文學について具體的表示がなされてゐなかつた。

獨りこのことは文學建設のみのことではなく、革新的意志を持つた作家の多くは同じ轍にあつたやうだ。いや、未だにこの境を彷徨してゐるかのやうである。何かな新文學を、と焦り乍ら、國民文學そのものゝ姿を明確に掴み得ず、漠然たる昂奮狀態にあるかのやうだ。

この際、既に五年前から新文學の建設を叫んでゐる吾が文學建設が、「新文學とはかかる文學なり」と定義づけ、即ち國民文學原論を確立しそれを天下に明示し、他のグループの作家をして共にこの道に進むやう誘ふのが、いやこのことにこそ文學建設の重大な責務と誇りがあると信ずる。「現代小說部會」が出來たのも恐らく同人諸兄のかういふ意氣が自づと凝集した爲ではなからうか。少くとも僕はさう考へて參加するものである。

が、このことは或ひは危險で損な企てかも知れない。はつきりと手の內を見せると擧げ足をとられ或ひは鼎の輕重を問はれるかも知れないからである。國民文學建設といふやうな漠としたことでお茶を濁して置いた方が無事かも知れない。併し、今は損得を云々してゐる時代ではない。若し文學建設で足らざる發表をし、他のグループの人が之を批難し、補正し、そして良い國民文學論が出來上れば誠に結構なことではないか。

それと同じ意味合ひに於て僕は、先づ僕の信ずる國民文學觀をこゝに卒直に披瀝して見ようと思ふ。あんな馬鹿なことを言つてやがる、と誰かが批難してくれ、國民文學とはかうだと敎へてくれ、或ひは又甲論乙駁が出、次第に立派な理論が形成されるのを僕は樂しみとしたい。文學建設には理論家が多いのだから、きつと巧く成し遂げられるだらうと豫測して敢てこの一文を草する次第である。

2

嘗て僕は文學建設に「精神の問題」と題して、作家の精神こそ問題であるといふことを書いたが、今もそれを信じてゐる。

日本の國民文學とは日本人としての自覺を持つ人間から生まれる文學であるから、國民文學論の第一歩は、その作者の精神から問題にして行かなければならない。

日本人が書けばどんなのだつて國民文學だらう、なぞといふ俗論も相當聞えるが、そんなのは取るに足りない。日本人の畢くが誤まらざる日本精神を保持してゐるかどうかを考へて見れば分る。誤まつた、日本的精神でない精神から生れた文學は、國民文學でないこと勿論である。本人は幾ら大眞面目であらうと、その精神が誤まつてゐれば、大眞面目になればなる程狂つた方角へ行くことを知らなければならない。かういふ作家の何と多いことであらう！

そこで、國民文學への第一歩は、日本人としての正しきあり方への反省から始まると僕は信じてゐる。この心構へ無しには國民文學はてんから始まらない。日本人としての正しきあり方に確信が持てゝからこそ、今後の文學活動は始めらるべきである。さうでない限り、總ての文學活動は賣文活動に等しい。であるから吾々は先づ、正しき日本人としてのあり方を眞摯に檢討すべきである。外國文化に眩惑されて眞の日本を見失つてはゐなかつたか、同時に反對に、日本日本と言つて排外的になつて、折角攝取し吾が肉とした外國文化の長所をも捨てるやうな考へ方をしはせぬか。まことに日本人としての正しきあり方を摑むのは容易なことでないので、それを自覺し、心をひそめて到達し、確信を持つ迄に到るのが大切なのである。こゝまで到る爲に吾々は苦しまねばならぬ。日本人なら樂々日本精神を把握出來るなぞといふ淺薄者流こそ便乘者なのである。

旣に正しきあり方に到達すれば、その人から生まれる文學は自づと國民文學である。正しきあり方に於て生活する人間が、非國民文學を生む筈が無い。この段階に到つて問題となるのは、技術である。技術の巧拙である。

技術は勿論輕視出來ない。古い作家に吾々が今日猶一目も二目も置かざるを得ないのは技術の點である。若し眞面目な作家で口癖のやうに「人間が描けない」ことを歎く者がある。この歎きは、技術に關する歎きである限りに於て正しいし、吾々はこの歎きを解消する爲に不斷の努力を續けねばならぬ。が技術の範圍を出て、如何なる人間を如何に見るべきかといふ精神の問題になると、吾々の方が古い作家より遙かに優位に立つことを強く意識しなければならない。吾々は日本人として正しいあり方の自覺に立つて人間を見るからである。古い作家は只「眞實」をのみ見ようとした。

小說は人間探究であるといふことが言はれ、只管人間の乃至人生の眞實を描がくといふ努力が作家によつてなされ、今以て續いてゐる。が果して彼等によつて見られ、描かれた人間乃至人生が眞實であつたか？　西洋流の思惟の方法をそつくり受けついで人間を唯物的に見、分析し、記述した自然主義の作家達の描いた人間乃至人生は、日本人の眞の人間、人生であつたか？彼等は人間の肉體的な面をのみ追究し、そこに弱少と卑俗とを發見し、懷疑的になつて了つたではないか、日本人は果してさういふ人種なのか？それに反抗して、人間には意志のあることを認め、人間の優位を取戻さうとした新理想主義（白樺派の如き）が起り、或ひはこの兩者の人間觀をつき混ぜたやうな新現實主義が、明確な旗はかかげず混沌と蠢動し、その後は主として技術的論爭の新感覺派運動とか、階級的な左翼文學とか、それに對抗する藝術主義文學とか、新興藝術派とか、いろ〳〵且つ起り且つ消えたが、どの一つとして、日本人としての人間を探究しようと努力したグループは無かつた。いづれもコスモポリタニズムであつた事を見逭してはならないし、從つていづれも國民文學を創作しようといふ意志の毛頭なかつた事を認めねばならないし、更に亦、今日猶、このコスモポリタニズムの立場に於て人間を見、人間を探究し、しかも國民文學を云々する滑稽な作家がゐることを嘲笑せねばならぬ。さういふ愚劣な作家は、たとへ技術に於て吾等の上にあらうとも毫も敬する要は無いのである。と言つても、前述のやうに僕は技術を輕視するものではない。古い作家に劣るまじく、日々苦心を重ねなければならないと思つてゐる。

さる會合の席上で某老大家が、「戰爭中であらうと私は今迄のものしか書けない」と言つたのを、文學に忠實であるかのやうに感心した若い作家があつたが、憐れなことであつた。老大家の今迄の作品が、日本人として誤らざる自覺に立つて書かれたものなら、戰爭になつたところで變へる必要はない。ところが老大家の精神(從つて作品も)がさうでなかつた事は前述の通りだ。しかもそれを善しとして變へないと頑張るのは頑迷そのものであつて、文學に忠實でも何でもない。

かういふ種類の作家、乃至それに同感する若い人達に限つて、いゝ小說は誰が讀んでもいゝ、といふやうなことを言ふ。その「いゝ」といふのが問題である。彼等の場合はかう言ひ換えねばならないのだ。即ち「技術のすぐれた小說は、誰が讀んでもその技術には打たれる」。前にも屢說した通り、古い作家は技術が巧い、でその小說を讀むと「巧いなあ」と思はず嘆賞する。このことを、この小說を「いゝ」と思ひ誤まつてはならない。この意味で、古い作家の小說を讀むと僕は、巧いとは思ふが、同時に、「こんな精神で書いてゐたのか、やれ〳〵」と慨歎せざるを得ない。從つてその作家達が、今迄と同じものしか書けないと公言するのを半分は憐れみを以て半分は憎しみを以て聞かざるを得ない。文學に忠實と思ふどころか、國民文學建設を妨げる老廢物だとお氣の毒乍ら考へる。知らずして、それに共鳴する若い作家の如きは論外である。

3

さて、既に精神(日本的世界觀と言つてもよい)が確立すれば、如何なる世界を描かうとその文學は國民文學ならざるはない譯であるが、さうして生まれる文學と今迄の文學との差異を念の爲に言へば、吾等の文學は日本的理想主義文學である。

自然主義作家の如く、人間を肉の塊とのみは見ないし、嘗つての理想主義作家の如く、啻に人間に「意志の力」を認めるのみには止まらない、飛躍する日本魂の力を認めるのである。日本人としての、物資を超えた力を見、それを描くのである。このことの理解なしには國民文學を云々する資格は無い。

（この時に當つても猶、眞實を描くことが文學だと言ひ張る人間が無きにしもあらずだが、さういふ徒輩に借問するが果してどちらが眞實か！　日本人を今迄の如く唯物的に見るのが眞實か、それとも唯物的には解釋出來ない飛躍的日本魂を持つと見るのが眞實か、よく／＼考へて欲しい）

人間の見方ばかりでなく、總てのことについて吾々はこれ迄何と誤まつた見方をしてきたことだらう。

一々について言つてゐては限りが無いが、たとへば女性觀に於いても何と誤謬を犯してゐたことか、作家は齊しく「新しい女性」を描かうと努力はしたが、誰が「日本人としての女性」を描かんと努めたか！　吾々は「日本女性はかくあるべし」と言へる女性を描かうではないか。男性に於て然り。こゝに始めて眞實の日本人が描かれるのだ。

人生の表現でもさうだ。嘗ての作家は社會を描かうとしたが、國民文學作家の描くのは社會でなく、國家である。社會を描く場合には、日本のことでないとして描くべきである。

文化を消費する生活より、文化を創造する生活を描かう。文化そのものについての批判も加へられねばならぬし、都會と農村のありやうにもメスを振はねばならぬ。

總ての批判に當つて尺度となるものは、日本の爲に良かれと願ふ心で、その心を歪ませない爲に先づ確立を要するのが日本人としての正しきあり方の自覺である。

私小說の如きも、このあり方に徹する爲の道程であるならいゝが、今迄のやうに、弱小な自己の分析、記述に終り、その結果は自嘲と懷疑しかもそこに喜びを持つ如き自瀆的態度であつて、唾棄してもまだ輕蔑し足りない。

さういふ卑陋な人間觀文學觀を一切捨て、八紘一宇の顯現こそ日本人の搖ぎなき大理想であることを實感し、それに邁進する日本人の姿を描き、匿れ或ひは失はれつゝある日本的美乃至日本人の長所を再興し、日本及び日本人の短所缺點は之を補はんとする、止むに止まれぬ熱情の文學化こそ國民文學である。醜悪な、或ひは劣等な日本人を描く場合でも、自然主義作家の描くのとは違つて、作者の心には理想的日本人の影像があり、それとこれと比較し、之を批難し、或ひは諷刺し、讀者をして之を良しとさせないこと肝要である。作家のあこがれは絕えず、八紘一宇の理想と、それへ進みゆく日本人の姿であらねばならぬ。

この意味に於て僕は國民文學を理想主義文學であると言ふのである。

この理想主義文學を表現する技巧は、吾々はまだ／＼下手である。外國の作家に比して劣ること殊に甚しい。之は絶えざる修練を要する。一生を通じてなされねばならぬ。が、何度も繰返して言つたやうに、技術に眩惑されて精神まで溺れてはならない。國民文學は今迄誰も書いと居らぬ。今からこそ吾々が作るのであることを忘れてはならない。

4

論文なぞに馴れない爲に、意餘つて筆伴はず、或ひはくど〳〵と同じことばかり言ふ拙劣な態度になつて了つたが、僕の言はうとするところは賢明な同人諸兄に理解して頂けるだらうことを安心してゐる。

以上のことを要約して見ると次の如き項目となるが、之についても同人諸兄の忌憚の無い御批判を仰ぎたい。そして冒頭に言つたやうに、之を踏み臺として、素晴らしい國民文學の道標を作つて貰へたら本統に有難いと思ふ。

一、吾等作家は正しき日本人としてのあり方に徹することを文學活動の出發點とす。

一、右の立場に立つ吾等の必然としてその作る文學は、日本的眞善美の發揚となり、併せて日本に缺ける眞善美については之を補ふものである。か〻る理想を持つ理想主義文學であり、結果として日本民族精神の作興に役立つことを期待す。

一、明治以來の今日迄の文學は、その技術の點に長所を認むるも、精神の點にては吾等の精神と相容れざるものであることを痛感す。

一、故に作品を檢討するに當つては、その作品の底にひそむ精神を先づ檢討し、吾等の精神と反すれば之を排擊し技術に眩惑されざることを要す。これを混同し、い〻小說はい〻なぞといふ俗論は斷じてとらざるなり。同時に吾等は技術を磨き、まことに輝やかしき文學を樹立せんことを期す。

いさ〻か抽象的論述に終つたが、之の具體化は論ではなく作品としての具體化であつて、僕等の將來の作品活動にか〻る。原論的國民文學論としては僕として、これで一應言ひ盡してゐると思ふ。甚だ不手際な論であるが、始めから言ふやうに文學建設同人諸兄の之に對する御批判と御高教を仰ぎ、そして一日も早く確固たる國民文學原論を世に示し、これからの作家達の道標として欲しいと思ひ、誰か言ひ出しつ屁が無くては堂々廻りをしてゐるだけで、中々仕樣がないから、敢へて拙文を草した所以である。(をはり)

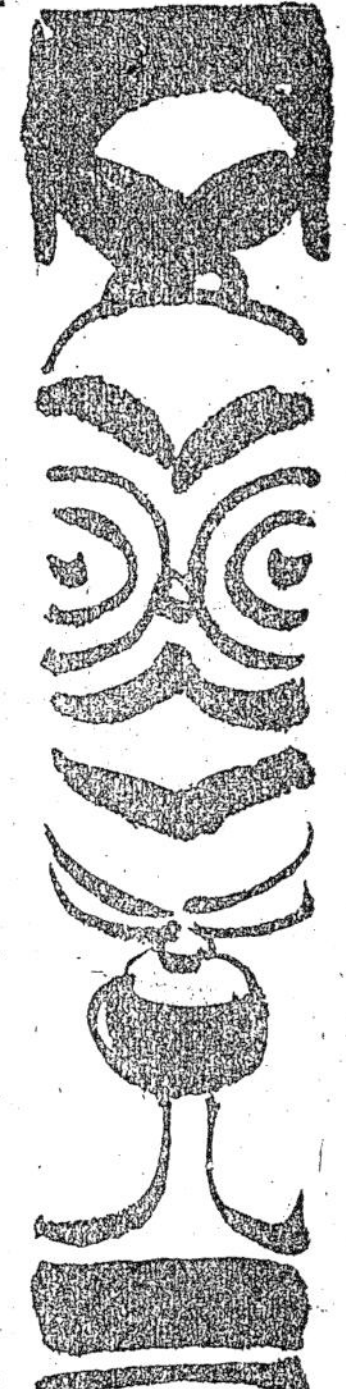

月例評壇

火術深秘錄を讀む

村　正　治

「大日本青年」に連載してゐた村雨退二郎氏の「火術深秘錄」が「矢立峠」以下三章を補足して、國文社から出版された。火術深秘錄とは何か嚴(いか)つく、同人の一人がその家人に「何だ、花火の本なんか買つて來て……』といはれたといふ笑話があるが、下斗米秀之進即ち相馬大作を書いてゐるのである。秀之進は實用流兵學全般の奥義を極めた男だが、福岡の兵聖閣生活、上陣場の原の火術大演武、矢立峠での津輕藩への發砲等、火術に關係した事件が中心になつてゐるので、斯くいふ題名が採られたのだらう。

相馬大作といへば、聯想されるのは所謂檜山騷動で、筆者にしても子供の時に見た大作が大砲を抱へて俯瞰してゐる街道を、津輕の大名行列が動いて來る舞臺面が憶ひ出されるのだが、この「火術深秘錄」は大作を、檜山騷動から切り離して、正確な資料の上に、大作を人間として把握してゐる。單り主人公の大作だけでなく、總ての登場人物が、血の通つた人間として描かれてゐる。檜山騷動の主人公として、巷說では神出鬼沒、三代に亙つて津輕の藩主を奇襲誅戮する英雄＝相馬大作を、涙にも尿にも人間の臭ひを持つた一箇の武士として描いてゐる。

正確な資料を踏まえて歷史的人物を人間として把握する——といふことは、正統歷史文學作家たる矜持に筆を執つてゐる著者としては、常識以前のことだらうが、主人公を生れながらの偉人や英雄化してゐたりするのは、歷史小說の陷り易い通弊だ。自然主義文學のやうに、人間の獸性を暴露することに偏るのを、眞實のリアリチイであるとはいひ難いのと同樣に、頌德表のやうに人間の神性のみを强調するのも、また眞實のリアリチイだとはいひ得ない。

例之、この作品に、昌言と對局してゐる秀之進が「碁盤の横をコツコツ叩いてゐた石を止めて」といふ一節がある。それが、碁を嗜む者に、苟くも相馬大作ともあらう者が碁の作法としてあるまじきことだ……といふ感じを與へる。といふのだが、斯ういふ觀方も、大作を神聖化して見るところから、生じるのではなからうか？　この時の秀之進は、主君の怨敵津輕寧親の侍從昇進の採否を報ずる、運命の手紙の到着を待つ焦燥感をつつみながら、碁盤に對つてゐるのだ。

前章の「下斗米先生、あんたの番です」と促されて、我にかへつた……」といふ文章と承應して來ると、作者の深い用意が窺はれるのだ。

「質素な小倉の袴をきちんとつけ」「棕梠緒の粗末な庭下駄をつゝかけて」「額を洗つた水を霜柱の立つた庭へ撒く」日常の簡素な生活や質實な擧措。津輕藩の關所役人をからかふ稚氣。兵聖閣規則の「足袋無用」の掟に「痛む所有りて用ひ候は苦しからず」と添書した溫情。酒への嗜好を强い意思で克服してゐる修養心。

「二十萬石の大守に比較すれば罌粟粒ほどの存在でもない自分のやうな者にまで、藩主はその溫かい情を注いでくれてゐるかと思ふと、自然に目頭の熱くなつて來るのを感じ」また「私はほんとうに運の良い男だよ、夏目さんにはこんなにして頂くし、藩主からは特別の御庇護を賜はるし」といふ謙虛に情に脆い感激性等々、「富士の絕頂に登つてみたところで、下斗米惣藏はやはり下斗米惣藏だ」といふ秀之進の言葉を、その儘、彼自身の上にも向け得る程、この小說では隨所に秀之進の人間的な面が活かされてゐる。

併も、その人間秀之進が「解決つくものなら解決して、共に手をとつて大きな敵と戰ひたいものだがなあ」と、嘆じた北海防備に國に殉ずる臣道を桀八に托して、自らは君辱められゝば臣死すといふ武士道に殉ずるまでの、心理過程にも「英雄の心事、若し相問はば、總て、紅涙萬行の中に在り」と、いふ人間的な感情の錯綜を裏づけてゐる。

「親戚の法事に招かれて行つて、大人の話す奸臣右京爲信津輕横領の昔話を聞き、殘念ぢやと叫んで泣いたのは、やはり七つの年であつたさうだが……」と、何氣なく添へてあるやうな秀之進の短かい述懷にも、殉國殉君の岐路を分つた重大なモメントが匿されてゐて、作者の周到な用意が見られる。

直木三十五の相馬大作は引合ひに出す價値もないが、講談俱樂部本年四月號所載の小山寛二氏の「北海の霹靂」の如き、當時、中澤巠夫氏が指摘したやうに、國に殉ずる北邊防備と君に殉ずる津輕公邀擊との連關に失敗してゐる。といふことの外に、秀之進を類型的な英雄化し、事件をドラマチイクに構成するために、史實の歪曲捏造を敢てしてゐて、お芝居に墮せしめてゐるのである。成程、ストリーとしてはこの方が面白く、「北海の霹靂」といふ題名も今日的には、俚耳に快く響くやうだ。然し、古今に通ずる今日といふ以外の意味で、今日的な功利的尺度を以て、作品價値を云々されることは、この作者としては寧ろ侮辱を感じるだらう。

同じく、主人公が賦した詩句を採り上げてゐながら、徒らに英雄といふ字句に捉はれたのと、「萬行の紅涙」に裏打ちされた心事を洞察探究するのとでは、作品に斯うも逕庭が生じるのだ。併も、紅涙萬行の末に「捨てた生命だ——恐れることはない」と大悟徹底し、判決文に南部津輕兩家筋目を明かにされた滿足に、悠揚梟首の座に就く大作を描いてゐる。この態度に、我々は作者の謂ふ、現實的理想主義を觀取し得る。

　古今に通ずる歷史現象の上に、人生の萬象の中に、人間の眞實な姿を探究し、人間の稟性をして高尙な天理に達し、神性に導からとする信念を感得し得るのだ。

　終りに氣づいた瑕を擧げれば、最初、大吉が周右衞門を見た時の樣子に「なんだか曰くがありさうだつたけれども突込んで訊いてみる必要もないので……」と大作が感じたことが、何かの伏線のやうに受取られるのが最後まで解決されてゐないこと、最初、箱館としてゐたのが後に函館となつてゐること、「春かすみ秋立つ露（霧？）にまがはねば思ひわすれて鹿や啼くらん」といふ遠江守政行の歌を名歌としてゐること等丹念に讀んだといふ證據に擧げて置く。

素材と文學

—櫻田常久『安南黎明期』—

土屋光司

近頃の小說の型の一つとして、作者の意圖はよくわかるし、その扱ひ方からも巧さが感じられるが、讀終つた後では、なにか不足してゐるものがあると思はせられる作品が割合に多いのではないかと思ふ。そして、その不足してゐるものがなんであらうかと考へてみると、それが「文學」である場合が多いのは甚だ皮肉である。
　何故からいふ皮肉に直面しなければならないのか。「ある事物を見聞し、または書物に書かれた事を面白いと感じた瞬間、そしてそれを文筆で再現してみたいといふ慾望が、自然に湧いて來た刹那、私といふ人間は、果して嚴密な意味で、作家文學者として、その對照に直面し、冷嚴な批判の目を光らしてゐただらうか。問題はそこにあるのである。」（村雨退二郎『望洋雜記』本誌七月號）
　櫻田常久著『安南黎明記』を讀終つた時に私が直ぐに思ひ出したのは、以上のことであつた。これは、安南民族の反抗の歷史の模索時代を劉永福、半意識時代を潘佩珠、意識時代を阮大學なる人物に依つて代表させて、百年間に亙る時代を描からとしたもので取上げられた話そのものは、この時代に相應はしく興味深々たるものがある。また、その逞しい筆致、極めて印象的な描寫には、しみじみと頭がさがる思ひがする。この作者の文章は既に定評があるが、それはこの作品にも遺憾なく現はれてゐる。が、からいふ小說ではやむを得ないのであらうが、ここに描かれた人間はすべて型通りで、反抗意識は强いが、生きた人間といふよりも、作者に巧みに操られてゐるといつた印象を受ける。
　作者は、まへがきに於いて、「一私人の懊惱または向上などを細かく描き、一家の沒落または發展を仔細に語る小說はあまりに多すぎた。社會生活からしりぞいた個、または國家生活から何等の影響もうけない家族はあり得なかつたのであるが……。しかし一國を描き、一民族を語る小說もあつていいはずである。この點で、近來、新しい試みがなされてゐることは、わが國の明日の文運のためにまことに喜ばしい。」と書いてゐる。

この『一國を描き、一民族を語る小説』といふ言葉のうちには、多くの問題がひそんでゐる。安南人に、これこれの反抗運動があつたといふことに、作者がどんなに力を入れても、それで安南民族を描いたことにはならない筈である。殘念ながら、安南の歴史を知らない我々には、この少數の人間に依つて、民族が語られたかどうかを知る由もないが、大正時代から昭和へかけての日本を思ひ起した時に、かういふ手法で日本民族が描かれ得ないことはよくわかると思ふのである。これは全體と部分、刹那と永遠といつた哲學的な問題にも關聯してくると思はれる。これが、安南民族の歴史でないことは確かである。

小説が教訓や知識だけを與へるためのものでないことはいふまでもない。それらは一度作者の文學魂を通して、讀者に訴へられるのである。さもなければ、わざわざ小説の形式をとる必要はない筈である。作者に對しては甚だ失禮であるが、これだけのものが作家の前に集まつたから小説にしたのだ、歴史家の前に集まつたら、それ以上にあらゆる資料を集めて歴史を書いたであらうといつた印象を受けたのである。

しかし、先きに引用させて頂いた『まへがき』からも知られるやうに、かかる作品はまだ實驗の途上にある。この道はいよいよ開けて行くであらう。

作者の御精進を祈ると共に、妄評をお詫びして筆を擱く。

打木村治著「春の門」讀後

東野村　章

日本出版文化協會推薦になつた打木村治著の「春の門」を讀む。「中等學校の入學試驗が、國民學校生徒を痛々しいまでにいためつけた筆記試驗から、內申制度に變更された年度に受驗兒童をその親達が何を考へ、感じ、そして如何に行動したかを」描いた小説であるといふのは推薦書紹介の言葉通りである。

打木村治といへば、開拓文學がふと腦裡をかすめる。かつて、農民文學などが、行動主義文學から尾を曳くかたちで華々しい登場をはじめたあの頃、開拓文學が、理想主義的傾向を帶びて登場した。和田傳、福田清人らとともに打木村治の名も、文學に於ける新しい面を拓いた意味で、開拓文學のもつ當時の鋭い熱情と一緒に忘れられぬものであらう。其の後、開拓文學がどう發展したか、よく注意する餘裕を持たなかつたのであるが、いま、こゝに久し振りで打木村治の小説を手にするとき、何故といふことなく、開拓文學のことが思はれてならなかつた。

しかし、この「春の門」は、全く新鮮な感じで、別の感動を與へたのである。國民學校から中學校へ、人生の春の門へ續く少年の生活記錄といつて了へばそれまでだが、この作品からは、たゞ記錄だけの面白さ以外に、讀後ほのぼのとした明るさが、胸のうちに擴がつてくるのである。

近頃、僕は、素材といふことがしきりに考へられてならないのである。今迄作家の眼が、世間一般の眼が、向けることを忘れてゐた面、それを描き出すことだけが小説家の與へられた仕事のやうにさへ思へる多くの作品を見てきたので、新しい？ 事實を作品の中から感じても、何かしら安易な、或は、それだけの興味にたより過ぎた作家の打算を思つて、思はず眉に唾をつけないではゐられなくなるのである。

無論、内容は幾分上位に考へられるだらうが、好色的興味にたよらうとした過去の通俗小説の興味と、どれだけ作家の良心が向上したと言ひ得られるだらうか？

文學には、文學の面白さがある。それは、素材の面白さとは全く別のものである。「春の門」に於ける讀後のほのぼのとした胸の擴がりは、城太郎といふ少年が、第一班の中學校を失敗した心の傷手を、川越中學への轉向によつて、凡てを拭ひ去つた希望に滿ちあふれる。その安心からではない。

可憐に闘ふ少年の心情を、凝とあたゝかい眼で瞶める少年の父、研吉の限りなき愛情がことさらに書くでもないのに、讀者の胸に響いてくる。それが、ほのぼのとした明るさをあたへるのだ。

此處に「本當だ」と思はせるものがあるのだ。入學試驗といふことが、當の少年だけではなく、少年をとり卷く周圍にどんな波紋を投げたか。作者はさうしたところを意圖したかも知れない。いや、この一篇を書かうとした動機のなかにあつたらう。がそれ以上に、作者は、城太郎を愛してゐるのだ。ありのまゝに見ようとしながら、ともすれば城太郎への愛情の眼でみて了つてゐる。

それが、この小説を空に浮いたやうな、四百數頁もありながら、そんなに重量を感じなくさせてゐる。これでも、いゝだらう。が、慾を言ふことが許されるならば、その點で、不滿がなくもない。

「元治元年」を讀む

中澤巠夫

長崎謙二郎君の元治元年を讀んで、作者が、動亂の世に、死をみつめる人達の姿を、正しく見きはめやうとしてゐる態度に敬服した。

元治元年は、勤王急進派の人々の敗退の年であつた。

世は公武合體派の勝利であつた。

天狗黨の義擧も、禁門の變も、この公武合體派の矛盾に對する純粹な勤王精神の反抗であつたのだ。

しかし、その結果は、慘めであつた。

天狗黨は失敗し、勤王精神のメッカであつた水戸は、俗論家に占められ、水戸の志士は、根こそぎ、洗はれてしまつた。禁門の變は、長州の幾多の志士の生命を奪ひとつた。

元治元年は、このやうな時代である。

長崎君の「元治元年」は、この時代の暴風雨の中に、死んで行つた志士の三樣の死に對する心構えをとりあげてゐるのである。

第一部は、但馬の生野銀山の義擧に失敗して、捕へられ、京都六角の獄に囹圄の身となつてゐる平野國臣始め同志の人々の姿を描いてゐる。

第二部は、文久三年八月の政變により失

意の身を、長州に落ちつけた三條以下七卿の姿と、肺を病んで、遂に病床に斃れた錦小路頼德の死を素材に選んでゐる。

第三部は、元治元年七月の禁門事變に於ける、長藩の志士久坂玄端を描いてゐるのであつて、これは、同一の時代をとり、同一のテーマによる、三つの中編小説であつて、各々獨立したものであると見なければならない。

第一部と、第二部と第三部は、それぞれ元治元年に於ける勤王志士であり、禁門事變といふものを背景として死ぬ人達を描いてゐるのであるが、それだけでは、一完した長編小説としての結構にはならないからである。

第一部は、平野國臣の牢獄に於ける反省から始まる。これは、牢獄に於ける志士の群像を描いてゐるのであるが、平野國臣も古高俊太郎も、すべて長崎謙次郎君の主觀の中に單一化された志士として登場する。だからそこには、幾十人の志士が動いてゐるにもかゝわらず、長崎謙次郎君一個の主觀に統一された志士じかない。その點から死に面する志士の思考形態については、讀者に了解されやうが、それは、長崎謙次郎君の思考が、志士の口を通して語られてゐるのであつて、血あり涙ある人間の古高でもなければ、平野でもないといふものを受取る。これは、我々とは、その立場を異にする長崎君の歴史文學に對する態度から來るのである。

我々正統歴史文學派は、根底を理想主義に置くが、作品には、あくまで現實性を追求するといふ態度を保持する。長崎君は、單に理想主義を以て史實にのぞみ、その文學化に當つて、現實主義的態度、客觀的態度をすて、自己の理想を志士の形に於て、具象化する主觀主義の態度をとつてゐる。

この相違が、この作品に、あきたらなさを感じさせるのである。

第二部は、三條實美を中心に、比較的整理されてゐるが、やはり、こゝでも、歴史の事實の重壓はまぬがれない。

第三部は、久坂玄端を中心に、もつともよく、文學的に歴史の事實を整理してある部分である。

第一部が、獨房、雜房と、區別せられた部室に起居する群集をとりあげてゐる爲に、小説文學として、非常に整理じ憎かつたことと思はれる。第二部は、七卿落の歴史を語る部分に混亂がある。第三部は、禁門事變といふ、非常に多い人達を取扱ふ爲に、第一部のやうな方法はとれない。そこで、中心的人物の久坂を中心に整理しなければならなかつたのであらう。この意味で、三篇中、第三部が、小説として成功してゐる

このやうに、私として、あきたりぬものを感じながら、長崎君が、ひたむきに、歴史ととつ組み、日本の歴史文學の向上の爲に、努力をつゞけられてゐることは、頼しくも、有難い。

日本の歴史文學の傳統は、絶たれてゐたのである。今こそ、日本に正しい歴史文學が樹立され、傳統の灯をかきおこして、歴史文學の正しい流れを、後世にのこす時である。

大衆作家の玩弄物にされてゐた歴史の世界を、眞の文學の世界へ取戻さうとする文學者が、一人でも多いことは有難いことである。切に、長崎君の健鬪を祈りたい。

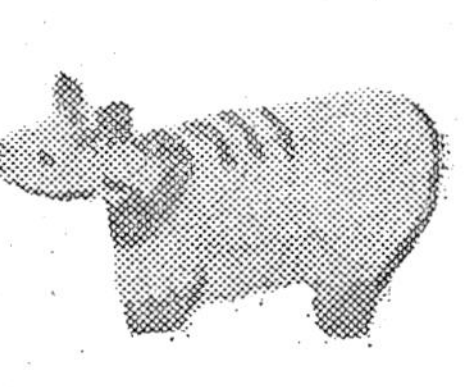

嵯峨・寂光院

岡戸武平

一、嵯峨野

一仕事すましたので、その骨休めに京都に旅行した。こんどは實地踏査とか史實しらべとか、さうした職業的の目的を持つてゐないだけに頗る氣樂な旅である。

十月三十日早朝京都驛についた。すぐさま友人を訪問するには少し早すぎるので、待合室の長椅子に腰をおろして假睡をしてゐるうちにやうやく八時になつたので、驛前からバスで若王子神社山内にある岡崎桃乞邸をおとづれた。六月はじめ松江へ行つた往復にも、こゝでご厄介になつたので、今年は二度目の訪問である。

朝食をすまして、けふの豫定――嵯峨見物のことを話すと、嵯峨なら一緒に行きませうと、案内役まで引受けてくださつて、それから二時間ほど午睡をしたのち、午後一時頃に二人は出掛けた。

そのあさ京都驛におり立つたときは、雲行きも怪しく、うつかりすると今日は降られるゾと思つたのに、いつの間にか一片の雲もない秋晴れとなつて、嵐山電車を降りて釋迦堂へたどり行く僅かの道程にさへ汗ばむほどの暖かさだつた。

釋迦堂の山門を入つて脇門をぬけると、前方に柔い線の小倉山を背負つた小街道になる。（二尊院の角に「右あたご道」の大きな石標が立つてゐたから、この道をあたご道と云ふかも知れない。）いづれにしても京もこゝまで來ると、近代都市の影響がないので、かへつて京らしい感じが濃厚である。例の紅殼塗の家がつゞき、生垣の中には澁柿がなつてゐたり、黄色になつた柚が秋の陽に侘しく光つてゐたり、千本格子につるし柿がつるしてあつたりするのを見ると、いかにも洛外の秋といひたいところである。

「こゝが定家卿のかくれ住んだ屋敷跡です」

桃乞さんが藪と藪にはさまれた小徑をステツキで指して、先へ行かれる。私は藪といふものはなんといふ清潔な感じのするものであらうと思ひながらあとに從ふ。小徑の兩側はおどろ垣で、その突きあたりに黑木の門がある。その中の庭がいゝのだ。京都はどこへ行つても濕度の關係で苔の美しさが眼に立つ。こゝもその苔を利用した奥床しい庭で、座敷の正面から眺めたらさぞいゝであらうと思はれた。但し建物はすべて新らしいものである。二人は門内に佇んでしばらく眺めたのち外に出た。

それからくぬぎ林の間道をぬけて、妓王妓女が侘しく住んだ遺蹟祇王寺へ行つた。竹林がおつかぶさるやうに覆つて、じめじめした道には裏白や藪柑子が一ぱい簇生してゐる。寺といふより庵室で、あいにく黑木の門には錠がおりてゐた。現在はかつて名妓と謳はれた照葉が髪を下ろして（だらうと想像する）庵守となつてゐる由、桃乞さんに伺ふ。その附近に淸盛塚、小督局の遺蹟もある。

そこを出てまたもと來た道をもどり「右あたご道」の石標のあるところを折れると、二尊院の山門が見えてゐる。この山門は伏見桃山城から移建したものださうで、瓦には五三の桐の紋が見える。その門を見てゐると、うしろの方で歌詞はよく分らないが、なにか歌つてくる女の聲がしたので、二人は云ひ合せたやうにその方へ視線を移した。三十路を越したたばね髪のお神さんで、背にはあさぎ色の風呂敷に反物五六反の大きさのものを包んで背負つてゐる。もう歌をやめるだらうと思つてみてゐると、私たちをちらつと眺めて（幾分笑顔でもあつた）依然として何やら唄ひながら瓢々乎として行く。桃乞さんがこめかみのところへ人差指をやつてくる〳〵と渦巻を描いた。たしかに相當狂つてゐる。

秋の嵯峨野に狂女を見る。——俳味を背負つた點景人物であると思ひながら、私は雜木林にかくれるまで見送つてゐた。

去來の墓は二尊院から半丁とないところにある。小さい自然石に「去來」とのみ彫んで、見落すほどの小さい墓である。そこを出て落柿舍に向ふ。この邊は數年前まで欝蒼と茂つた竹林があつたさうだが、今は伐り拂はれて分譲地となつてゐる。落柿舍はその道から左折したところで、前面は黃色に實つた稻田が見渡され、その稻田のつきたところに藪が見えてゐる。その裏は龜山公園で、この邊特有の丈の高い赤松が土佐繪風の枝ぶりを見せてゐる。その彼方に保津川の溪流と嵐山とがあるわけだがそれは見えない。

落柿舍は一言で片付ければ、少し氣の利いた百姓家と思へば大差はない。近年保存會が出來て屋根も葺替えられ、あちらこちらに修理のあとも見えてきれいになつてゐる。庭に莫蓙を敷いた緣臺が出してあるので、二人がそれへ腰をおろすと、縫物をしてゐた品のいゝ御老女が茶を汲んで出してくれた。

その庭に二タ股になつた柿の木があり、ちやうど紅葉が見頃で私は「柿紅葉」といふ季節語を思ひだし、一句ひねらうと思つたが出來なかつた。ぢつと見てゐると、上から落ちた柿の葉が下の枝の葉に重なつて、地上まで落ちて來ない。そこを俳句にしたかつたのである。

拾遺都名所圖繪には、次のやうに書いてある。

落柿舍　小倉山下緋の社のうしろ山本町にあり、俳士落柿舍去來の舊蹟なり。此人姓は向井、名は元淵、長崎聖堂の祭主向井元升の二男にして、若かりし時より花洛（みやこ）に住し、芭蕉翁の風流を學び、蕉門英雄の一人なり、寶永元年九月に歿す。

芭蕉がこの家に遊んだのは、元祿四年卯月のことで、その月の十八日から翌月の四日までこゝに滯在した。このことは嵯峨日記に詳しく書かれてある。

廿二日　朝の間雨降。けふは人もなく、さびしきまゝにむだ書してあそぶ。其ことば。喪に居る者は悲をあるじとし、酒を飮ものは樂(を)あるじとす。さびしさなくばうからまし、と西上人のよみ侍るは、さびしさをあるじなるべし。又よめる、
山里にこは又誰をよぶこ鳥
獨すまむとおもひしものを

獨住ほどおもしろきはなし。長嘯隱士の曰。半日の閑を得れば、あるじは半日の閑をうしなふと。素堂此言葉を常にあはれぶ。予も又、

うき我をさびしがらせよかんこどり

とはある寺に獨居て云し句なり。

このへん俳聖の心境を傳へて餘りあるところである。

落柿舍を出て龜山公園を拔け、千鳥といふ割烹店へ入つた。その座敷は保津川の斷崖の上にあつて、向ふ山麓は蒼くよどんだ千鳥ケ淵が赤松の梢間に冴えた色を見せてゐる。そこへ保津川下りの舟がくだつて來たり、貸ボートが現れたりする。惜しいことに嵐山の紅葉はまだ早く、たゞところどころ樹に依つて紅葉してゐるのみだつた。この千鳥ケ淵は、瀧口入道の横笛が投身した淵であるとの傳説がある。

かへりに千鳥でくれた提灯のあかりで足許をたしかめながら山を下り、渡月橋が彼方に見えるところで蠟燭の火を吹き消した。提灯は家苞に持ちかへつた。

二、大　原

その翌日は一人大原の寂光院を訪れた。出町柳から叡山電車にのつて八瀬の終點で降り、そこからバスに乘るのである。このバスは三十分ごとに發車するので、込み合ふこと甚しく、幸ひに私は前の方にならんでゐたので腰をかけることが出來た。バスは高野川に沿つて進む。連日の秋晴れで道端の樹々がほこりで白くよごれてゐるのは、このバスのお蔭であらう。でも山深くなるに從つて、ひなびた家並、柴を積んだ車を引く大原女、頭上に風呂敷包みをのせた女などとすれ違つて、大原に近づきつゝあることが知れる。やがて「寂光院　十八丁」とある石標が見え、農家のつゞく村へ入つた。おそらくバスのないころは、この石標から左の田甫道を歩いて寂光院へ行つたものであらう。平家物語にある「大原御幸」は鞍馬道とあるから、今來た八瀬からの道とはちがふであらうが、この十八丁はお通りになつたのではあるまいか。そんなことを考へながらガタバスにゆられてゐるうちに大原へついた。

道順から云つてまづ後鳥羽天皇・順德天皇の大原陵並に三千院を參拜し、それより大原盆地を横切つて寂光院へ行くのが便利のやうに思はれたので、三千院への坂道をのぼりだした。道の兩側にはモミを干した農家が點在し、もみぢの樹が次第に多くなる。私は冬服の上衣をぬいで、呼吸を彈ませながら登る。やつと三千院の高い長い石垣が現れ、大きな茶見世が見えだした。

京都を出るとき桃乞さんの奧さんから、大原にはお汁粉もあればあんころ餅もあるさうだと聞かされ、もしあつたら買つて來ませうと約束しておいたので、その茶見世でたづねてみた。あるにはあるが、苹のあんだといふ返事だつた。正直に斷るのは洵に好意がもてる。私は一折土産にたのみ、こゝで食べるのを一皿と、ぜんざいを頼んだ。それを運んで來たとき、

「寂光院はどの邊にあたります」

とたづねると、山と山が落合つてゐるあたりを指して、あの谷に

ありましてこゝから半里ほどあるとの答へだつた。

三千院はむしろこの參道の方がいゝ。右は高い苔むした石垣、左は大原盆地を見晴し、道にはもみぢが植はつて、午後三時のやはらかい陽が綠と紅と入り混つた光線を撒きちらしてゐる。點描派の洋畫そのまゝだと思つた。もみぢといふものは、梢から次第に色づくものと考へてゐたが、よく見ると思ひ〳〵の一枝づゝが紅くなつてゐる。私は全樹が紅葉する頃よりこの方が色彩に富み、風情があるなと思つた。三千院の庭を拜觀してゐると、時間がないので割愛して、すぐ、大原陵へ參拜した。

後鳥羽天皇は武家の惡政を嘆かせられ、王政復古のお志を立てられたものゝ、不幸その御計畫も空しく遠く隱岐に崩じ給ひ、順德天皇もまた佐渡の眞里山に崩じ給ひし天皇で、私は御陵にぬかづきつゝ御苦心のほどを忍び奉ると共に、偉大なる明治維新の原動の遠きにあるを想つた。

寂光院へはもとの道をかへらないで、茶見世の下から小川に沿つて右折するのである。その小川はやがて高野川にそゝぐ。そのあたりから棧橋を渡つて高野川の彼方へ渡つた。秋の田は刈入れがすんで稻村になつてゐるところもあれば、稻を刈つてゐる人たちも見える。七分通りはまだそのまゝの黄一色の稻田で、のどかと云へばこのくらゐのどかな景色もあるまいと思はれた。それに學校かへりの子供まで、鞄や裁縫材料を包んだ風呂敷包みを頭上にのせて行くのは頰笑ましい情景である。道端に三脚を立てゝ寫生してゐる洋畫家もあつた。いつも文展を見るたびに、大原女の風俗ほど飽かずに描かれたものはあるまいと思つてゐたが、こゝへ來てみるとなるほど素人の私にも繪心が油然として起つた。不幸にしてスケッチブックを携帶しなかつたので、お眼にかけられないのは殘念である。

大原女の前結びの脚絆のことは、馬琴の「羇旅漫錄」で讀んだことがあるし、今年の文展でも見てゐたが、事實野良に働く人たちもみな前結びである。これは昔、平家の落人がこゝへ來て間違へて前に結んだのを、里人が眞似たのがおこりであると云はれてゐる。

さうした平和な田圃道を横切つて山に近づくと村へ入り、その村はづれの狹間の高みに寂光院はある。

「今は天臺宗の尼寺で、平家物語の大原御幸で名高い建禮門院隱棲の跡である。壽永の昔、平家の一門が長門の壇の浦で滅亡した時、安德天皇の御生母建禮門院も入水せられたが、心ならずも東國武士に救はれ、再び入洛して東山長樂寺で剃髮せられ、やがて此の寺に御閑居遊ばされた。

思ひきや深山の奥にすまゐして雲井の月をよそに見んとは

との御詠あり、ひたすら亡き高倉上皇や安德天皇の御菩提を弔はせられ、佗しい月日を送らせられた云々」

石段の下にこのやうな立札が立つてゐる。私はそれを手帳に寫してから登りだした。石段は切石でない不揃ひな丸石を置いたのもむしろ風情があつた。兩脇は無造作な生垣で、大きな木はおもに櫻である。春もさぞかしきれいであらうと思はれた。

やがて萱葺の本堂が門を通してうかがはれる。賽錢箱、階段、紙を貼つた荒い格子戸――どこにも見られる小ぢんまりした尼寺である。右手の書院もその本堂にふさはしい小さい建物で、書院から本堂へは渡り廊下があり、その内側に泉水がある。きれいな水が淺い底を浮かせて、二三尾の鯉がしづかに游弋してゐる。泉水は本堂の左前にもあり、ギボシュの葉が眞黄色に色づいてゐたのが、今も眼に見えるやうである。仰ぐと本堂の背後は切立つた杉山で、その濃い緑の中に何の木か點々と紅葉を見せてゐる。佗しい中にもどこか豐かなものがあつて、隱棲の地には又とない環境である。昔の人がかういふ稀れに見る良い土地を選んだ、その自然觀に私は感心した。

「西の山の麓に、一宇の堂有り、即ち寂光院なり。古う作りなせる山水木立、由ある樣の所なり。甍破れては霧不斷の香を焼き、とぼそ落ては月常住の燈を挑ぐとも、か樣の處をや申すべき。庭の夏草茂り合ひ、青柳糸を亂りつゝ、池の浮草浪に漂ひ、錦をさらすかとあやまれる。中島の松に懸れる藤波の、うら紫に咲る色、青葉交りの晩櫻初花よりも珍しく、岸の山吹咲き亂れ、八重立つ雲の絶間より、山郭公の一聲も、君の御幸を待かほなり」と平家物語は描寫してゐる。おそらく藤の花の咲く頃も捨てがたいものがあるであらう。しかし、なんと云つても秋にまさる時はなく、この庭にぼんやり立つて音もなく落る木の葉を眺めてゐると、歴史が――平家の末路が切々と心にひゞいて來る。歴史を語るものは、歴史以上に自然がある。そんなことも思ひ合はされた。

石段をおりると、清流にのぞんだところに一軒の茶見世がある。

「ぜんざい有り」

食ひしんぼうの私はすぐ註文した。それは吉野の熟柿、松江の薄茶にも劣らぬ結構なものであつた。小豆の汁に、眞物の燒餅、こつてりとした甘味で、近來舌にしたことのない本格的なものであつた。傍らにのんでゐた大阪辯の三人の客もそれをほめた上、

「小豆が駄目なら、せめてこの餅だけでもいゝから賣つてくれんか」と女にしつこく賴んでゐた。あゝ買出しハイキングは敢て東京だけではないらしい。私はこゝの名物柴葉漬を求めて寂光院をあとにした。（一七、一一、二六記）

だんびら祭

戸伏太兵

權四郎の幽靈

一

「わしは喃、士族にはなれなんだ――然し、平民ぢやない。これでも五等士ぢや。わしは十津川鄕士の生き殘りで喃……そして天ツウ組の戰爭に出たもんぢや――」

これが、嘉助老人の口癖である。

だが、老人のこの口癖には說明が必要である。

嘉助老人は慶應三年生まれだから、今年八十歲になつてゐる。してみると、明らかに、文久三年の天誅組騷ぎの時には、まだ此の世の空氣さへ吸うてはゐなかつた。

――天誅組の戰爭に出たのは、本當を云ふと嘉助の父親の杢左衞門である。

その杢左衞門が、繰返し〳〵、自分の一生や若い頃の冒險談を、子供たちにして聞かせたので、天誅組の話は耳にたこが入つてしまつてゐるのだ。そして、その時に子供だつた嘉助が、いまは古稀を過ぎる老爺となつて、二度目の子供時代に入つてゐた。働き者の孫の手で、今はどうやら氣樂に餘生を送つてゐるのである。

嘉助は四十代で女房に死に別れて、然もその七周忌の墓まゐりの歸り途で、運惡く村の荒れ馬に蹴飛ばされ、頭をひどくやられてしまつた。それ以來、急に老い込んでしまつて、昔の記憶の限界が、自分のことも父親のことも一緒くたになつてしまつたのである。

だから、

「わしは喃、士族にはなれなんだ——然し、平民ぢやない。これでも五等士ぢや、わしは十津川鄕士の生き殘りで喃……そして天ツウ組の戰爭に出たもんぢや——」

と、父親杢左衞門の昔話を我がことにして、口癖に云ふ。——天ツウ組は、いふまでもなく「天誅組」のつもりなのだが、この發音は五六年前に、村の敬老會が拵へて寄附してくれた義齒(いれば)のせゐであつた。

老人はその義齒(いれば)を、ピツタリと口の內に落付かせてゐるやうなことは餘りない。ひまさへあると舌先に吸ひ上げて、口の中をグルリ〳〵と泳がせるやうにする。そして何度も何度もモグ〳〵させてからでないと、次の言葉を出さうとしない。見てゐるはうでは何だかグロテスクで餘り氣味のよいものではないのだが、當人は一向平氣で、グルリ〳〵パタ〳〵と、無意識的に口の中を樂しんでゐる。

ともかく此の義齒は、口癖に言うてゐる「五等士」の舊格式と共に、どちらかと言へば老人の御自慢の一つであつたから、食事どき以外には滅多にそれを外さうとはしなかつた。そして義齒を食事どきに限つて外すといふのは寧ろ奇行の部類だし、目の前の茶ブ臺の脇に老人の置いた汚ならしい、その義齒を見ながら食事をするのは何となく無氣味なので、いつもそれが孫どもの非難の的になつて。

「お爺、義歯をはめて食べろよ——」

と、たしなめられたり叱られたりするのである。

然し嘉助老人は、その非難には決してへこたれない。

「阿呆いふな。食べ物は素で食べるもんぢや。誰が、義歯をはめて生まれてくる赤ん坊があるか。馬鹿もん——食べ物は素で食べれるからうまい……」

と云ふ。

——そして食事が濟むと、最後の飯茶碗についでもらつた番茶の中で、その義歯をゴシ〳〵指先で洗つてから、飲み込むやうに、パクリと音をさせて口の中へ納めるのである。

嘉助老人は、吉野郡の××の村はづれに住む鍛冶屋である。死んだ父親の杢左衞門と同じやうに、何十年となく父祖代々の家業を繼いで、我が家の火床を稼ぎ場にして働いて來た。今は孫の代だが、それでも鞴にかゝれば、決して孫の腕には負けてゐない。然もこのごろでは、火床はスツカリ孫の手に引き渡して自分は老いさらぼつた腰引き犬のやうに、日向をばかり捜して歩いてゐる。

村人も今では嘉助の天ツゥ組話に聞き飽きたのか、あまりしげしげとは寄りつかなくなつてしまつた。だから、老人は義歯をグルリ〳〵パク〳〵と口の中で樂しみながら、日がな一日つまらなさうに日向ぼツこをしてゐることが多い。そして、氣が向けば墓山へ行く。女房の墓まゐりに憂さを晴らして、食事時になるとヒョツクリ歸つて來る——。

二

或る秋の日の午後。

墓山の脇の草原で、いつものやうにボンヤリ日向ぼツこをしてゐると、村の青年團の副團長をしてゐる旅宿「大屋」の息子の長次郎が、一人の見知らぬ男を連れて來て、老人に引き合はせた。そして、昔の話を聽かせて欲しいと言つたのである。

「うちのお客さんだがねえ……お爺さんの話を聽きたいと云ひなさるでな、連れて來た」

「うん？」

嘉助老人は、迂散くさげに相手を見上げて、あまり氣の進まないやうな表情をした。

「東京のお客人だよ。小說をお書きなさる先生だ……」

その東京の客は、ホンの二三日前にこの土地へやつて來たのである。痩せた、色の淺黑い貧相な男で、年の割には白髮の目立つ頭を坊主刈りにしてゐる。

――宿帳には「著述業、戸伏太兵」と書いた。著述業といふ意味を訊き返したら、小說家だと答へたのである。あまり聞いたことのない名前だから、どうせ駆け出しの三文文士とやらいふものであらうと、村のインテリを以て自任してゐる「大屋」の長次郎は、こゝろの中で笑止の情を禁じ得なかつたが、雜談の末に、この村には權四郎といふ名の首無し幽靈が、自分の首を胸前に抱いて歩くといふ因緣話があつて、鍛冶屋の嘉助爺さんが詳しい事情を知つてゐると語つたのが、ふと此の氣まぐれな小說家の好奇心を誘つた。長次郎がこの墓山へ、その小說家を案内して來たのは、こんなわけがあつたからだ。

「あんた――東ケイから來なすつたのかい？」

老人は、ヂロリと流し目で相手を見た。

「はア……」

「東ケイも變つたらう、わしは行つたこともないが、やくざの猪之から聞いたことがある。猪之は戊辰の戰爭で働いたと云つてたからな。それに明治二年には御親兵十津川隊に入つて、函館戰爭にも出てゐる。總裁榎本釜次郎、副總裁松平太郎、海軍奉行荒井郁之助、陸軍奉行大鳥圭介、裁判局頭土方歳三はじめ二十三人の賊徒を、室蘭から東ケイまで護送したのも猪之の隊ぢやつたといの。然し猪之は、わけがあつて士族にはなれなんだ。わしは戊辰の時には病氣ぢやつたで喃、ついそれぎりで戰爭にも出なんだ。だから、わしも士族にはなれなんだ。然し、平民ぢやない。これでも五等士ぢや。わしは十津川郷士の生き殘りで喃、そして天ツウ組の戰爭に出たもんぢや――」

例の口癖である。

然し小説家は、青年團の長次郎から、前以て嘉助老人の奇拔な記憶の混亂狀態について聞かされて來たものと見えて、別に口出しはしなかつた。

「爺さん。あの權四郎の幽靈な――あの話をして上げんかい」

長次郎が脇からいふ。

「え、權四郎――?」

老人は、グツト唾を飲んだ。

「その幽靈は、本當に、出たのですか?」

小説家は、親しげに、そばへ來て蹲(しや)がんだ。右手の指先に挾んだ兩切煙草が短かくなつて、今にも指先をこがしさうである。

「あ――うむ。出たよ。出たとも。それは、本當の話だ。權四郎の幽靈は、昔は確かに出た。然し……今は、あまり出ん」

「…………」

「權四郎の幽靈の出るのは、上之橋の向ふ側の橋袂(はしだもと)の廣場ぢやつた。いまは組合銀行の出張所が出來た、あそこの所ぢや。あそこは、もとは廣場ぢやつたもんで……權四郎は、そこで首を斬られて死んだんぢや。そして、その斬られた首を抱いて歩いてゐたのも、その廣場だつた……」

「………………」

「あゝ本當の話よ。權四郎の墓は、この墓山の向ふの端にある。月番行司の末息子ぢやから、誰にでも眼のつくやうなでかい墓石が建てゝある。然しその墓には、權四郎の屍體は十日とは臥てゐなかつたんぢや。おとむらひが濟んでから八九日目のことよ——滿月の晩だつた。萬兵衛爺さんが、となり村の彌五の二番息子へ片づいてゐる孫娘の初産だといふんで、それを見舞ひに行かうと上之橋を渡りかけた時に、向ふの廣場から權四郎の身體がフラ〳〵と立ちあがつて、斬られた首を胸前にかゝへながら、歩いて來たんぢや。肩から上はノツペラポンで、首の斬れ口から黒い血がジクジクと流れてゐた。權四郎は、首の繼ぎ方を敎はらうとしたんぢや……。然し、萬兵衛爺さんは逃げ出した。疝氣を病んでゐるといふのに、若僧のやうにどえらい勢ひで逃げ出した。あゝ、そして……わしは逃げて來るその萬兵衛に道で出會つたんぢや。權四郎の幽靈は、それから度々出た。いつも斬られた首を胸前に抱いて、それを繼いでくれる人はゐないかと探してゐる……」

「いつたい、權四郎は何故、首を斬られたりしたのですかねえ?」

と小說家が訊く。

「何故かツて? うんうん、それには恐ろしい話がある。權四郎は上之橋の向ふ側の橋袂で斬られたんぢや。やくざの猪之が戊辰の戰爭が濟んで、ずつと後になつて村へ歸つて來てから、首を斬られたんぢや」

白銀峯の戰ひ

一

「やくざの猪之は、戊辰の戰爭に出てゐる。わしはその時は病氣で、つい出ることが出來なかつた。然し、わしは天ツウ組の戰爭には出た。猪之もその時が刀の差し初めよ。

この村から天ツウ組へ入つた者が三人ある。一番はじめに入つたのは月番行事の末息子の權四郎ぢやつた。

文久三年八月十八日——櫻井寺の天ツウ組本陣へ、近郷近在の庄屋や村役人が呼び集められて喃。そして演舌ぢや。演舌をしたのは三總裁の一人で藤本鐵石といふ偉い仁で、そばには小荷駄奉行の氷郡善之祐と、同じく森本傳兵衞がついてゐた。そして總裁の演舌はえらく立派だつたといふ。

「その方等は十津川の鄕士ぢや。十津川は由來天朝さまとは因緣の深い土地柄ぢやから、その御恩報じをせねばならぬ。百姓は百姓、町人は町人、銘々自分々々の身に應じた御奉公が肝要ぢや。自分等天ツウ組も、その代りには愛民撫育の精神に則つて、向後取り立て萬端は成るべく手輕にする。さしづめ此の秋の年貢は、そちたちが天朝ぢき〳〵の御民となつた祝儀としてすべて、是までの半分でよろしい。その旨、村方一同に漏れなく申し達し、心得ちがひのないやうに——」

との御申渡しで、中にも天朝の御ために出精して義軍の兵に加はりたい者は、二人扶持五石で御召抱へになるといふことぢや。

そこで、權四郎は、直ぐにその場で御召抱へを願つて、兩刀を差す自分になつた。といふのには、少し事情がある。

その時分、村の評判娘にお美代といふ娘がゐた。この娘を、今いふた權四郎と、やくざの猪之が張り合つてゐる。

ところが、權四郎の家は物持ちぢやが、親代々の强慾で、村の嫌はれもんぢや、殊に權四郎は身持ちが惡く、今までに錢をかせにして手をつけた女は一人二人ぢやない。だから至極く評判が惡い。

だのにやくざの猪之は、サイコロ博奕が道樂で、しよツちう一人の母親を泣かせてゐるやうな男だが、男前がよくつて、氣象もサツパリしてゐる。だから權四郎は、どうしても風向きがよくない。——そこへ降つて湧いた天ツウ組騷ぎだ。權四郎は自分のからだに箔をつけて、猪之を壓倒したいと思つたのぢや。そいで、急いで天ツウ組の侍になつた。

からなると、猪之のはうでも引ッ込んではゐない。

櫻井寺の寄りあひがあつてから、二日目――八月の二十日ぢや。天ツウ組募兵方の野崎主計といふ仁が、やはり十津川郷士の油上覺兵衞といふ男をつれて、この村へも兵を集めにやつて來た。彼等は大聲で村中を怒鳴りまはつて、橋袂の廣場へ人を集めた。

「さあ、諸君――。さあ、十津川の鄕士諸君！ 吉野朝以來、忠勇を以て聞える諸君のために、わしは今、たんまりと御褒美の金を持つて來た。天朝のために味方せよ。われらは三百年來積弊の江戸幕府を倒して、天朝さまの有難い世の中が來るやうに、大いに戰ふんぢや！ 義軍は今、公方をやつつけるために正義の味方を募つてゐる。さあ、天朝の召しに應じないやうな者は、日本廣しといへども一人として無いぞ。さあ諸君！ 二十三日までぢや――二十三日までに坂本の陣所へ集まれ。はじめの御扶持は二人扶持五石ぢやが、働き次第では段々と上つてゆく。さあ諸君――忠義と出世の機會を失ふな！ 手を出せ。御褒美の金をやる。そして二十三日までに、坂本の御陣所へやつて來るんだ！」

めちやくちやに我鳴つた。そして村の若い衆の誰彼へとなく、一つかみづゝ錢を握らせて、それから隣り村のはうへ行つてしまつた。

そして、錢をもらつた若い衆の中から、新しい志望者が二人出來た。すなはち猪之とわしぢや。わしは錢と出世のために天ツウ組になつた。猪之は、小町娘のお美代のために天ツウ組になつた……。

二

あゝそして、わしらは三人ともに天ツウ組になつた。

そのとき坂本の御陣所へ集つた十津川兵は、總數實に八百六十四人よ。

わしらは二十六日の高取城の夜討ちに加はつて、ひとかどに働いた。一度弾丸の下をくぐつてからは、わしも猪之もすつかり自信がついて、あばれ廻るのが面白くて仕様がない。

ところが權四郎のやつは、初めから怖毛づいて、いつでも〳〵人かげへ人かげへと逃げまはつてばかりゐる。

「あれでも同じ二人扶持五石ぢや」

と、二人で笑つてゐるうちに、權四郎のやつは、いつのまにかヒョックリと姿を消してしまつてゐた。

三十日に、天の川辻の本營から、澁谷伊與作、岡見留次郎の兩人が、いまは津藩の軍營となつてゐる櫻井寺へ、軍使として談判に行つたことがある。

二人の軍使は不幸にも生捕りになつてしまつたが、その時ついて行つた四五人の從兵の中に、その權四郎が居たといふんぢや。そして、それツきり歸つては來なんだのぢや。

その頃、わしらは名前を變へてゐた。

わしは本堂嘉助と云つた。

猪之は池田貫次郎と云つて、持ちまへの度胸を賣物に、しばらくの間にすつかり見違へるほどな立派な御武家に化けてしまつてゐた。

九月一日の夜――わしらが富貴村の敵營へ夜討をかけたことがある。

富貴村の庄屋名迫次郎左は、はじめは天ツウ組の味方をしてゐたが、いつのまにかそれを袖にして紀州藩の門徒僧兵隊を村へ引き入れ、いろ〳〵と奔走してゐるといふ話で、それを聞いた同志の人たちがひどく怒つて喃、わしら四十人ばかりで押し寄せて、村中を燒いてしまつたもんぢや。

ところが、さあ引上げようとする時に、敵がはの僧兵隊が出た。戰つては事面倒と、わしらは山の中へ逃げ込んだが、困つたことに散りぢりバラ／＼になつてしまつた。

わしは猪之の池田貫次郎とたゞ二人、味方にも離れて筒香の山中を踏み迷つてゐるうちに、二日の夜、陣ケ峰に近い山間の一軒家へ辿り着いたもんぢや。

その家の亭主は高野山の敵がたの夫役に取られて、家は女房と娘だけで留守をしてゐる。

「山越しをすれば、野川から今井へ出て、天の川の坂本へ出るのはわけはありませんよ」

と敎へてくれた上に、飯を焚いてくれたので、食べ殘りを握り飯にして、サア出ようとすると、いけない――松明を振りかざした紀州軍の侍が、十人ほども部下を連れ、立派な鐵砲を一挺かつがせて表口から入つて來たもんぢや。

裏は斷崖で、降りる道がない。おかみさんを拜み倒して、二人は小さうなつて戸棚の中にしやがんでゐた。

するとセカセカとおかみさんに何か賴んでゐた侍は、突然土足のまゝ踏み込んで、下腹を押さへながら便所の中へ馳け込んでしまつた。――やはり道に迷つて來たものと見えて、部下の一人が、しきりにクド／＼と高野山への道筋を訊ねてゐる。

「遣らう！」

猪之の池田貫次郎が、わしに小聲で云つた。

わしは身體が顫へて返事もしないでゐると、猪之は突然戸棚から飛び出して、だんびらをギラリと拔いて叫んだものぢや。

「出合へ／＼！　紀州の賊兵どもをぶツた斬つてしまへ！」

さも味方は大勢居るぞ、と言はんばかりの劍幕に、敵の家來どもはキヤツと魂げて裏口のはうへ逃げ出したが、今も言うたやうに其處には逃げる足場がない。そこで夢中になつて崖下へ飛び下りる。

わしも愕いて戸棚から飛び出すと、出あひがしらに敵の大將が便所から出て來た。ギヨツとして、

「こらッ！」

と叫んだら、侍は慌てゝ、これも裏口の崖下へ轉ろがり落ちてしまつた。

わしらは敵の鐵砲を分捕つて、一散に表へ走り出た。

翌朝、坂本の御陣所へ歸り着いたが、その鐵砲には『龍影』といふ銘が彫つてある。河内の同志武林八郎が、是非に讓れといふのでやつてしまつた……。

三

あゝ、天ツウ組は初めは勝つてゐた。

七日の大日川方面の戰爭も、八日、九日の白銀峯の戰爭も、はつきりと天ツウ組が勝つてゐる。

猪之とわしは、白銀峯のはうにゐた。

四十四個所の篝火を怖がつて、討手方では仲々しかけて來ない。

ところが、八日の未明から、五條、下市、下淵等の寄手がヒシヒシと白銀峯を取りかこんで、全面の總攻撃ぢや。

中にも彥根の藩兵數百人、柄の木峠に砲列を布き、地の利を恃んで擊ちまくる。

義軍は苦戰ぢや。

北曾木の侍從さま本隊へ援兵を乞ふたが、仲々やつて來ない。

そのうちに、谷間のはうから津藩藤堂の銃兵が出た。

「そら！　嘉助——敵がやつて來るぞ！」

と、猪之がわしの耳もとで叫んだ。

敵の一齊射撃の音が、高い秋空をガーン！といふ響きで衝き上げる。

その銃隊は藤堂家の御供無足人撒隊といふもんで、微祿の鄕士や寄せ集めの新規足輕ばかりだが、率ゐてゐる大將は治田何太夫とやらいつて、むやみに强い奴だ。

「そら、斬り込め！　斬り込め！」

聲を枯らして叫んでゐる。――この男は逞しい馬に跨がつて、いま言うた無足人撒隊の先頭を切つて、まつしぐらに我が軍の中へ飛び込んで來た。

「それ！　斬り込め！　斬り込め！　一歩も引くなツ！」

あゝ、本當に飛び込んで來た――馬に乘つて飛び込んで來たんぢや。

三回も四回も、馬に乘つて飛び込んで來たんぢや！

仲間の兵は、蹴飛ばされたり、撥ねとばされたりした。

わしは無我夢中で刀を振りまはした。

斬つた！

斬つたんぢや！

一人二人は覺えてゐる。

あゝ本當に、斬れば斬るゝもんよ。

ザクツ！　ザクツ！　と斬るゝもんよ。

さうすると、斬つた場所から、稻こきで稻の穗をこぐ時のやうに血が流るゝ。

わしは、汗と返り血でベト〳〵になつた。すると、グルツと乘りまはした敵の隊長の馬は、も一度馳け拔けて、わしの眞正面へ突かゝつた！

「あッ！」

わしは眼を見張つた——大きな馬の胴體が、わしの眼のまへに乘し上つた！

「わあッ！」

わしは思はず、大聲を上げて横へ倒れたと思ふ。

——突然、その馬は、眼の前でヘタヘタ腰を折つてしまつた。流彈にやられたんぢや！　すかさず、味方の兵が、一時に四方から斬り込んで行つた！

あゝ、わしは覺えてゐる。

わしはその時の男の顏を、ハツキリと覺えてゐる。

その男は倒れた馬の鞍壷に跨がつたまゝ、いなごのやうに飛び付く義軍の兵を片ッぱしから斬り落した。

眞ッ青な顏で、兩眼がキッと釣りあがつてゐる。齒をくひしばつて、唇の隅から黒い血がスーッと條(すぢ)を曳いてゐた。

その男は飛び込む兵を滅多斬りにしてから、前にボンヤリ立つてゐるわしを見て、

「來い！」

と叫んだ。

逃げるわけには行かん。

たうとう、わしの番が來たと思つた。

わしは味方の屍を飛び越え、前のめりになつて我武者羅(がむしやら)に刀を突ッ込んで行つた。

その男は、ヒユウ！　と音をさせて、だんびらを一振りした。

すると、恐ろしい眼まひが來た。

――わしは斬られたんだ。

わしの右腕は、もう何處かへ吹ツ飛んでしまつてゐた……」

嘉助老人は、ブツリと言葉を切つてしまつた。

そして、實際には見たこともない戰場の光景を、いま眼前に描くかのやうにウツトリするのであつた。

彼の空想は現實の肉を帶びて、たまらない感傷となつて心の上に蔽ひかゝつてゐるに相違ない……。

「あゝ、あゝ……そして、わしは、その時、この右腕を失つたのぢや……」

と、つぶやくやうに、もう一度言つた。

「だが、お爺さん……」

と、東京から來た貧相な小說家は、相手の空想を無視して、うつかり口を挾んだ。

「――だが、お爺さん……。あんたの腕は二本とも、そこに付いてゐるぢやありませんか」

「うゝ?」

嘉助老人は、自分の兩手を前にひろげて、ゆつくり〳〵と動かして見た。

「ほう……腕は、二本ある……」

老人は、悲しげに兩手に見入つた。日だまりに坐つた自分の膝の上に、老人はゆつくりと兩手を伏せて、一方から他方へ、
そして他方から一方へと眼を移して、まじまじと不思議さうに見つめるのであつた。

クス〳〵と　小說家は笑つた。

居合抜き

一

嘉助老人は、ヂロリと小説家を見た。

「あんた、わしの話を嘘ぢやと思うとりなさるのかい？　わしは本當の話をしてゐる！　わしがどうして右腕を無くしたかといふ話をして聞かせよう。わしは喃、士族にはなれなんだ――然し、平民ぢやない。これでも五等士ぢや。わしは十津川……」

嘉助老人の記憶は、急に空（から）まはりして後戻りする。

「大屋」の長次郎が、慌てゝ手を振つた。

「爺さんや、爺さんや。その話はもう聞いたよ」

「あ――うむ、話したかいの？」

老人は、キヨトンとした。

「右腕を斬られたところまでだよ、爺さん。えらう長話だがねえ――權四郎のことはスッ飛んでしまつたのかい？」

「あゝ、權四郎は……そこに居たんぢや。思ひもかけずに、敵方の中にゐたんぢや。奴は天ツウ組を逃げ出してから、敵方藤堂さまの軍勢にまぎれ込んで、今度は、あつち方の兵になつてゐた。權四郎は、御供無足人（おともむそくにん）撒隊の一員になつて、八日の白銀峯攻撃に伴（つ）いて來て、そして……戀仇の猪之につかまつたんぢや。

「怪（け）しからん奴だ、斬れ！」

と、應援伍長の森下幾馬さんがカン／＼になつて怒るのを、無理に猪之が貰ひ受けて、こつそりと逃がしてやつたもんぢや。

――戀仇だから喃、殺してしまつた方が良かつたのだが、猪之はそれをせぬ男なんぢや。戀仇だから、生かして歸してやる。お美代さんに、猪之は卑怯だと思はれたくないからなんだ……。

あゝ、そして、猪之は權四郎を逃してやつたんぢや。

それは文久三年九月八日のことで、わしは右腕を無くした大事な合戰ぢやつた。さうぢや――話してやらう。わしが、どうして右腕を無くしたかといふ話をしよう！」

「もう、それは聞きましたよ」

「いや〳〵、この話をすると、本當の戰爭といふもんが、どんなだかといふことがよく判る。猪之とわしは、白銀峯のはうにゐた。四十四筒所の篝火を怖がつて、討手方では仲々しかけて來ない。ところが八日の未明から――」

「ねえ爺さんや、もう、その話は……」

「敵の一齊射擊の音が――」

「爺さん、そこは、もう濟んだてや」

「そいぢや藤堂さまの御供無足人（おともむそくにん）撒隊の隊長の話だ」

「ね、爺さん――」

「わしは覺えてゐる。わしはその時の男の顏を……」

またもや記憶のぜんまいが後戻りするのを、「大屋」の長次郎は躍起（やつき）となつて妨げる。

「爺さんや〳〵、また話が後戻りだぞ」

「――え、後戻り？　そいぢや、天ツウ組に入つた時の話かい。野崎主計の演說ぢや……」

長次郎は、やれやれといつた顏付きで、小說家と眼を見かはせた。

「そこは濟んだのですよ。先生は、話の終りのはうを聞きたがつてゐるのやがな……」

嘉助老人は、今更らのやうに、迂散くさげに小說家の顏をジツと見つめた。

小說家はてれ臭くなつて、新しい兩切に火をつけながら、

「そしてお爺さんが、その右腕を無くしてから、どうして助かつたのですかねえ。天誅組は鷲家口とやらで、ほとんど全滅したと、物の本には書いてありますが……」

と訊ねる。

「あゝ、鷲家口では、うまく助かつたよ。十津川鄕士の大半は、風屋で分裂して天ツウ組を見捨てゝしまつた。然し、わしも猪之も、最後まで喰ツついてゐた。そして鷲家口では中山侍從さまの旗本のうしろに跟いて、彥根藩の第二陣を蹴破つて脫出したもんぢや。

わしと猪之は、こゝでもたゞ二人、いちばん殿りぢやつた。そして敵の陣所へ火をつけて逃げ出したんぢや。

それから二人は、はぐれてしまつた。

わしはほとぼりのさめるまで京にゐて、それから村へかへつた。

「やくざの猪之は、なんでも途中で坊主姿に身を變へて、その月の二十七日とやらの夕方に、山城と近江の國境、相樂郡湯船村に現はれたといふ噂がある——然し、それツきり、何處へ行つたのか消えてしまつた……」

突然——嘉助老人の記憶の糸は、ブツツリと切れてしまつたらしかつた。

しばらくの間、默つて一言も喋らない。

「ねえ、そして權四郞は、どうして斬られたのですか——話して下さいませんか」

小說家は、じれつたくなつてゐた。

「あゝ、權四郎の幽靈の出るのは、上之橋の向ふ側の橋袂の廣場ぢやつた。いまは組合銀行の出張所――」

どうも、この話をさせると、後戻りばかりする。

小說家は、腹の底で、舌鼓を打つた。

「さうです〳〵。それぢや……猪之が戊辰の戰爭が濟んで歸つて來てから、どうなつたのですか？」

記憶の絲がつながつたのであらう、嘉助老人は、吐き出すやうに言つた。

「戊辰の戰爭が濟んで、ずツと〳〵してから、やくざの猪之は歸つて來た。――猪之は、盲目になつて歸つて來た」

あゝ、何といふ劇的な大詰だらう――猪之が、盲目になつて歸つて來たとは！

二

「猪之は――戊辰の戰爭で、盲目になつたのですか？」

嘉助老人は首を橫に振つた。

「東ケイだ。函館戰爭が濟んで、御親兵十津川隊が東ケイへ歸つてから、猪之は急に病氣が出て目が潰れたんだ。猪之は、出世をして、お美代を迎えに來ようと思つてゐた。然し、急に眼が潰れたので、何もかも昔の夢になつてしまつたんぢや。

猪之は七八年も、いや、もつと〳〵歸らなんだ。

あゝ、七八年も、いや、もつと〳〵歸らなんだのぢや。

わしはもう、猪之は死んだものと思つてゐた。

――すると、突然わしは、或る年の秋祭りに、上之橋の向ふ側の橋袂の廣場で、居合拔きの齒磨き賣りを見たのぢや。

天氣のよい日で、鎭守さまの境內から橋袂の廣場へかけて、旅かせぎの見世物や、覗きカラクリや、でろれん祭文や、飴屋や、屋臺店の食べ物や、花簪賣りや、大道藝人や、さては八丁荒しの猫の金太さんが鼻を相手に飯事をするといふ猫と鼠の小芝居までが、ズラリと並んで客足を引いてゐた。

「あいや、お立合ひ！　投げ錢ほうり錢は、前もつて斷わるぞ。わしは盲目だが、藝を見せて錢を貰ふのが商賣ぢやない。よいか――お立合ひ！　わしは齒磨きを賣るのが本當の商賣ぢや。前藝が濟んで一商賣はづんでから、エイヤツと此の長いだんびらを拔いて見せよう！　さ、お立合ひ――先づソロ〳〵と前藝にかゝる。エツヘン！」

居合拔きの男は、人の背丈ほどもある長いだんびらを小箱の脇へ置いて、その替りに二尺七寸の中脇差を取上げてギラリと拔いた。

「さ、お立合ひ――拔けば玉散る氷の刄。まづ此の刀の切れ味からお目にかけよう……」

村人がゾロゾロと、その男のまはりに寄りたかつた。

その居合拔きは、韮山笠に半顏をかくしてゐる。然し、わしは思はず叫んだ。

「猪之！　猪之ぢやないか！」

と喃……。

すると、前藝にかゝらうとしたその居合拔きの男は、拔身を持つ片手を空中に身構へたまゝ、氷りついたやうに默り込んでしまつたもんぢや。

「猪之！　猪之！」

わしは、も一度叫んだ。

「嘉助かッ！」

居合拔きは、ガツタリと脇差を落した。

めた。

わしらは……しばらくの間は、言葉が出なんだ。すると、猪之は、せか〳〵とだんびらや、歯磨きの入つた小箱を片づけ初
どちらからともなく近寄つて、互ひに相手の肩に手を置いたまゝ、ポタ〳〵と大粒の涙をこぼしたもんぢや……。

「嘉助！」

「おツ、猪之！」

「嘉助――聞きたいことがある。商賣は止めぢや」猪之は斯う云つた。

「商賣は止めぢや〳〵。お立合ひ――歸つてもいゝぞ」

猪之は見物人へ向かつてわめいた。

ブツ〳〵言ひながら見物人が散つてしまふと、わしらは廣場を離れて、鎭守さまの森へ來て坐つた。

「長いことぢやつた喃……どうしとつたんぢや……」と、わしは訊いた。

猪之は上の空で、東ケイの話を永々とした。そして急に唾をゴクリと呑んだかと思ふと、

「そして……そして……、お美代は、どうしてゐる？」と、ソツと言ふ。

「お美代は死んだよ」

わしはズバリと言うてのけた。

猪之は默つて、泣き笑ひのやうな顔付きをした。

「あゝ、お美代は死んだよ、もう四五年にもなる……」

「死んだ時は……誰かの女房だつたのかい？」

「お美代は、お前の歸るのを待つてゐた。然し、月番行事の末息子の權四郎が、お美代の父親を金縛りにして、無理矢理に女

房に持たうとしたんだ」

「うゝ……。それで、お美代は、しあはせに死んだのか？」

「お美代は、あの川へ飛び込んで死んだんだ……婚禮の晩のことだつた……」

「うゝ……うゝ……」

と、猪之は唸つた。あいつは、悲しい時にも、怒つた時にも、まるで氣の無いやうな顔をする男だつた。

「その權四郎は……いま何處にゐる？」

「あゝ、氏神さまのおよばれで、さつきから社務所へ來てゐる筈だ。わしもこれから行かねばならんのぢや……」

と、わしは云つた。

「うゝ……うゝ……そんなら、後で又、あの橋袂の廣場で出會はうぢやないか。お前に出合つたので、一商賣フイにした。わしもこれから一稼ぎぢや。どれ、この大だんびらを、今度こそ本當に抜いて見せようよ」

と、屈託なげに、猪之は笑つた。

そして猪之は――ほんたうに、その大だんびらを抜いて見せたんぢや。

「盲目のくせに、何をさらすんぢや！」

と、せゝら笑つた權四郎が、一盃機嫌で近付いた時に、猪之は立派に、その大だんびらを抜いて見せたんぢや！

そして――電光石火のその瞬間に、權四郎の首は水もたまらず地べたの上へ轉ろがり落ちてゐた。

血に塗れた長いだんびらを擔いだまゝ、呆氣にとられた村人等を後に殘して、盲目の猪之は、まるでその眼が見えるかのやうに、スタ〳〵と歩いて行つてしまつた……。

あゝ……あゝ……血のやうな夕焼けが、そこら一面を燃えるやうに彩（いろど）つてゐた……」　（終）

編輯後記

◇大東亞二年目の新春を迎へて、いよ〳〵不退轉の勇氣をもつて、正義の敵米英打倒に邁進するの決意を固める。武力戰に經濟戰にも勝ち拔くと同時に、我等は文化戰にも勝ち拔かなければならない。我々文學者は、文化戰の挺身隊員の一人でなければならない。

◇今次の大東亞戰は、米英物質文化と日本文化との總力戰である。米英文化と日本文化とはその本質に於て異なる文化だ。我等は、大東亞共榮圏内に巣喰ふ殘存米英文化を驅逐し崇高なる日本文化を移し植ゑ、大東亞文化として絢爛たる華を開かせねばならぬ。

◇大東亞文化の本源は日本文化だ。文學の分野に於ては、日本國民文學が、大東亞文學の母胎とならなければならない。我等は過去四年の研磨錬成の成果をもつて、日本國民文學樹立の先鋒を受持つ決意を以て、本號より「國民文學の旗の下」に、新文學建設の歩を進める。

◇第五卷を數へるに至つた本誌は、新年特大號を以て見えることが出來た。打木村治、岩倉政治、森銑三諸氏が玉稿を下すつたことに厚く御禮申上げます。また、軍報道班員として活躍された岩崎榮、北町一郎兩君が貴重な體驗を寄せられた。「チヤハヤ・マタハリ」は次號で完結。「白衣の歸還」は當分續く豫定である。

◇歴史文學、現代文學の二部會は屢々會合を開いて活潑なる論議を戰はせてゐるが、その報告は今月號にも間に合はなかつた。いづれそのうちに詳細を發表して、大方の御批判を仰ぎたいと思ふ。日本文學のためにこの昭和十八年を極めて意義ある一年にしたいと思ふのである。

◇前號掲載の『本誌第四卷索引』に、次ぎの二項が脱落してゐるので、最後に附加へておいて頂きたい。

從二　一郎　秋の北海道　(11)
河合源太郎　新豐後風土記　(11)

文學建設　一月號
（定價三十錢　送料壹錢）
昭和十五年五月六日第三種郵便物認可
昭和十七年十二月二十五日　印刷納本
昭和十八年一月一日發行
（毎月一回一日發行）
東京市小石川區白山御殿町一一四
編輯兼發行人　岡戸武平
東京市芝區愛宕町二丁目九九番地
印刷人（東東二六九）黑部武男
東京市芝區愛宕町二丁目九九番地
印刷所　昭文堂印刷所
日本出版文化協會會員
（會員番號一二八五二五）
事務分室　東京市神田區神保町一ノ二二　聖紀書房内
東京市麹町區平河町二ノ一
發行所　文學建設社
電話九段(33)三四一〇
振替東京一五六五九八
東京市神田區神保町一ノ二二
發賣所　聖紀書房
電話神田(25)二〇六八
振替東京一二五八八
配給元　東京市神田區淡路町二丁目九番地　日本出版配給株式會社

昭和十五年五月六日第三種郵便物認可 昭和十七年十二月二十五日印刷納本 昭和十八年一月一日發行 （第五卷第一號通卷四十八冊）
文學建設 一月號 第五卷第一號
(停) 三十錢

國民文學の旗の下に

文學建設

二月號

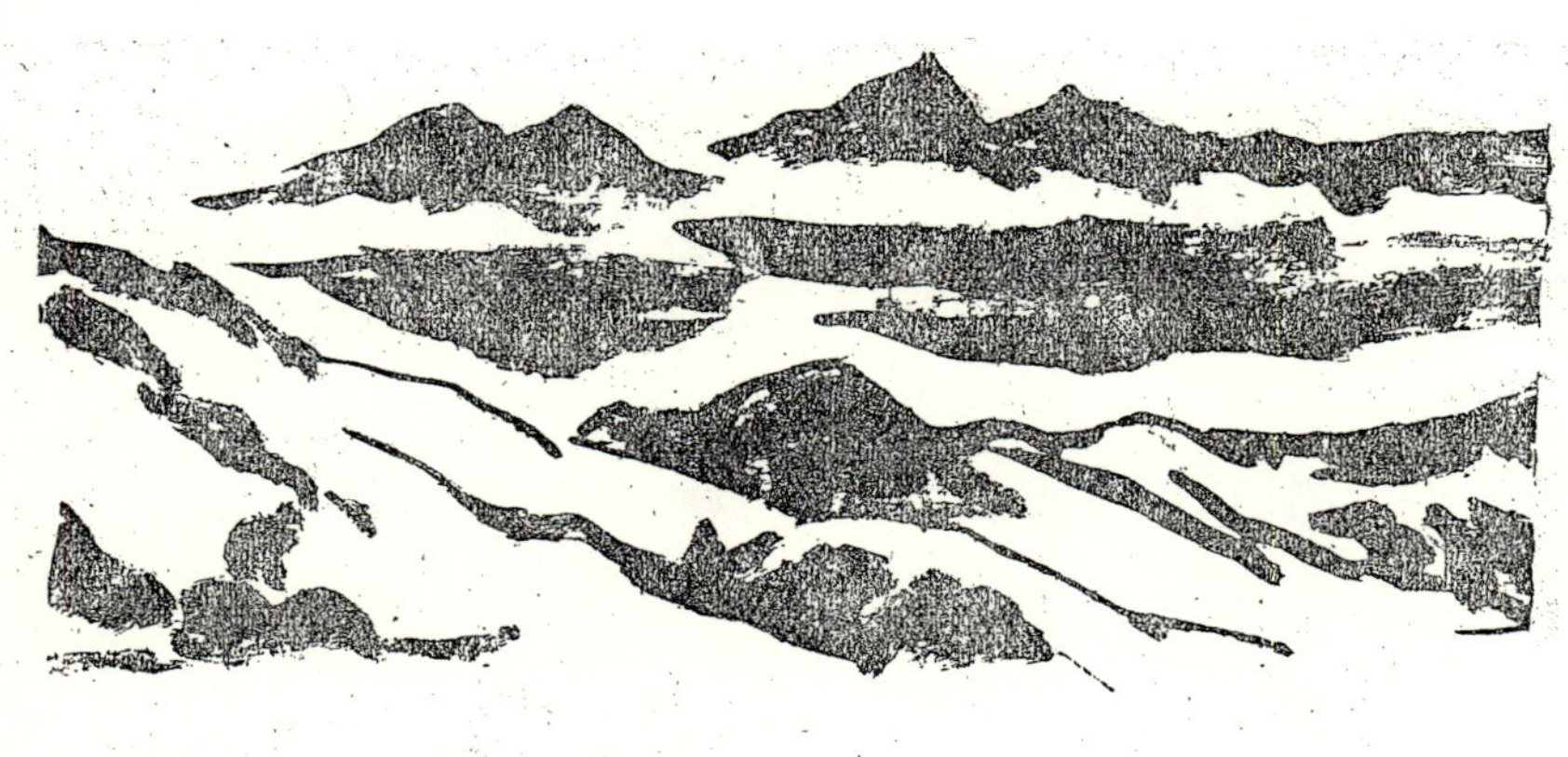

文學建設　二月號　目次

種

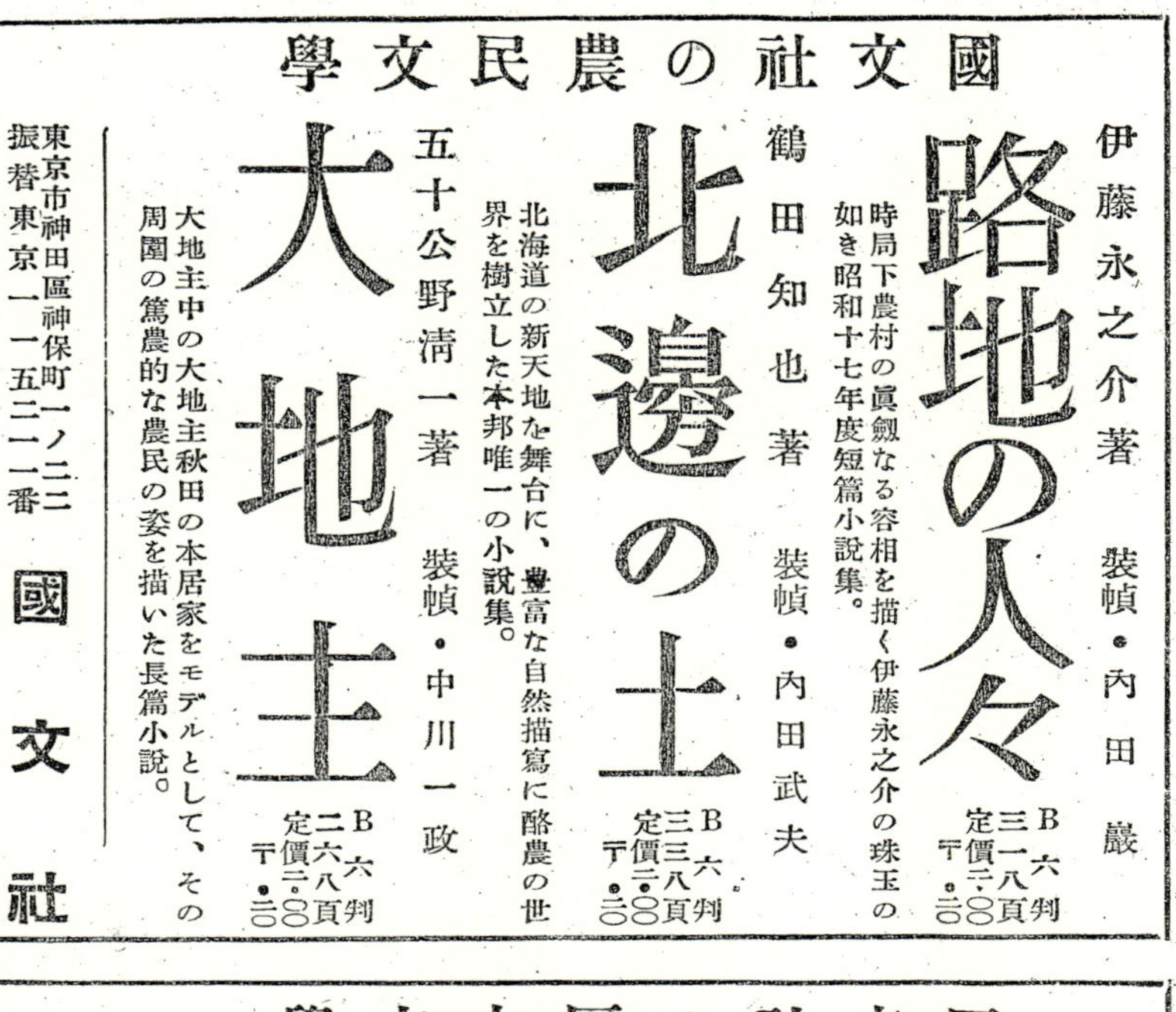
國文社の農民文學
伊藤永之介著
路地の人々
装幀・內田巖
時局下農村の眞劍なる容相を描く伊藤永之介の珠玉の如き昭和十七年度短篇小說集。
B六判 三一八頁 定價二・〇〇 〒・一二
鶴田知也著
北邊の土
装幀・內田武夫
北海道の新天地を舞台に、豊富な自然描寫に酪農の世界を樹立した本邦唯一の小說集。
B六判 三三八頁 定價二・〇〇 〒・一二
五十公野清一著
大地主
装幀・中川一政
大地主中の大地主秋田の本居家をモデルとして、その周圍の篤農的な農民の姿を描いた長篇小說。
B六判 二六八頁 定價二・〇〇 〒・一二
東京市神田區神保町一ノ二二
振替東京一一五二一一番
國文社

文學建設

第五卷第二號

眞の文學精神とは、いかなる苛烈の現實も回避せず、正義と眞實を持して、不善と虚僞を討ち、うるはしき世界の實現のために戰ふことを、文學者の任務とするこころである。現實の描寫を名として暗黑面のみを語り、人をして人生に絶望せしむる者も、道義の昻揚を唱へて光明面のみを說き、人をして人生の危地に導く者も、眞の文學精神よりこれを見る時は、共に美の饗宴に列する資格無き者である。（村雨退二郎）

大東亞戰下における文學者の任務

築け日本の文學を

東野村章

1

「帝國陸海軍は今八日未明西太平洋において米英軍と戰鬪狀態に入れり」

十二月八日、朝の冷氣を突いたあのラジオの聲が、まだ、耳朶の奥にまざまざと殘つてゐる。大東亞戰爭は、忽ち戰線を擴げ、戰果を擴大し、一億國民齊しく決戰への緊張と努力をもつて二年目への、新しい決意をもつたのであつた。

文學者も國民の一人である。「二年目も勝ち拔くぞ」の決意と緊張をもつてゐる。なほ、更に、仕事としての文學に、日本人としてのある限りの熱情を傾け、兵士が銃を握る氣持以上にペンを握つてゐるのだ。

……支那事變の當初から、政府當局では、文學は國策線に沿ふべきであると强調されてきた。が、實際の作品に現れるところは舊體依然たる内容をもつものが少くない。――といつたことを聞く。それが、たゞちに文學者の、作者の國民としての態度として批判されてきたやうである。

大東亞戰爭が開かれ、相つぐ大戰果が、國民に與へた衝擊は、片々たる感情を押し流し、日本國民としての强い自覺を與へ、文學が國策に沿ふ……問題も、表だつて騷がれるやうなことはなくなつた。しかし、「文學は國策線に沿ふべきである」といふことが、たゞちに文學者の態度の問題になるものであらうか。

時局の進展に應じて、新しく加へられる國策を追つて作品を書く作家が、尤も正しい今日の文學者の態度であらうか。其處だけが、今日の文學の方向であらうか。

ときとして、われわれは、さうした態度や方向が、尤も正しく、今日のこの決戰下に於ける（文學）としてみられてゐるかのやうな言葉を聞くのである。つまり、今日の（文學）である第一條件として「國策に沿つて」ゐなければならないといふ風に。既に、出來上つた「國策に沿つてゐる」ところの觀念や型態が、どう間違つても出て來なければならないとさへ考へられるやうに。

無論、國策に沿ふことは必要であらう。が、沿つてゐなければならない（文學）であるとは考へられないのである。それだけが、たとへ（今日の）であつても（文學）の凡てゞはないと思ふのである。

文學の效用の一部として（宣傳的）な面がないとは言へない。むしろ、多分にさうした意味のものを含んでゐると言ひ得られるであらうが、それだけが文學の目的ではないのである。結果として、さういふ場合があり得るとしても、目的として、もしそれがあるなら、それはもう文學ではないと言ひきれると思ふのである。

このことは、もう判りきつたことなのだ。（文學）の目的が（宣傳）にあるなぞとは、恐らく誰も考へはしないだらう。ところで、「文學は國策に沿ふべき」だと言ふことは、文學作品の讀者に與へる影響のうちの極く表面的な面を捕へるなら、判りきつたことが、判りきつてゐない結果を招くのである。現に、大衆雜誌の編輯者の中にかうした（結果）だけを期待して作品を集めてゐる者がゐないとは言ひきれないのである。

2

文學が文學としての高さをもつのは望ましいところだが、決戰下の今日、文學のもつ（宣傳的）な効果を强調して（國策）に協力することが必要であり、それこそ文學者がこの決戰下に處する態度ではないかといふことも、或は言ひ得られるかも知れない。

もし、結果として讀者の反省や、自戒や、勇氣等によつて、決戰下に持たねばならぬ國民的熱情を高めしめ得るものなら、それも、慥に（小說）の一つの面としての存在理由は成り立つであらうし、それも、文學者の一つの態度でもあらう。が、それが（文學）の眞の目的であり、文學者の眞の態度と言へるだらうか。飽迄も、小說の一つの面でしかないのではあるまいか。

標語の目的と小說の目的とが同じであるとするなら、何も何十枚も原稿用紙を費し、多くの活字を必要とすることはないのではないか。

文學が、ある時機だけの讀者に必要な心構へを說く爲にあることだけで滿足していゝであらうか――。

「國民的熱情を高めしめる」ものとしても、熱情の中にもいろいろとあるので、表面的なものと、魂の底から燃え上るものとではだいぶ違つてくる。

兎に角、限られた效果に約束されて、いゝ文學が生れるとは思へないし、たとへ、或る感動を與へ得たとしても、さういふ結果のものであるなら、それは眞の（文學）の感動だと言へないのではないかと思ふ。

大東亞決戰下の文學は、さう輕々しく考へられるものではないのである。

過去の文學を振り返つてみよう。自然主義以後、日本の文學は、眞の日本の文學として成長してきたであらうか。ロシヤ文學から、自我的人間追究と小說形式を採つてから、支那事變前、新感覺派、新理想主義に至るまで、日本の文學の思潮は、多分のフランスの文學思潮の輸入ではなかつたらうか。超現實主義だとか、新感覺派など、直輸入的に、何等日本的消化もなく受け入れさへしてゐたではなかつたか。

この間にあつて、新しい思潮を受け入れるといふことに急で、日本の文學は、日本の文學としての獨自性を喪失し、本來の文學の創造性から遊離してゐたのである。極く最近まで、「文學の混亂」が、文學者自身の口から叫ばれてゐた。輸入思潮の止絶が、忽ち方向を見失つて「混亂」を導いたのであると言へる。無論、それだけだと言ふのではないが、混亂の一つの因としてあげることは出來よう。日本の文學者の、これほど慘めな混亂はなかつた。日本に文學が存在しながら、日本の文學がなかつたのだ。受け入れ、模倣し、消化する、そのためだけにしかなかつた文學の惨めな崩壞が、混亂のひとつの姿であつたのだ。

受け入れたものゝ中から、日本的なものゝ表現や技巧には、相當の努力を盡してきたものがあつたであらうが、混亂の前に、どれだけの力があつただらうか。一方で、占領地域の文化建設が叫ばれもしてゐる。慥に、日本の文學者が、新しい創造と努力の必要な時機に來てゐるのは事實なのである。

誤まられたる、過去の文學者の態度を一掃して、新しい日本の文學への態度をしつかと持たねばならなくなつたのである。

「日本主義」の提唱や、「歴史文學」の擡頭は必ずしも、文壇的一つの傾向とだけにみることは出來ないのである。「混亂」を救ふ單なる方法であつてはならないのである。

過去に於て、全く忘れられてゐた「日本の文學」は、尤も身近かに内省をもつて贖めねばならないことなのであつた。つまり、「日本主義」にしても「歴史文學」にしても表面に、既に表れたところのものをもつて、單なる傾向とみるだけでなく、何故「日本主義」が提唱されねばならなかつたか。「歴史文學」が擡頭する以前に、何が、その中に要求されてゐたかを考へるべきである。

文學だけではなく、社會のあらゆるものゝ中に歐米の輸入的なものが存在してゐた。現に、既にひとつの習慣性のものとなつてゐるものさへある。いま、われわれは、それ一切を一掃しようといふのではない。凡てを一掃しようとする極端な主張も、受け入れ兼ねる。洋服を廢して着物にしようといつたことは笑止である。過去の中に、既に消化されたものはそれでいゝのではないかと考へる。

もつと、根本的なものなのだ──。

3

さうした、「混亂」の中から、はじめて、眼醒めたそれらの提唱や、擡頭の奥には、いまゝで尤もこの國の文學の中から忘れられ、しかも、尤も大切なことがあつたからである。それは、日本人の創造する文學をつくるといふことなのである。

それでは、いまゝで作られたものは日本人の作つたものではなかつたのか、といふ變な問題も生じて來るかも知れないが、既に、述べたやうに、輸入的文學思潮に支配された、文學の行動の中から、如何に日本的な面を追究してみたところで、それは、飽迄「日本的な面」としてしか浮かび上つては來ないのではあるまいか。例へばシュルレアリズム（超現實主義）の日本的追究と努力が、如何になされたところで、シュルレアリズムから離れない限り、日本人の生みだした思潮とはなり得るものではないのだ。そして、それらの努力が、根本的には無意味なものであることは「混亂」によつて明らかなところであらう。

此處で、考へられることは、純粹な文學の主體を發見することにあるといふことだ。純粹な文學の主體とは、さうした樣々な、今迄受け入れた文學といふものゝ觀方、考へ方を一應、尤も根元的なところへ返してみることだと思ふ。それでなければ、いまゝで、多くの傾向や主張を生んだところの文學の、底に沈潜してゐるところの本體を瞶めることだと思ふ。被つてゐる衣裳を脫ぎ棄てゝしまふのだ。

さうして、二千六百年を流れてきた日本人の血をもつて、新しい衣裳とするのだ。大東亞戰の、皇軍の果敢な活動による大戰果は、日本の國民に大きな衝擊を與へた。日本人といふ自覺を、どれだけ强く意識したことであらう。その結果、「日本主義」の傾向が、湧然として起つたとも言へる。が、たゞ、そればかりではなく、日本人としての强い民族意識をもつて立ち上つたとも言へるのだ。

二千六百年の歷史を流れてきた日本人の、尤も純粹な血をもつて向ふ――と、いふことが、「大東亞戰下における文學者の任務」を考へる前に、先づ、僕はそのことを考へないではゐられない。

それは、文學者の態度、精神、心構への問題ではあるが、しかし、そのことを拔きにして、如何して「任務」のことが考へ得られるだらう。當り前すぎるほど、當り前なことなのだが、その當り前なことが、今日尤も重要な問題であることに、過去の、混亂の結果を想ふべきである。これは、たゞ、文學者だけの態度や精神の問題ではなく、今日の日本人凡ての問題でもあらう。が、文學のもつ深さは　いつそう文學者にとつて切實な問題となつてゐるのである。

では、日本人の尤も純粹な血とは、どういふものを指すのであらうか。一たん銃を握れば、死を覺悟のすさまじい攻擊精神などを擧げて、日本人の特異さを强調する（文學者よ、豫言者たれ──山岡莊八）ものもある。慥にそれもあるが、もつと純粹な根本的な面で捕へて來なければならない。古事記や萬葉のなかに、屢々その純粹な姿をみるのである。われわれのやうに、今日青年以上の年齡にある者は、一應は輸入思想の中を潛つてきたのである。一度、古代の日本人の精神に還ることが、今日に於て純粹な血を購める尤も適當な手段であるのだ。

其處で、はじめて日本の文學へ視野を移してゆかねばならない。「大東亞戰下における文學者の任務」として「文化の建設」とか、「共榮圈民族の文化的指導」とか種々の日本の文學者としての新しい「任務」もあるであらうが、先づ文學者として、この日本の文學に就いて考へねばならないであらうと思ふ。旣に、態度、精神の問題が確立すれば、その上に築かれる文學に向ふことが、文學者にとつて重要な問題でなければならないからである。

様々の主義主張や傾向を生ましめた過去の文學も、矢張り文學ではあつたが、擴い文學の世界の眞の本流から遠く、枝葉的なところで足踏みしてゐたやうな氣がする。新感覺派にしろ、新心理主義にしろ、藝術派にしろ、確固とした基礎の上に築かれたものではなく、フランスの流れを受け入れたに過ぎない。「感性の肥大性に罹つてゐるプルーストはサンシビリテに偏し、心理的主義者たるジョイスは心理的リアリズムに偏し、共にフォームの感じが稀薄である」（原一郎　心理小說への一批判」の如く、文學するといふことは、文學を硏究するといふことは、如何に、より多くを受け入れるかにあつたのだ。そして、これらの主義や主張や、傾向を何處まで追究してみたところで、源流であるフランス文學以上は出てないのは明らかである。

かうした文學が、本來の「日本文學」としての眞の貌をもつて立ち上らうとする前に、底知れぬ混亂や沈滯の相を表したのは、當然なことゝ言はねばならない。

だが、「久しくつゞいて來てゐた文學の混沌狀態も、最近になつて漸くその赴くべき新しき方向がみじんの搖ぎなく決定したのだと言つていゝ。それは十二月八日の大詔渙發に依つて、國家の動向がはつきり決定されたと同時に　文學の向ふべき新しき道も、同じく決定したのである。われわれは迷ふことなく、ためらふことなく、大詔に明らかに宣はせられてゐる道に向つて、まつしぐらに進めばいゝのである」（新潮評論）即ち、敵である米英を完全に撃滅すべく、總力を擧げて戰ふことなのだ。武力をもつて戰ふと共に、混亂をさへ招來したほど浸潤してきた敵の文化をもたゝきつける日本の文化をもつて立ち向ひ戰ふのだ。と、同時に、民族性に根ざした日本の文學をもつて、敵の文學よりすぐれた文學を創らねばならないのだ。

いまゝで、輸入思潮の中に安易な文學の據りどころをもつてゐたし、獨自な日本の文學をもつて進んではきてゐなかつた。それだけいまゝでの作家は、日本の作家たる確固たる自負や信念をもてないできた。作家の頭の中に滿ちてゐた（文學）といふものは、多分に、いや、殆どが輸入的文學であつたし、（文學）の觀方や、考へ方や、心構へや、方向なども、輸入的なものであつた。ジョイスや、ホイツトマンや、ミツチエルの敵國の思想や、文學觀や、方向が、そのまゝ、日本の作家達の思想や、文學觀や、方向であつたといつても、それほど過言ではないのだ。

新しい創造の苦しみを通るよりも、その方が、遙に新鮮で、安易ではあつた。

さうした習慣が、しらずしらずのうちに、日本の獨自性から遠くなつていつた。いま、一切のそれらをとりのぞいたあと、「まつしぐらに進めばいゝ」といふことは判つてゐても、實際の面に眼を向けると、あまりにも、（輸入的）地盤の上に新な（混亂）を感じるのである。

そうして、また、戰爭に際して、文學者はどうあらねばならないか――といふことも一時問題になり、高見順の「文學非力説」などに對して、混亂や沈滯の中にあつた文學者の無能ぶりを振り廻したのである。「どうあつても國を守らねばならぬ。さう思つたとき、次に私は自分が作家であることを感じた。そして私は作家としてどうあつても國を守らねばならぬといふ私の氣持と、自分はそして作家であるといふことに、そこに私はギャップを感じはしなかつた」といふ高見順のいふことも判るし、「非力説」に反撥した尾崎士郎の言ひ分も判る。が、同時に、「よくまア、つまらぬことを論じ合つてゐるもんだ」といふそれら文學者の（文學）に對する心の持ち方に、何か言ひ知れぬ寂寥を感じたのである、何か腹立たしいのだ。それでは、彼等はいまゝで（文學）に對する確固とした信念がなかつたのではないかと反問したくなつた。

作家が文學することより、銃を握つた方が國を守ることになる──大砲のやうな强力なものが文學にあるとかないとかの論議を聞いてゐると、彼等は文學者でありながら文學を知らないのではないかとの疑念が湧いてくるのだ、だから、（私小說）の問題を幾度もむし返して、どうどう廻りをしなければならないやうなことも起りうるのだ。

新しい文學を叫び、日本主義を叫んでも、矢張り、（私小說）や、（非力說）などの問題のやうに、ひとのあげ足とりのやうな（文學論）で、徒にひきづり廻されるのではないかと思はれてならない。言ふことが小さいのだ。身邊的心境文學の世界を學んできた作家は、身の廻りのことしか考へられなくなつて了つてゐるのかも知れない。と、すると、どうしても、これからの日本の文學を彼等の玩具にはさせたくないのだ。さうした小さな心構へや、考へ方をもつものゝ中から、どうして大きな文學が創り出すことが出來よう。

創り出す──さうなのだ。日本人の血に立脚した。新しい文學を創り出すのだ。お召があれば、文學者とて銃を執る──それは判りきつたことなのだ。文學が、砲彈のやうな、現實に敵を傷つける偉力をもつてゐない。のも判りきつたことなのだ。「想像力といふものを、いゝ意味で養ふには（ひいては、人間の情操を養ふには）──ここに、非力ながら、文學の働きが考へ」られても、文學を、そんな風に一應效用性を考へなければ作れないやうなものであつていゝか、といふのだ。

文學者は、文學者としてもつと强靱な精神を持していゝのではないか。文學には文學の强さがある。大砲や、爆彈と比較することの出來ない强さがある。いま、その强さが大きく、大砲や爆彈の效果のやうには眼に見えるものではないが、別な强さがあるのだ。

この決戰下に與へられた文學者の使命は、その强さのある（文學）を創り出すことより他にあらうとは思はれない。

4

今日、純文學と大衆文學とを、全く別の存在理由をもつた文學だと考へてゐるものはさう多くあるまいとは思ふが、純文學が、何か純粹性をもつた文學と考へられ、大衆文學が、低級な讀者を對照に興味本位なものだと考へられるところもないではない。併し、文學に、さうした二ツの面があるものではないといふことは、單に（理想）としてゞなく、既に、文學の一元性は、新しい文學の建設の要望と同時に考へられてゐるところである。

純粹性をもつて文學とした、純文學が、果して文學の純粹性をもつてゐたであらうか。かつての主義主張、傾向をもつた文學の中に眞に（文學）の純粹性はなかつたのだ。（純粹）だと考へ、思はれてゐたことは、文學の純粹性ではなく、主義主張、傾向の純粹性ではなかつたらうか。

また、大衆文學とは云へ、かつての興味本位なストーリー偏重のなかに、文學と名づける何かゞあつたであらうか。興味は、果して文學の興味であつたか、面白さであつたか。萬才や落語の面白さが、本能を刺戟する興味が、それらの興味の大部分ではなかつたか。

この二つの文學が全く別の方向をもつて、あの發展へ招いてきたのは、當時の資本主義的商業主義ジャーナリズムにも負ふところがあつたが、無反省な作家にも罪はあつた。

純文學は飽迄孤高の精神をもつて向ひ、眞の文學に就いて反りみることがなかつたし、商品化した大衆文學は、讀者とジャーナリズムの顏色をしか考へなかつたではないか。それらの中に眞の文學は忘れられてゐたのだ。

純文學の自己滿足は、讀者を退屈させることになつたし、資本主義的商業ジャーナリズムの沒落と健全性の提唱によつて、大衆文學は面白くないものになつてしまつた。

純文學になければならないものは興味性であり、大衆文學に必要なのは文學性であつた。しかし、いまゝでの純文學に、どう興味性を附加したところで眞の文學とはなり得ないだらうし、大衆文學に文學性をつけ加へたとて眞の文學とはなり得ないのだ。

何故なら、輸入思潮の中に育てられてきたそれらの文學は、どうひねつてみたところで日本の文學とはなるものではないからである。こゝに、新しい文學の（創造）の理由があるのである。

新しい文學は、日本的なものではなく、先にも述べたやうに、二千六百年の歴史の底を流れてきた日本人の血の迸しる日本の文學でなければならないのだ。此處に、（日本の文學）樹立への新しい文學者の心構へも生れてくる。今日の文學者の心構へとして、これ以外にあるとは思へない。戰爭に際して、文學の效用性を論じようとする文學者の、愛國者ぶつた饒舌のなかゝらは、決して、新しい文學は生れるものではないと信じる。彼等は、新しい文學として提唱された「國民文學」に對して、どれだけのことを言つたか、振り返り考へてみることだけでも、このことは判るのである。

彼等は、一應、純文學か大衆文學かに結びつけてしか「國民文學」は考へられないやうでさへあつた。

「國民文學」が如何いふものでなければならないか。は、つまり、その新しい眞の文學に根ざして考へることによつて明らかになるので、その爲にこそ、文學者は血みどろな努力が續けられねばならないのである。

小說は面白くなければならないとか、小說らしい小說といふことを漸く最近になつて、文學者によつて言はれるやうになつた。

小說は面白くなければならない――といふのは當り前なことである。そして、慥に、純文學の小說は今迄面白くなかつたのは事實である。が、大衆小說の場合に（面白く）といふと、それは、文學のもつ（面白さ）ではなく娯樂としての（面白さ）として考へられてきたやうである。「日本讀書新聞」で、「最近の大衆文學書」を特輯し、それにも、矢張り「娯樂性について」述べてゐる。

健全な娯樂といひ、明るい娯樂といふ。が、娯樂は、どこまで行つても娯樂である。娯樂としての面白さは、娯樂としての面白さに過ぎないのである。文學に、さうした娯樂の（面白さ）を要求するとすれば、もうそれは文學としての要求ではない。

文學には文學の面白さがある。それは、一部知識階級の限られた少數の者達だけが感じる面白さではない。文學がさういふ限られた少數のものにしか判らないのであるなら、矢張りそれも完全な文學とは言へない。小說が面白くなければいけないといふことは、凡ての人々に共感を與へ得るものであるといふことを言ふものでもあると思ふ。

小說らしい小說も、このことを言ふのであると思ふ。

5

から考へてくると、あらゆる面からも、新しい文學が、創造の中にあることを考へないではゐられない。

いまゝで、輸入思潮の中に埋もれ、見えなかつたものを見るのだ。

「國民文學」に就いて、いろいろと論議されてきた。理論の確立への努力もなされてきた。だが、今日、ひたと鳴りを沈めてしまつたのを感じる。手に負へないといふものを感じさせるものがあつたのだらうか。

が、今日ほど「國民文學」のために努力じなければならないときがないのではないか。かうして考へてきて、そのことは痛切に感じられるのだ。日本人の血をもつて書く眞の文學――それが國民文學なのだ。

さて、「大東亜戰下における文學者の任務」を語らんとして、文學だけを考へてきたやうだが、混亂と沈滯の期を漸く脫した今日、素材過重や、報告的文學等々と種々現下に問題がなほ渦を卷き、混沌として、然かも、刹那的便乘の氾濫をみるのではあるが、此處にも、凝つと眼をそゝぎ、瞶めれば、この大いなる理想の一直線を突きすゝむ努力をもつた文學者のあることをみるであらう。決して(夢)を夢みようとする空論に終る「國民文學」ではないことを知るであらう。

文學者の任務は、文化的な面でもいろいろとある。が、文學者が、この大東亜共榮圏の指導的位置をもつ日本の文學者が、日本の文學をしつかと築きあげないで、いつたい他の文化的な面の任務をどうして受け持つことができるであらう。

文學者は、文學に於て先づ確固たる永劫の塔を築くべきである。皇軍の尊い血をもつて築きつゝある大東亜共榮圏に、燦然と光り輝ける文學の塔を築くことが、今日の文學者に與へられた尤も大きな使命であり、任務である。

些末な、問題でどれだけ論爭してみたところで、どれほどの進步を望むことが出來るであらうか。もつと、大きな氣魄と、信念をもつて向ふべきである。

任務とは云へ、まだ、ほんの心構への一端を述べたに過ぎなかつたかも知れぬ。が、數多い文學論を讀み、作品をみてくるとき、矢張り、心構へのことを感じないではおられないのだ。如何にして、かうしようといふのではなく、心構へを此處までゞも瞶めてくるならば、此處に新しい文學の道も判つてくるのである。此處から、新しい文學の道を、更に瞶めねばならないと思ふのである。

文學は、これこれの效用性があり、それが如何に大砲や爆彈のやうに、今日必要なものであるか――といつた視點からでは、到底、大きな文學の實體はひきだせるものではないのである。

繰り返して言はふ、文學者の任務は、眞の日本の文學を創り出すことなのだ。

國民的激情と文學的理性

村　正　治

文學本然の姿に於て

「今度の戰爭は一億國民の總力戰だ。戰爭は他人がしてゐるのではない、我々が戰爭してゐるのだ。文學者として戰爭を描かずには居られない、といふのが眞實だ。ペンを執つて參戰せずには居られない、といふのが、戰ふ國の文學者としての眞情でなければならぬ」といふ論を振り翳して、活潑に行動してゐる作家がある。

その一方では、政治の火急な要請に應じて、向ふ鉢卷でペンを擔いで飛び出して行く作家の、後姿を冷眼視しながら、「文學者が外部からの要請のみに依つて創作するならば、創作するといふ行爲それ自體が、既に文學者としての悖德を意味する」と、冷然と嘯いてゐる作家がゐる。

斯ういふ相背馳した論議の錯綜横行してゐる事態の上に、文學者としての一致した奉公を完遂することは期し難い。現實に戰はれてゐる文化戰爭の峻嚴性は、斯かる背馳した兩極端の論を、フレキシヴルな振幅を示すものとして容認する程、單り文學のみに對して寛大たり得ないだらう。この意味に於て、矛盾背馳した論議の參差錯綜してゐる現然の事態裡から、先づ、今日の場合に處する文學者としての正しい在り方を究明することこそ、大東亞文化戰爭下に於ける、文學者の第一責務でなければならぬ。

本誌が再度、此の問題を繞つての眞摯な意見を徵した所以も茲にあることとおもはれるが、「文學者本然の姿に於て」といふ一語よく、此の問題を解決する鍵たり得るのではなからうか？　個々の文學者が、文學者本然の姿に於て奉公の至誠を竭し、文學者全體が文學本來の領域に據つて、他の文化諸圏と緊密に連衡して一致戮力、文化戰の完勝に邁進することこそ、大東亞文化戰爭下に於ける文學者の、最高至大の責務なのではなからうか？

斯う言ひきつてしまふと、事は甚だ簡明であるが、問題は「文學者本然の姿」を正し「文學本來の領域」を、限界することに殘されるのである。

或る論者は、現下の戰ふ國民の個性は、所謂文學的表現の個性より、ずつと大きくなつてゐると言ひ、また、昔風の個性を我々はもうとつくに超脱してゐると言ひ、「本然の姿」とか「本來の領域」とかいふことを忘却することを、文學者の職域奉公の前提條件だ、と言ふが如き撞着した說を吐いてゐる。また、或る論者は「我々の愛國心は文學愛を超越する」と、文學者は文學愛を犧牲にすることに依つて、愛國心を完うし得るかのやうな迷論を成してゐるが、文學者が文學者たるの本然の姿と本來の領域を捨てて、何に依つて文學者としての職域奉公が成し得るだらうか？　また、文學者たるの愛國心は、文學を愛する文學者にして、初めて顯現發揚し得るのではなからうか？

文學者の愛國心は、聲の高さや身振りの大きさで尺度し得るものではない。眞に文學者たる者は、線香花火のやうに一時的に激發した後を、忘れたやうに萎縮虛脱される感情に依つて行動してはならない。行列買ひのやうに眼の聚まるところへ殺到する、群衆心理に雷同追蹤することを戒めて、肚の底から文學者たる自覺と矜持に動かねばならぬ。更に積極的には、自己の生存を擁護するために時局裝を衒ひ誇つてゐる僞裝文學の正體を發き、面に從つて背に誹る態の似非國策文學を撲滅せなければならない。

時潮のまゝに體色を可變し得るカメレオン的作家が、激越昂奮したゼスチユアで書いてゐる凡百の作品より、頑くななまでに信條を枉げなかつた作家が、漸く肚の底から肯き得て筆を執つたといふ一篇の作品の方が、我々の心には強く響くのである。若し夫れ、文學者がペンを抛つて蹶起せねばならぬ危機に直面した時、一國民として敢然、劍を把つて起ち上がるのは、前者ではなく恐らく後者なのではなからうか？

無論、我々文學者と雖も、今日の事態を眼前にして、自ら劍を把つて戰線に馳せ參じたいとの、國民的激情は感じてゐる。斯の時代に生を享けた皇民としての感激を、單的に行動に表はしたいとの衝動を感じることも一再でない。また、自己の生命が、行動が戰爭に繫がつてゐるといふ自覺を持ち、自己の書くものを戰果に寄與せしめたいとの、念願をも抱いてゐる。それなればこそ、徒らに煽情的な似非國策文學や、書齋で揑ち上げた不遜な戰爭文學の類を、嫌忌し憎惡するのである。

然し、國民の全部が國民的激情に昂奮して、擧つて劍を把つて起ち上がつたとして、果して、それで勝てるだらうか？ 醜ルーズベルトやチヤーチルの顏を土足で踏みつけてゐる、醜惡低俗な漫畫のやうな似非國策文學で、國民の昂奮を永く燃やし續け得るだらうか？ 我々は今日のやうな場合だけに尙更ら、國民的激情を文學的理性で處理することを忘れてはならないのだ。而して、自己に最も適應した方法行動に依つて、最も效果的に戰爭の完遂に寄與しなければならないのだ。

文學者が、自己に最も適應した方法行動に依つて、といふ場合、必然的に「ペンを把つて」といふことが合言葉にされる。が、現下の實際を見ると、ペンを把つてゐるといふ形の上では變らないが、或る作家は文學者としての信念に立脚し、書齋に於て眞の文學作品に苦吟することを以て戰爭に寄與し、或る作家は國家的要請に依つて、暫く文學者たる立場を保留し、單に其の特技たる文章力を以て、戰爭に協力してゐる。といふ實質的區別が見られる。

我々は、一人の作家の上に於ても、この似て非なる二つの面が見られるといふことを、よく辨別しなければならぬ。徵用文學者が第一線に參戰して戰況ニユースを綴り、後方に在つて宣撫の傳單ビラ、新聞の類に執筆する、或は銃後に於ても、視察報道や行脚講演に動員されてゐる例の、文學者の特技や名聲に依る奉公と、文學者本然の姿に於ける奉公とを、我々は混同してはならないとおもふ。

無論、我々は我々の特技たる文章を以ての奉公を、國家に要請された場合、武人が劍を把つて起つやうに勇躍ペンを把つて、國家の急に赴くことを辭するものではない。然し、また、同時に此の二つの面の何れを貴しとなすかと設問されるならば、文學者たるの名に於て、文學者本然の姿に依つて文學本來の領域に在つて、奉公することを貴しとすると、答へるのに躊躇しない。

文學自體の上に就いても、また同じことが言へる、文學者が、單に其の特技たる文章力のみに依つて書いた一葉の勸降文が、文學者たる信念の下に精根を傾倒して書いた小說より、卽效的に大きく戰爭に寄與するやうな場合もあるであらうが、眞の文學作品は、卽效的效果や一時的方便のために、創作されるものであつてはならない。

戰爭は、あらゆる分野に卽效的な效果を求める。現下の政治の火急性は文學に對しても卽效的な效果を求めてゐるやうで、速急な文學行動の展開を期待してゐるかに觀られる。斯ういふ政治の動向に呼應して、國民的激情を生の儘作品に移入して、作家の國民的昂奮の表面的な熱度を以て、文學作品の藝術性を尺度しようとする文學者が、旣に現れてゐるのである。

文學者が、單に卽效的效果や一時的方便のためにのみ動いた場合、風呂は沸いたがその代りに、立派に永久に、家の柱たり得た木を燃やしてしまつた、といふやうな結果を招來するやうなことになりはしないだらうか？　今日の場合、謠曲鉢の木の例のやうに、名木を焚いて暖を取らねばならないやうな場合も考へられないことはないが、立派に柱として家を支へ得る木を風呂の燃料にするのは策の得たるものではない。

戰爭は原則として巧遲より拙速を尙ぶ。バラツク仕立で設計される場合が多い。それだけに、一本の支柱が折れても家全體が崩れる危險がある。我々は新嘉坡の降伏決定の直接の素因が水道の斷水にあつた。といふ事實を敵將の敗因告白書に依つて敎へられたが、百年戰爭と目される今次の文化戰爭下に、國家を支へる一大支柱たる文學を、風呂の燃料的效用に燃燒し盡してしまふ事の危險を、今に於て三省せなければならぬ。

文學をして、國家を支へる一大支柱たらしめるためには、文學者をその本然の姿に於て行動せしめ、文學をして本來の領域に於て奉公せしめねばならないのではないか？

然らば、文學者本然の姿とは、また、文學本來の領域とは、といふ問題に還ることになるが、茲には暫く對象を狹く小說に局限して考へて見よう。

小說を簡明に定義づけることは困難だが、小說が其の作家の心象の純粹なる表現であらねばならぬ。といふことは絕對的の條件である。小說に於ては表現に依つてのみ作家は自己を讀者へ通じ得るのである。作家は自己が他人へ通ずる、個が全へ通ずる、瞬間的の生命が永遠に繫がる唯一の途として、表現といふ方法に全我を托するのである。だから、この表現を歪曲するといふことは作家として、自己が現實に感じてゐる心象を僞つて對象を描くといふことは、作家としての自殺行爲であるばかりでなく、讀者に對しても罪惡を犯すこととなり、延いて國家に不忠を致すこととともなるのである。

文學性と政治性の熔融點

今日の場合、文學は其の絶對的條件である。表現をすら、時代の政治性のためには留保すべきである。といふ論者があり、文學者も亦、齊しく皇民たる以上、國家の要請と何等扞格するところなく表現し得べきであると考へられるのである。が、今日の國家が文學者に期待してゐるものが、果して現下氾濫してゐるが如き國策文學だらうか、といふことには多大の疑ひを挾まざるを得ないのである。國民的昂奮と文學的理性とは必ずしも合致するとは云へないのである。否、時には、前述したやうな、ルーズベルトやチヤーチルの顔を土足で踏みつけてゐる類の、醜惡低俗な漫畫に喝采してゐるやうな野次馬的激情を、百年戰爭に耐へ拔く大國民的な僣熱的感情にまで、沈靜しなければならぬやうな使命すら考へられるのである。

文學の世界では先づ作家自ら納得して表現するといふことが、第一條件とされなければならない。作家自身が納得してゐることを表現するのでなくて、何うして讀者を納得せしめ得るだらうか？ 讀者を燃えたたすには先づ作家自ら燃えてゐることが必要なのである。この信條に立脚せずして、外部的要因に依つて表現を留保し歪曲した場合、文學者は前述した如く、百年戰爭下に於ける國家の一大支柱とも爲し得べき木を、風呂釜に投じて併も湯も沸かし得なかつた、といふ悲劇を演じることになるだらう。

今日の場合、文學に在つても、時代の即效的な政治性と妥協し、現下の方便的な巧利性と歩調を合致させねばならぬ場合も考へられるのであるが、其の何れの場合に於ても、文學者としての愛國心を僞らず、後世を欺かないといふ信念の上に行動しなければ、啻に文學者たる立場のみならず、却つて國民としての忠誠にも悖る結果を招來する惧れすら感じられるのである。

文學者本然の姿に於て、文學者としての愛國心を完うし、且つ後世を欺かない、といふ點に、今日の文學と政治の熔融點を置くといふことは、「我々の愛國心は文學愛を超越する」と呼號してゐる所謂愛國文學者の主張に較べ、甚だしく微溫學であり常識的に聞えるだらうが、「愛國心が文學愛を超越」してゐる彼等が、今日猶ほ文學を以て愛國心を發揚する具としてゐることこそ、自家撞着の最たるものである。「愛國心が文學愛を超越」したから、文學を捨てて特技たる文章力を以ての、單なる記述的勤勞に依つて愛國心を完うしてゐる、といふのなら理解出來るが、文學愛を犧牲にして、併も掛聲やゼスチュアだけの愛國的激情のみに依つて書いた類の作品を、文學として併も最高の存在價値を要求顏に、提示されたのでは文學が憤激するだらう。

文學は激情のみに依つて生まれるものではない。神憑り的な託宣や狂燥的な怒號からは、決して眞の文學は生まれないだらう。一本の振子が一方に行きつ放しになつてゐるやうな態度からは、決して眞實に人間の心に響く小說は生み出されない。作家が之こそ、眞の國策小說だと力み返つてゐても、作家と讀者の心を繫ぐ振子が作家の側にのみ固定してゐるのでは、停まつてゐる時計同樣に讀者の心に響く筈はない。

作家が文學者として創作に精進するより、文章家としてポスターの標語を案じる方が、卽效的に戰爭に效果する場合が考へられるのと同樣に、不朽の名作たる純粹小說より一夜漬けの國策小說の方が、直接的に現在的效用を果す場合のあることも考へられるが、此の場合、果して一夜漬けの國策小說が文學たり得るや否やは別個の問題である。だから、文學者として、ポスターの標語を書く方が忠誠であり、國策小說を書く方が愛國的であるといふ論義は成立たない。ペンを劍として用ひたり、文學者が口頭行脚を以て創作行動に代へるが如きは、文學本來の領域を逸脫することであり、其の作家自身の國民的氣慨には肯けるが、文學にとつては決して幸福なことでない。

冒頭したやうに、戰爭は我々がしてゐるのだ。だから、文學者として戰爭を描かずには居られないといふのが眞實だ。といふ論者があるが、戰場を、出征を、徵用を、生產を描くことのみが、果して今日の戰爭の全部を描くことになるだらうか？　戰爭は我々がしてゐるのだといふ事は、今日の戰爭の場合、國民各層の總べてが悉く其の職場立場に於て、戰爭に參加してゐるのだ、といふことなのではないか？

孔子が、其の邸の厩が燒けたと聞いて、役所から歸つて來ると直ぐ家人に、「誰にも怪我はなかつたか」と問うた。そして、馬のことには觸れなかつた。といふ逸話が大聖孔子を語る佳話として傳へられてゐる。筆者は此の場合、孔子が尻端折りして駈けつけたとしても、孔子に對する尊敬の念を減ぜられることはないが、「誰にも怪我はなかつたか」と問うた後で、「馬には」と尋ねる孔子でなければ、頭を下げる氣にはなれない。

少しく突飛な譬を持ち出したやうだが、筆者の意は、既の火事に馬を不問にしてゐるやうな、また、前述した例の、時計の振子が一方に固定してゐるやうな國策小說の氾濫を、國家として喜ぶべきだらうか、文學者として看過して居るべきだらうか、といふことを强調したいのだ。

食糧が全部、科學的にエツセンスのみを抽出した兵粮丸のやうな物になつてしまつたり、着物が全部簡單服のやうな物になつてしまつた場合、人間は食ふことや着ることに愉しみを感じ得るだらうか? 食は饑餓を充すには嫌でも攝らねばならないし、衣は寒暑を凌ぐためには好みを論せず纏はねばならぬが、心の糧たる小說は食らはずとも餓死することはない。讀んで愉しみを伴はない、心に響くもの丶ない兵粮丸的小說を、聲を大きくして國策小說だ〳〵と賣出してみても、讀者の方で寄りつかなかつたり、一口で食傷してしまつたのでは、却つて國策に逆行する結果を齎すだらう。

英雄を描いても、ヒロイツクな面のみを描いたのでは、讀者には親しめない。私的生活の人間的な面までが描かれてゐてこそ、親近感が持つて讀めるのと同樣に、もつと自然に人間的な面から入つて行つて、國民の心に響かすといふ國策小說が現れなければならないのではないか。否、國策小說などといふレツテルを貼るのでなく、文學本然の姿に於て書かれた小說であつて、併も其の儘、それが最上の國策小說たる小說が現れなければならないのではないか。

斯ういふ要請に應へるのは、甚だ困難な事のやうだが、筆者は茲で再度、文學本然の姿に正すことに依つて、案外簡單に解決されるのではなからうかと云ひたい。

假に筆者の身に近い例として、寫眞機に譬を採ると、國產カメラは今日まで、フアインダーだとか、開閉裝置だとか、目盛指示枠だとかの、屬性的な部分での外國品の模倣を事とし、新型を競ひあつて、肝腎のレンズ、シヤツター、ボデーといふ本質的なものへの硏究が忘れられてゐたのである。その結果、現在この三つの本質的なものを世界的水準に引上げない限り、獨逸品と角逐して南方市場を征覇することなど、到底所期し難いといふので、本質的に優秀な物のみを殘し他は廢絶されようとしてゐる、反動期に置かれてゐるのである。

文學の世界に於ても亦、米英的なものや佛蘭西的なものや、眼先の嶄新性に促はれて本質的な面より、屬性的な面に於て畸型的に發達して來たため、一應、裸に返つて本質的な面から再スタートせよとの、今日の反省が持たれるやうになつたのではあるまいか。この反省は、假に大東亞戰爭が勃發しなかつたとしても、早晩起るべき問題だつたのであらうが、眞實追究を使命としなければならぬ文學の世界に於て、利潤追求を事とする營利の世界に於けると、同じ現象の觀られるのは、悲慘なる喜劇である。

斯ういふ事實を顧る時、我々は、米英的思想を驅逐し、日本精神の傳統を正し日本國民性の眞髓を究明するといふ事と併せ、太陽の如く萬邦を光被し、空氣の如く萬人に呼吸される世界的文學を、今から構想して置かねばならぬ。それには全人類に共通し得る尺度を以て、誰にも律し得る文學論が用意されねばならないのである。屬性的な意匠を以て日本文學を進出せしめるのでなく、本質的なもの丶優秀性、絶對性に依つて、大東亞圏内だけでなく世界に進出せしめることを考へねばならぬ。

大東亞文化戰爭下に於ける文學者の任務の最極限として、考へられることは啻に大東亞文學の樹立のみならず、其の後に來る世界文學＝米英人と雖も彼等在來の文學を一擲して欣び來り投じる新日本文學を、今日から構想して置くことである。また、最小限度の責務として着手すべきことは、似非國策小説を驅逐撲滅し、商業小説の國策即應的擬態を矯正することである。

非才、筆者の如きには此の最小限度の責務を果すことすら困難であらうが、敢へて馬の脚的存在に甘んじて、厩の火事に馬はと問ふ小説を以て、文學者としてのさ丶やかなる奉公を致したいとおもふのである。

「チヤハヤ・マタハリ」（承前）

――インドネシヤ人と芝居――

北町一郎

壊れた箱のこと

『チヤハヤ・マタハリ』の芝居は、一晩毎に演しものが變る。それも日本内地の興行のやうに二種目も三種目も上演するのでなく、一種目をとほして上演する。大抵は十場面前後で、その幕間を利用する餘興がまた頗る特色のあるもので、これは後で述べることにする。一晩毎に芝居を變へるとは云つても、長い物語になると二晩も三晩もつづけて芝居を發展させる長篇物も稀にはある。しかし一度上演したものを二度と繰返した例のないのは、初めに述べた通りである。ところが、この『ヂエンバタン・パター』だけは見事に原則を破つて三回續演といふ安打を生んだ。尤もこの中一回は兵隊さんのために特にやらせたので、民衆相手の成績から除くとしても、二晩の興行とも立錐の餘地なしといふ大反響を示したのである。その理由は劇團が特に力を入れて宣傳したのが效いたのと、橋が折れる奇蹟が民衆の刺戟と興味を呼んだのであらう。全くこの芝居の面白味は、そこにあるだらうと、私は初日に出かけて行つた。

ここで千早劇場の構造を説明しておく必要があると思ふ。この小屋はもと『オリエンタル』といふ映畫館で、建物はパレンバン市役所の所有にかかる。戰爭中か戰後か、ともかくどさくさまぎれに映寫機のレンズを盗まれ、主要部を破壊されて、今では映畫の上映が不可能になつてゐる。活動館であつただけに、舞臺も廣いわけがなく、樂屋とも控室とも云ふべき部屋は舞臺の兩袖についてゐるものの、廣さは各六疊ぐらゐづつしかない。一部屋は男優、一つは女優室になつてゐるが、この部屋で衣裳換へをし、小夜食もとり、小道具（『大道具』と稱すべきものは滅多にない）の類を用意し、衣裳箱もそなへ、プロンプター、照明係、幕の係と様々な人物と物品をそなへようといふのである。芝居には素人の私などがのぞくと、全くよくやれるものだと感心する。座員は音樂師を加へて六十人餘の大世帶である。音樂席は觀客席の一隅を區切つて使つてゐる。座席はぎつしり詰めこんで四百五十人から五百人まで、長方形の長い小屋である。

こんな狀態だから、舞臺裝置もあんまり丁寧に大道具小道具と揃へては、それだけで舞臺がふさがつてしまふ。第一景の『瀧の前』といふ梗概を見ながら幕があくのを待つと、庭の木立を描いた背景の書割に、なるほど白い瀧がかかつてをり、その水が流れて小川となり一羽の白鳥が泳いでゐる趣向である。これだけ書くと壯大にして美しい風景のやうであるが、何しろ狹い舞臺のことである、瀧の高さは約一米半、書割の裾にゐる白鳥はボール紙をくりぬいて着色したもので、子供の玩具のやうに身體を前後にゆすぶつてゐるのは、樂屋で役者たちが紐をひつぱつて動かしてゐるのである。水が落ちて小川となる條理は、よほど深大に思考をめぐらさないと呑みこめない。しかし、とに角、瀧の見える庭であることは事實である。そしてピンで止めた瀧はとりはづして、その書割は數場面後には戰爭の背景に利用された。

さて物語がすゝんで、第七景の問題の橋の折れる所へ來た。幕があくと、御殿の一部で部屋の隅に王の寢臺があり、部屋の奥、つまり庭の方には、書割にそつて長くてすりみたいなのが見える。この部屋で參謀長が捕へられて來た王子をかばひながら、兄王と激しくわたり合ひ、遂に部屋を逃げ出してゆく。廻り舞臺でもないのに、どうして橋の場面へ結びつけるかと心配してゐると、やがて王子を連れた參謀長が、このてすりいい樣の上を下手から現はれて來た。これがつまり問題の橋だつたのである。兄王が追ふ。走るといふには狹すぎて動作の敏活を缺く。書割に劍をつかへさせながら、わたりあつてゐる時、突如激しい音樂の伴奏と樂屋からの擬音と共に、橋の中央が奇蹟的に折れてしまふ。——といふのがねらひ所であるが、狹い所なのでそんなには效果的にゆかない。しかし『橋』は上手に折れて、二人が見榮を切つてゐる時、拍手と共に幕が下りた。橋が折れるといふより、積んだ箱が崩れると云つた方がぴつたりする。その時パッと埃がたつた。

脚色をやるアリエー君は、この芝居では亂暴なる兄王に扮してゐた。柄が大きいので役によく合つた。樂屋へ遊びに行つて、

『あれはヂエンバタン・パター（Djenbatang Patah 折れた橋の意）ぢやないね。ペチイ・ピチャ（Peti Pitja 壞れた箱の意）だね』

とひやかしたら、樂屋中みんなで大笑ひしたことがある。この場面の演出は翌日更に工夫して、三日目などは慣れた折れ方にまで上達した。

內地のやうな舞臺が一つあつたらと思ふことと切なるものは、右の橋の場面でもさうであるが、戰爭の場面では特にこの感が深かつた。ここでは活人畫（？）式に無言劇とし、兩軍の兵（と云つても六七人づつしか並べない狹さだが）が向ひあひ、暗轉の後に弟王の兵の背走を示し、次に捕虜になる構圖をとつた。

劇の演出になると、上手な俳優もゐることはゐるけれども、概してお寒いといふの外はない。俳優の實力にもよることであるが、もう少し工夫したらと思はれることが度々ある。例へば惡漢のために斬られた男の所へ、妻や子が馳けつけてくるやうな場面は、日本ならば悲痛な所作を示して觀客の涙をそゝる所であるが、時として妻や子が、

『スダ・マテイ』（Soeda mati 旣に死んだの意）

位の台詞であつさり片附けて、巡査を呼びにやるやうな、何とも愛想のない表現にぶつかつて、物足りなく思ふことがよくある。

『折れた橋』での服裝は、インド北部あたりのものを眞似てはゐたが、これとてもインド人が見たら隨分變なものであらう。インドの歌謠も二三歌はれたが、牢番をだます時の歌はコロンチヨン（マライの歌）だつた。『母の涙』で二十年近く經過してゐるのに、（映畫でもこの間五年經過、十年經過などの手を無造作に活用してゐるのをよく見た。）主演人物は老けて扮裝したが、家具調度は昔のまゝであつたり、他の人たちの服裝は初めから現代人のつけてゐる樣式のものであつた。それればかりではない、ある時の芝居ではAの家のテーブルセツトが、Bの家でもそつくり使はれてゐて面食つたことがある。寫實的とか現實的な演出から見たら、まことに縁遠いものであり、日本內地では到底許されないことであらうが、民衆はこれで結構樂しんでゐる。戰後のパレンバンには、慰

古いフキルムばかり上映してゐる。新しいフキルムの補給法がまだつかないからである）、他に金曜と日曜の蹴球試合しかないからである。最近になつてラジオが許された。その上、劇團の收入は決して多くはない。立派な舞臺裝置をするにも、財政の餘裕がないのである。いまその收入狀態を見ると、六月と七月との（收入總金額の）合計が五千二百七十四ギルダー餘、八月の總收入金二千九百八十八ギルダー餘、この中から舞臺用の經費を支拂ひ、二割の賦課金を納め、殘額を六十餘人へ分配するのであるから、頭割にしても幾らにもならない。二割の賦課金は一種の强制貯金といふべく、これは後で奬勵金の形でまとめて彼等の手にもどる仕組にしてある。劇場の使用料、電燈料などは民衆娛樂の必要性から特に免除してあるが、座員の收入は決して豐かではない。彼等の大部分は大きな一軒の家に合宿して、前進座の小規模な生活を營んでゐる。一般に生活費が安いので低い收入でも暮してゆけるのであらうが、それといふのも元來は芝居が好きだからこそ勤まると云へよう。彼等は喜んで芝居をつづけてゐる。私は現地に暮してゐて、民衆の慰安といふことを今日ほど痛切に安機關としては僅かにこの劇團と、一つの映畫館（ここでは感じてゐることはない。

エキストラのこと

千早劇場は夜の七時から十時まで（日本時間の九時から十二時まで）興行をする。斷食月に入つてから七時半からに延びた。この間の三時間は、決して舞臺を遊ばせておくといふことがない。芝居が一幕すむと、すぐに紅白の幕が下りて、幕間の餘興がはじまる。これを芝居の人たちは『エキストラ』と呼んでゐる。

エキストラの種類は、大別して漫才又は小品の喜劇、歌、踊の三つに區別出來る。三つが混合されることもある。內地の映畫館のステージ・ショーの一種であるが、これを幕と幕の間に連綿と續け、若しこみ入つた舞臺裝置や衣裳換へのある時は、文字通りの幕つなぎに三つも四つもエキストラを繰返す。舞臺の芝居そのものより、エキストラの方が却つて人氣があつたり、エキストラを樂しみに出かけるフアンも多いといふから、まさに附錄の宣傳につられて雜誌を買ふやうな具合である。これは昭南のマライ芝居でもさうであるし、ジヤワあたりでも慣例といふから、マライ芝居全體の特徵であらう。マライ人、インドネシア人は慾ばつてゐると云へる。幕があいたらお休みなしである。

『チヤハヤ・マタハリ』は、すぐれた喜劇俳優を數人そろへてゐて、彼等の人氣はすばらしい。踊にはバリー島の踊や、ジヤワやスマトラの鄕土舞踊などもあり、日本の少女歌劇式の體操に似たダンスなどもある。それよりも觀客の一番喜ぶのは彼等自身の歌であるコロンチヨンである。コロンチヨンを定義めいて說明すれば、童謠、民謠、流行歌謠（これらを總稱してパントンと云ふ）などを、音樂に合せ又は音樂なしで、歌ふことを指す。マライ人、インドネシア人は音樂や歌が大好きである。コロンチヨン及びパントンに就いては、何れ稿を改めて記したい希望がある。

觀客は好きな俳優や歌手がエキストラに出てくると、もうそれだけで大騷ぎである。殊に人氣のあるコロンチヨンが歌はれ出したりすると、大變な喜び方である。お祝儀の金がパラパラとステーヂへ投げられる。お金は五厘、一錢、二錢五厘の銅貨から、十錢、二十五錢、五十錢の銀貨、一圓紙幣は厚紙や煙草やの空箱を利用して投げられる。時には蜜柑や南京豆などの現物が、どさりと舞臺へ落ちることもある。南京豆は圓錐形に紙に包んで二袋五錢で賣つてゐる。お客は南京豆やアイスキヤンデーなどを食べながら樂んで見物してゐる。煙草も自由である。（これは映畫館でも同じい。）このやうな公然たる、然し匿名のお祝儀は、所詮は舞臺に近い籐椅子の特等席や一等席のお客からであることは地理的條件から考へて當然であるが、眞に芝居の好きな、その代り小遣錢を多くは持たぬ常連たちは、日本ならば立見席と云ふべき一番うしろの木製の腰掛席に陣取つてゐて、そこからでは物質的な祝儀は距離が遠すぎて何としても不可能である。コロンチヨンがはじまると、何處からともなく拍子をとる手拍子や足踏みの音が聞えたり、舞臺にあはせて歌聲が聞えはじめることがある。これは所謂立見席からの『精神的』な應援なのである。手拍子、足拍子、或は合の手の掛聲をまじへながら、歌手にあはせての歌聲は、しばしば場内の觀客へも傳染して、俄然一大合唱會に變じてしまふこともあり、歌手のためのエキストラか、お客のためのコロンチヨンか、甚だとんがらかつた現象を生ずる。かういふ時の祝儀はまた多いのであるが、この和やかな雰圍氣に入つてゐると、十年も昔の淺草のカジノ・フオリーを見てゐるやうな錯覺におそはれる。

『チヤハヤ・マタハリ』は民衆の慰安を第一の目的としてはゐるが、皇軍將兵にとつてもまた一つの慰安となつてゐる。私たちは度々この目的のために劇團を利用してゐるが、さういふ場合にそなへるために民衆への普及をも考へて、日本の歌謠や音樂を敎へてゐる。樂譜の入手困難なのと、あつてもハモニカ用の略譜ぐらゐなので、可成りに困難を覺えたのは事實である。しかし今では『愛國行進曲』『愛馬進軍歌』『國民進軍歌』などの雄壯なものから『支那の夜』『蘇州夜曲』『白蘭の歌』『愛しあの星』その他の兵隊さんの耳に親しいやはらかなもの、子供の歌手には『日の丸』『雨雨降れ降れ』その外の唱歌童謠の類が習得されて、十幾つかの日本語の歌が唄はれる。これらの指導は日本航空の桑名弘氏の努力によるものである。由來インドネシアの言葉と日本の言葉とは、その發音の基礎に於て根底から異なる部分があり、それが歌謠風のものになると更にこの特徴が發揮されるため、隨分珍妙な日本語歌謠の珍談も生れるわけである。一つの歌の指導の初期が特に注意を要する。先日ある部隊の慰問に特別の番組を編成して座員を引卒して遠征したことがあるが、この時最初に『兵隊さんよ有難う』を歌つたのは天才的な少女歌手マリアム孃で、その齒切れのよい歌ひぶりは內地の子供と少しも變るところのない上達を示して、會場をぎつしり埋めた兵隊さんたちから絶大の拍手を受けた。中にはうつすら涙を浮べた兵隊さんもあつたりして、全く胸のあつくなる次第であつた。大東亞戰爭によるこの廣大なる新占領地域の、熱帶圈にある將兵のための娛樂慰安の必要を、この時ほど痛切に感じたことはなかつた。

さてエキストラの本題へ戻らう。これらのエキストラ（日本語の歌もしばしばステーヂで歌はれる）が幕間を利用することは既に述べたが、これは時間活用の點から結構であるとしても、芝居の演出や效果から見ると、甚だ妙な結果になることが多いのである。例へば舞臺では悲劇が進行してゐるのに、エキストラのコロンチヨンが餘りに人氣を呼んで派手な反響を來したりして、切迫した芝居の悲壯觀など吹きとんでしまひ、次の幕があいて芝居が始まつてから芝居の筋を思ひ出したりする。大病で寢てゐる筈の女優がエキストラで踊り、芝居の扮裝のまゝで、子役が出て來て歌を唄ひ、斬り殺された人物が明日の演し物を宣傳したりする。舞臺效果などはさつぱり考へない次第ではあるが、これも人手の足りないせゐであり、また觀客層から云はせればこれが芝居の一つの形式なのでもある。五目そばみたいな芝居の進行であり、ひさしを貸して母家をとられるやうな場合もある。一般にインドネシア人の鑑賞能力は高いものではない。芝居でも映畫でも、ある人物や事件の説明や行動など不必要と思はれるほど、とことんまで實行されないと滿足しない（或は理解出來ない）傾向が認められ、これは日本事情紹介の文化映畫などを作る場合に考慮すべき點の一つであると思ふことが度々あつた。

彼等は簡單な臺詞のギヤグにすぐ譯もなく笑ふし、少し滑稽な所作をすれば必ずドツと笑ふ、それはユウマアなどとは凡そ離れた淺薄なもので、根が陽氣な民族であるやうに思はれるのである。『チヤハヤ・マタハリ』の演出力が乏しいせゐもあるが、どんな悲劇をやつてゐても、すゝり泣きは愚か、鼻をぐすぐすさせて共鳴するやうな觀客を一度も見たことがないのを、私は不思議に思つてゐる。しかし涙を忘れた民族ではなくて、實生活ではつまらぬことにも大仕掛に泣いて訴へる涙もろい（?）人間も多いことを體驗した。

書き忘れたが、このエキストラでは、簡單な日本語がよく使はれる。主として喜劇の場合であるが、これによつて日本語普及の一つの刺戟と云へぬまでも、ある程度の注意力を觀客へ向けてゐるわけである。

それではエキストラをまじへた芝居が、どんな進行狀態になるかを或る夜の千早劇場から拾つてみよう。（芝居の題名は控へてないことを今發見した）。（富第八九九一部隊檢閲濟）

——以下次號——

喪中迎春

湯淺文春

行列して妻が買ひ來し足袋のみを履きかへて清（すが）し喪中迎春

献金に除きてありし銅貨をも年玉に頒ち清しきが如し

配給の酒も半ばは殘らむと父亡き新春（はる）の淋びしきをいふ

元日のこととなく昏れて日記帖に晴といふ字を先づ書きにけり

×　×　×　×　×

人物ノート（蓮月尼二題）

綿谷雪

「うつ人も」の歌

天誅組同志野崎主計が、十津川郷士離反の責を負うて、狸尾山中の自宅で切腹した時の辭世二首の内に、

うつ人もうたるゝ人もこゝろせよ、同じ御國の御民なりせば

の歌がある。

ところで、話は別だが、戊辰戰爭に官軍進發の時、三條橋畔で太田垣蓮月が、

うつ人もうたるゝ人もこゝろせよ、同じ御國の御民ならずや

の歌を短册に書いて、西郷南洲に捧げたといふ傳説がある。捧げたといふのは信用出來ないが、この歌はたしかに蓮月全集に入つてをり、「戊辰のはじめ事ありしをり」といふ前書のついた二首のうちの一つである。

蓮月尼の歌集『海人の苅藻』は税所篤子の編輯で、尼の關知するところでなかつたから、往々にして他人の歌が混入してゐると謂はれるが、この歌はその歌集にはなくて、蓮月全集にはじめて收められたものであるが、前書のついてゐるところから見て蓮月尼の作であることには誤りはないと思はれる。野崎主計の歌とは結句が些か異つてゐるのみで、ほとんど同歌といふに近いのは、恐らく暗合であらう。

白川村心性寺僑居の年代

蓮月尼が、洛北白川村の心性寺へ僑居したのは、富岡鐵齋翁の談話に、鐵齋の父（法衣商、十一屋傳兵衞）が、原坦山と交游ありし因縁によつて、坦山に交渉して寺の一室を與へられたのだといふ。

心性寺は、九條關白家の祈願所であるが、坦山が同寺の住職になつたのは安政三年で、後いくばくもなく時局に關して關白を罵つたために罷めさゝれ、北岩倉の風癲病院に監禁された。

九條關白は井伊直弼と氣脈を通じてゐたために、あだかも安政大獄の直前、反井伊派の堂上から强要されて、安政五年七月下旬に退職してゐるから、坦山が時局に關して關白を罵つたのは、志士横議のやかましかつた水戸密勅降下問題に關する議ではなかつたらうか。

さすれば、蓮月尼の心性寺入りは、少くとも安政四五年の交であらねばならないわけである。

尼が金子廣子への消息のうちに、「しら川將軍ぢざうのした、心性寺と申へ昨日よりさんじ、大かた夏中ぐらゐは居申べくと存參らせ候」とあり、また白川の里の秋を咏んだ歌があるから、その頃まで住んだとしても、あまり長くは居なかつたらしい。

心性寺入りを假りに安政五年と見れば、尼は六十七八歳、富岡は二十四歳、坦山は三十九歳のときである。

愛國百人一首

土屋光司

年末に發賣された愛國百人一首かるたは忽ち賣切れになつたらしく、どこへ行つてもなかつた。そこで、私は元日の夜、古いかるたの裏を利用して、それをつくることにした。一首づつ書いてゆく毎に、烈々たる先人の氣魄がひしひしと感じられて、新年早々なんともいへない爽やかな氣持になつた。有難いことである。

その翌日、近所の子供にそれを話したら、やがて友達を誘ひ合つて、十人近くの子供が私の家へ集まつて來た。みんな國民學校の生徒で、小倉百人一首にはまだ深い馴染みはないし、また愛國歌のうちには、教科書に出てゐるのも幾首かあるので、このかるたには大人よりもずつと親しみを感じてゐる。なかにはもう經驗濟みの者もゐて、札を並べてしまふと、

『あそこに高山彥九郎があるわ』

『これは德川光圀だぞ』

といふわけで、作者の名まで憶へてしまつたのもある。

大人も仲間に入つたが、やはり子供のはうがうまい。好きな札をさつと取つてにつこりする者、眼の前の札を他人に取られて口惜しがる者、兩方から手を出して、一枚の札を取合ふ者などは、今までのかるたと同じにしても、上の句を讀んでゐるうちに取れる札は、まだまだ大人には少い。

私は讀み手をつとめて、それらの情景を見ながら、ここにも新しい世界が現はれつつあることを考へてゐた。耳から音が入つただけでは、その意味の分りかねる歌は少くない。殊に古い時代のものにそれが多いのは當然である。しかし、これらの子供たちは、かうして先づかるたから親しんで、次第にこの意味、それに伴ふ力を知りながら生長してゆくであらう。小倉百人一首の場合には、その意味がわかると、顏を赧くせずにはゐられないやうなものも少くないが、今度の場合は、いづれも淸らかに美しい日本人の心である。

時事英語に、white man's burden といふのがある。白色人種は、有色人種を統治すべき責務があるといふ、彼等の帝國主義を擁護するための言葉である。大東亞戰爭は、この言葉の假面をはぐための戰爭であるといふことも出來ると思ふ。しかるに、ここに藤田東湖の一首がある。

かきくらす亞米利加人に天つ日のかがやく國のてぶり見せばや

これは正しく大東亞戰爭の心ではあるまいか。

――廊下から明るい陽が射し込む室で、大人よりも上手な子供たちの眞劍な顏に、私は絶えず微笑をおくりながら、次ぎ次ぎに讀上げていつた。

貞心尼がこと

由布川祝

例の良寬研究家相馬御風は、貞心尼に關し二著を公にしてゐる。一は「貞心と千代と蓮月」であり、一は「良寬と貞心」であるが、貞心尼に係る限り二著とも殆ど同内容で、貞心尼の戸籍調べまでは手が屆いてないし、盛られた消息も、主として歌人と

しての面だけで、良寛に對する場合と同樣、宗教的な觀察からは逃げてゐる。

江原小彌太が、「若き日の良寛」といふ長篇小說を描いて、良寛と貞心の戀愛を構想してゐるが、これは實に低俗と稚拙の二字に盡き、私の胸の中で聖らかにかほる良寛と貞心の幻影を毒々しく塗り潰さうとし、愕くべき奔放な史實の歪曲で、私に疳癪を起させた。良寛と貞心の年齢のひらきなども、數十年縮めてゐるのである。

以下、私の研究した貞心尼を素描してみよう。

貞心尼は長岡藩士奥村五兵衞の娘である――とだけは御風も知つてゐるが、それ以上の身許調査はできてないらしく、又「良寛全集」の編著者大島花束も何事も書いてない。今泉木舌が、北越新報主筆時代書いた「北越名流遺芳」にも、詳細な記述は載つてない。今泉鐸次郎の手許にある、長岡藩家中屋敷割全部といふ八疊敷ほどの圖面によれば、

奥村家は長岡柿川畔の都橋と雁行橋との中間に出てゐて、役柄は野村清左衞門組の鐵砲臺士である。家祿は低く、二十七石取だつたのが、戊申役の頃になつて五十石に上つた。

菩提寺は長岡稽古町の長興寺で、同寺は戊申の兵燹に罹つたので過去帳はないが、墓地の西南に奥村家の墳墓は殘つてゐる。

貞心尼の俗名は、「升(ます)」だといふ人と、「きん」だといふ人とあるが、「升(ます)」が本當らしい。兎に角、眼の涼しい、凛とした中肉中背の、色の白い、品のいゝ、ズバ抜けた美人であつたことは、貞心尼の第一弟子に乾堂孝順尼、第二弟子に高野智孃尼といふのがあつて、その智孃尼の姪（姉の娘）がまだ柏崎に生きてゐる（或はもう死亡したか？）のではつきりしてゐる。

貞心は寛政十年に生れ、兄妹は二人ぐらゐあつた。十七歳の頃、美貌を望まれて、越後北魚沼郡小出鄕の醫師、關長溫に娶られた。舅父は關道順といひ、やはり醫師で、號を春道といつて、漢籍に通じ、詩など殘してゐる。

春風到處百花香　　丞紫追紅興味長
微醉歸來溪上路　　滿林鳴鳥送斜陽

といつた具合だ。「北越詩話」といふ書物に春道となつてゐるが、春と奉の誤植に違ひない。

夫の長溫は北魚沼郡堀ノ內村龍光の生れで、原名を下村清左衞門といつたが、道順の養子になつて長溫と改名した。

貞心の嫁して間もなく舅父は死に、六、七年經つて夫も逝つたから、貞心は二十五歲で未亡人になつてしまひ、しかも婚家に系類がなかつたので、夫の死後は家財全部を夫の實家の下村家に送りつけて出家得度したのである。下村家は現に子孫が遺つてをり、乳鉢や藥研など、夫長溫の用ひた物が傳はつてゐる。

稻倉の寶藏寺で調べれば、夫の法名は、溫譽淨涼信士で、行年は文政十亥二月二十六日となつてゐる。

彼女の出家得度の動機は何か――となると、想像で補ふより他に方法はないが、凡らく一は亡父への貞節、菩提心と、一は藝術的禀質の豐饒さ、淨業欣求の高い志操に驅られて、淸く安らかに宗教の道にいそしみたかつたからであらう。

彼女は稀な才媛であつた。歌を能くし、書を能くし、また、琴活花など、悉く女の道に長じてゐた。（此の稿つゞく）

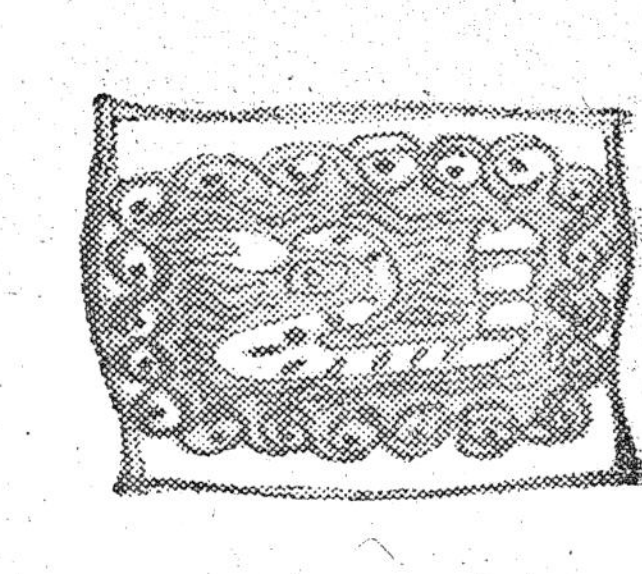

歴史文學略史（二）

―明治から大正へ―

柳田泉

一　はしがき

歴史文學の大きな道を辿ると、明治から大正に移るところで際立つた一變化を示してゐるが、明治でも廿五六年の前後の數年間が、一つの大きな山になつてゐる。この二つの山を目標として辿るのが、近代の歴史文學の發展を知るべき根本知識だといつてよい。

日本文學には、昔から歴史文學は豐富であるが、殊に小說（といふよりロマンスといつた方が近い）としては、德川時代の後半に全盛を極め、いはゆる傑作も出た。これが明治になると、この種文學の傳統として大きな威を揮ふのであるが、その本質的な特色を考へてみると、(一)史實に即せぬこと、史實は假物の觀があること、(二)武士的意識の維持强化、同時に現實の非（乃至僞）武士的意識への諷刺、(三)大衆の不滿不平への安全瓣、社會正義の要求、などであり、それが實際の作品としては、空想的構想、外的事件中心、筋中心のものとなつてゐて、その生命は筋を運ぶ美しい文章にだけかゝつてゐた。これが、明治に入つて、歴史文學の傳統として（或る程度まではそれが文學全體の傳統を代表もしてゐた）いはゆる文壇の一角を占めることになるのであるが、明治の世界は、實學と眞理による建設の世界であり、この精神が文學にも入つて來る以上、その傳統のこれにあふものは存在を許されるが、然らぬものは、革新されることになる。歴史文學に於いて、史實尊重となり、史的知識、史的興味が盛んとなつて、傳統的歴史文學の特色たる（一）が排され、武士階級の滅亡となつて、同じ（二）が排され、その（三）だけが却つて强化されてのこることになる。さうしてそれに、明治らしい一つの新しい特色が加はつて來る。卽ち明治の歴史文學は、傳統的歴史文學に比して、（一）史實尊重、史的興味の現れ、（二）時代の要求、社會民心の安全辯、（三）過去の人々への廣き人間的同情といふ特色をもつて來る。その書き方も、理想化はあるが、前よりはずつと寫實的である（過去の事實に卽してゐる）、筋中心、外的事件中心よりは、性格中心、心理描寫中心となり、事件と性格、心理の有機的結合といふところに重點が置かれて來る。以上のべた（三）の特色は、作者の、史實への解釋といふことへ結びついてゐるが、人間の生活、人間の活動、人間の運命といふものに對する廣い同情から過去の所謂史實を見直して新しい解釋を與へ、新しい興味をよび起す、それが此の（三）の特色であるが、明治が進んで漸く大正となるにつれて、此の特色がつよく出て來て、やがて、明治の歴史文學と大正の歴史文學をはつきり分つ大きな特色とさへ生長して來る。

以上のやうな歴史文學形成の背後には、明治から大正にかけての歴史學研究の發達といふことがある。さういふ學的研究が歴史觀の確定、新史實發見、古文書の公刊、雜誌による史的興味の普及などとなつて、いろ〳〵に歴史文學とつながつて來る。私が冒頭にいつた二つの山も、それはその一面、歴史學研究の山となつてゐるのである。

二　明治初期、實錄物・歴史文學の出現

明治の初期、大體明治廿年前後までは、明治の文學は混沌たる萠芽時代であるが、然しその萠芽の運命なり特色なりは大體この間に定まつてゐるのである。

明治初期の文壇、それも十年頃までは、まだ半歴史文學めく戲作小說がいろ〳〵と出てゐるが、それがいろ〳〵な意味で存在の意味を失つて來た。これに代つて明治らしい歴史文學の種まきをしたものは、讀本の變形たる實錄文學である。いはゞ明治維新の史實文學、それがこの頃の實錄文學である。

この頃の諷刺文學が假名垣魯文を代表とするやうに、實錄文學では松村春輔が代表となる。春輔の『復古夢物語』『近世櫻田紀聞』（明治八年）は、あまりに維新の史實につきすぎてゐて、やゝ文學的味ひがかけてゐるとしても、『春雨文庫』

（明治九年）になると、純然たる歴史小說となつて來る。いはゞ幕末歴史小說の先驅としてはつきりしたものになつてゐる。

春輔の外には、『近世紀聞』（明治八年）の著者染崎延房（二世爲永春水）がある。この『近世紀聞』も維新の史實につきすぎてゐるが、十分歴史小說めくところのある想像の豊かなものである。

初期の歴史文學として注意すべきは、二つある。一つは新聞小說としてのびて來た時代小說、今一つは、政治小說全盛につれて、この流れから生れた新しいイデォロギイをもつた歴史文學である。前者の代表は、須藤南翠とみてよく、時代小說とはいふものゝ、全くの馬琴流で、史實の假面をかぶせた空想小說であり、これは、歴史文學としてはあまり積極的な意味をもたない。南翠のものは、かへつて晩年の僧傳叢書の方に、眞の歴史小說の面影をしのぶことが出來る。その後者、卽ち政治小說に密接した、新歴史文學としては、矢野龍溪の『經國美談』坂崎紫瀾の『汗血千里駒』を揚げることが出來る。その他、ロシヤやフランスの史實に材をとつた歴史小說を飜譯して政治的イデオロギーを含めたものは、こゝには擧げない。『經國美談』の歴史文學としての意味は、政治小說としての意味に劣らず大きなものであつた。つまり明治の歴史文學に一つの新しい型を與へたものといつてよい。

明治十八年、坪內逍遙が、『小說神髓』を公けにして文學革新の大旆をひるがへすや、その主張の眼目は寫實小說にあつたので、歴史小說は閑却されたかの觀があつたが、然し逍遙は別に一篇を歴史小說のために割いて新しい歴史小說の行き方を示した。それは、過去の人情世態（風俗）の寫實が歴史小說の本體だといふのであつた。さうして、これが、結局明治の歴史文學の根本特色を決定したのであつた。

明治文壇への山田美妙の登場は、新しい歴史文學の花々しい開幕でもあつた。彼は、逍遙の主張に、更に自家が西洋文學から學んだものを加へ、馬琴の傳統文學、中古の戰記物語等の好さを配して、史實の舞臺に濃厚な人情劇を演じさせるといふ行き方の、主情的なロマンチツクな歴史小說を作り出し、これを言文一致といふ淸新な表現法をもつて發表した。から道具がそろつて讀者が驚かない筈がない。殊に、歴史小說に特殊な嗜好をもつ日本人のことではあり、また時代としても歴史文學の面白いものに渇してゐたところであつた。靑年美妙は、忽ち天才とされ、東洋のシエークスピヤとまでたゝへられて、一時の得意を極めたのも、當然であらう。『武藏野』（明治廿年、廿一年、『夏木立』再錄）、『胡蝶』（廿二年）、『いちご姫』（同年）などは、この頃の美妙のいはゆる天才的な活動の記念として殘つてゐる。さうしてこの何れもが兎もかく今日なほ相當の興味をもつて讀むを得るのは、流石である。

三　明治中期、歴史熱・歴史文學の新生面

美妙とほゞ同時に文學界に入つた尾崎紅葉には殆んど歴史小說らしい歴史小說はないといつてよく、その點で新進幸田露伴の名が、美妙につぐ歴史小說家として出て來る。『奇男兒』（明治廿二年）の一篇は烈士喜劍の眞骨頭を描いて、漸く歴史小說に於ける性格描寫の分野を開拓した觀があり、これにつゞく『雪紛々』（廿二年）、『ひげ男』（廿三年）、ともに可成りの大作となるべくして、その完成を他年にまたなければならなかつた。（『ひげ男』は廿九年に完成）

新進の美妙、露伴などと前後して歴史小說に足を入れたのは、村井弦齋、村上浪六の二人である。共に新聞小說に終始して多入の人氣を呼んだ作家であるが。歴史小說家としていへば、弦齋は趣向の巧妙をもつて歡迎され、浪六は性格描寫の豪放をもつて愛讀されたといふ差があり、而かもいづれも一種の講談調の通俗味のあつたのは、同じである。『櫻の御所』（明治廿七年）、『沖の小島』（廿九年）、は弦齋の傑作の部に屬すべく、『海賊』（明治廿八年）、『原田甲斐』（卅一年）は、浪六としては傑作といつてよい。

『塙團右衞門』（明治廿六年）の作家宮崎三昧も、この頃の歴史文學史上に特異な輝やきを示す一人であるが、三昧に至つては新進といふ名はふさはしくなく、やゝ古豪といふ感じがする。さうして三昧よりも更に古豪の感じのするのは、依田學海、福地櫻痴、塚原澁柿などである。

學海の歴史小說と櫻痴のそれとは一脈共通の味がある。それは、史實調べの行きとゞいてゐる點である。その點でやゝ史實小說といつてもよい。その中で、學海の『竹間善文』（明治廿二年）、櫻痴の『天竺德兵衞』（明治廿五年）、『水野閣老』（廿八年）、『鳥居甲斐』（卅年、東京日々）などは皆讀むべきものである。

更に、初めは寫實風の作をもつて文壇に出たが、廿五六年

頃から歷史小說に轉向した作家に江見水蔭、遲塚麗水がある。共に史實よりも、史的空想を生命とした散文詩的歷史小說を多く書いた。水蔭の『兜の星影』（明治廿六年）、麗水の『蝦夷大王』（明治廿五年）、『半月城』（廿七年）などでその大體の作風がわかるであらう。

皮肉家の齋藤綠雨が、『弓矢神』（明治廿七年）といふ恐ろしく濕つぽい歷史小說を書いたのもこの頃であつた。

以上でもわかるやうに、明治廿五六年になつて、文壇は歷史小說の天下になつたやうに見える。それは、正面からいへば、歷史學の進步と流行のせゐもあるが、裏からいへば、現代にあきたらぬものを歷史に見出したいといふ國民の氣持ちもある。更に文學社會からいへば、硯友社の書生くさい戀愛小說にあきた反動といふものもあり、平凡人の平凡生活の細寫にうんざりした英雄崇拜の氣持ちもあつた。その點で硯友社の水蔭の歷史小說轉向などは頗る面白いといへよう。

機を見るに敏なる讀賣新聞は、明治廿七年歷史小說の懸賞募集をした。無名氏の『瀧口入道』が二等當選となつて社會に注目されたのは、この折のことであつた。やがて無名氏は帝大文科生高山某（林次郎、樗牛）であるとわかつて、その才華爛漫の筆に天下の靑年を羨ませたものであつた。然しこの時以心庵の匿名で、明治雜著家の大先輩田島任天が一枚加はつたことは知る人が少ない（『不鳴鵆』）。任天の作はこの後で同紙に出た『在五中將』の方がすぐれてゐる。

この時の選者逍遙は、この後で歷史小說について論ずるところがあつたが（史實尊重要求）。この文と、數年後、樗牛を相手に反覆した歷史畫論は、史實尊重の主旨で抒情的歷史文學を押へようとしたものであつた。

會報

◆一月七日夜麴町本社に於て新年劈頭の編輯會議を開催、東野村、戶伏、岡戶、鹿島、土屋、中澤、村雨、村松、村、由布川と殆ど顏を揃へ、三月號の編輯プラン竝に今後の方針に就て、各自意見を開陳し眞摯に檢討しあひ、國民文學の確立に主力を傾倒して行くべく三四の具體案を得た。此の具體案は三月號以後の誌上に漸次實現されて行くことゝならう。

◆一昨秋來南方に陸軍報道班員として奉公された海音寺潮五郎氏は舊臘無事歸還されたが其後發病目下靜養中である。

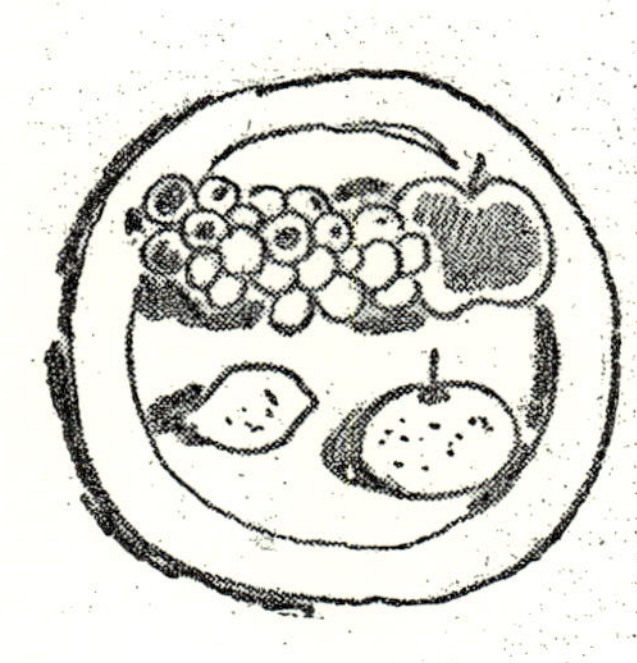

現代作家研究12

丹羽文雄論

東野村章

1

丹羽文雄が、暫しの沈默を破つて「執筆開始」を叫んだのは、昭和十七年二月「文藝」誌上でゞあつた。

「丹羽文雄論」として書く以上は、この作家の處女作である（鮎）から論ずべきであるかも知れないけれど、強いて、「執筆休止」までの作品には觸れないで、「執筆開始」後の彼の歩みを、作品を通してみてゆきたいと思つてゐる。だから、嚴密には「執筆開始後の丹羽文雄を批判する」といつた題にする方がいゝかとも思ふが、（過去をきらふ）彼にとつても、この方が喜んで貰へるのではないかと思ふ。

また、既に「石川達三論」の冒頭に於て、この人物論は「新しい文學（國民文學）の理想を實踐の土臺の上に重ねる、ひとつの石としての意味をもつ」たものとしたい氣を述べたが、依然變らぬこの氣持は、ことさら「過去からぬけだしたくて、うづうづしてゐる」彼の過去の作品をほぢくり廻すこともあるまいと考へる。

丹羽文雄が、暫し沈默し、僅か七八年の間に五十冊もの本を書いたペンを投げて、何を考へたのであらうか。

「バルザツクは人間の博物學を書かうとして、人間喜劇を書きあげてゐるが、はやい話が、日本の作家のなかにはバルザツクのやうないき方を不能なものと蔑んだり、あたまごなしに關心がもてないと片付けたり、バルザックはすでに過去の作家であるなどと時間的にあつさり片付けてすましてゐられるひともないとも限らないのだ。と言つて、バルザック的方法を、小説の金科玉條としてたれにも押つけたいとは思つてゐないが、すくなくともバルザック的な綜合的な教養？　貪婪な抱擁力にたいして一顧の關心をもつくらゐは作家の常識としてみとめてもらひたいのである。新年號のある大家の私小説をよんで、さうした一私人の生活が堂々と小說となづけられ、一流雜誌にのつてゐることに、私はおどろきをあらたにした。自分が同業者ではないかのやうに呆れて、いかりをおぼえた」と、「執筆開始」のうちに書いてゐる。これは執筆休止の動機なのだ。當時、丹羽文雄でなくとも、國民文學の熱意をもち、目標をもつてゐる眞摯な作家ならば、誰しもが、もつてゐた激しい不滿ではなかつたらうか。

身邊だけを嘖めようとする安易な小說の殼に閉ぢこもり、其處だけに眞理があるかのやうな寢ごとを、どんなに腹立たしく思ひながら見てきたことか。この國の文學が、そのために、果てもないどうどう巡りをつゞけ、前進の前の障碍物になつてゐたことを思ふと、更に激しいいかりをおぼえるのだ。純文學に於けるそのいかりは、大衆小說に於けるストーリイ主義にも向けられる。丹羽文雄は純粹の純文學畠の作家ではないやうに見られてきたのも、かうした（いかり）を釀成する要素が魂の中にあつたからであると見ることができないだらうか。

2

執筆休止は、この作家の文學精神、活動の中に出來た空間からではなく、不滿や、怒りやから出發したものであるといふことは、從つて、この作家の內面的世界の特質からのものではなく、偶々、あからさまに口にし、同時に急速に作品活動の中に、不滿を不滿とし、怒りを怒りとして導き入れたからであるのだ。その怒りや、不滿が、この作家だけのものではなく、過去の凡ての作家の（私小說）の面への痛罵であつた。

恐らく、執筆休止の宣言はしなくとも、激しく魂に觸れてそのことを感じてゐた作家が幾人かゐたに違ひない。が、たゞちに自らを創作活動の中に置いて、反省と前進に惱みと考慮を拂つた作家は、丹羽文雄を置いてさう多くはあるまいと思へる。

丹羽文雄は、かねてからバルザックの作品に作家としての心構へを學んできてゐたことは、屢々バルザックの言葉を引用することをみても判る。「當代の歴史を書かうとする作家は多く、傷に觸れねばならない」とバルザックの言葉を借りて、いま、過去の量がたへがたい重量感で私を苦しめる」その過去の作品に冠してゐることをみてもうなづけるのであらう。

「執筆開始」を叫ばしめたのも、バルザックの作品なのである。

「作者の純粹さとか、峻烈な氣質とか、風格とかの、それらで小説を必要以上にもちあげてきた永い間の習慣は、馬鹿々々しい誤謬であつた。そんな小説以外の作者の條件で小説が決定されるものとは考へられない。それは己惚れであり、傲慢である。いまの私には、作家の風格や、純粹さや（何が純粹かよくわからないのだが）氣質でもちこたへてゐるやうな小説をよくよむくらゐなら、顔一つの描寫に二頁も三頁もつひやして讀者を呆然とさせるバルザックの小説の方がはるかにありがたいのである」とも言つてゐる。

振り返つてみて、丹羽文雄の小説には、さうした風格や氣質でつくらうとした作品はひとつもないのである。從つて、（過去をきらふ）といふのは、單なる反省ではなくて、もつと大きなものへの呼びかけであるのだ。過去の自分をひつくるめて、怒りを投げつけたが、それだけが休止の理由ではなく、怒りを投げつけると同時に、新しい小説への理想の熱情であつたことも見落してはならない。

休止から開始までの思考と沈默の中から、その解答をひき出してきたやうであるが、僕はさうではないと見る。休止と同時に開始の理想は定つて了つたのである。たゞ、それへの覺悟をしつかりと自分のものとするために沈默の時間が必要であつたのではないか。

同じく「執筆開始」の中の言葉で、非常に興味ある一句がある。「私は歴史小説を書きあげた。原稿用紙と萬年筆さへあれば、どこでだつて小説のかけた私の習慣が、歴史物に手をつけたときからがらりと變つた。私はうづ高く參考書をつんで、いままでにない苦勞をして小説をかいた。しかし、この苦勞はよかつた。今後の小説は紙とペンさへあれば足りるといふ簡單な覺悟が訂正されたゞけでも、ためになつた」——「バルザックの偉さは、彼が現代小説を書く場合にも歴史小說のつもりで書いてゐることである。このことはもつとほかにも書いておいたが、バルザック自身には歷史小說のつもりではなかつたらうが、無意識にしてその態度が歷史小說を書く場合と同じであつた」

この素直な告白は、僕を同時に驚かせたのである。五十册を書いてやつと此處まで辿りついたのかといふ驚きである。が、考へてみると驚く方が間違つてゐるといふ奇妙な現象に思ひ至らねばならなかつた。

3

いまゝで、（いやいまだつてさうかも知れないのだが）文壇的な流れとして（紙とペンさへあれば足りる）文學が文學として通つてきてゐたし、作家以前の特異な、或は當り前な生活環境だけが、新しい素材でしかなかつたのだ。いはゞ作家は、作家以前の生活環境の中からしか文學らしいものを生みだすより知らなかつたし、それだけで滿足し、滿足させようとする何かゞあつた。少くとも、情に片寄り過ぎてゐた。「私小說の過剩は、たとひそのなかにいかほどすぐれたものがあるにせよ、過剩であること自體は、是認さるべき理由はもたないやうである。全般的な發育のかはりにそこには偏した異常な發達が見られるからである、たとひ前述のやうに、私小說の水準だけはずゐぶん高くなるだろうにしても、それのみでは高さも深さも大きさもおのづから限度があると考へ」る高木卓の考へ方も少しばかり角度をかへてゐるにしても、同じ現象を執りあげてゐるものである。

此處に、もう一つこの現象を突いて考へられることは小說の面白さといふ問題である。村雨退二郎が「小說らしい小說」と言ふのも、「美を見るとともに醜を見ることを忘れてはならない。善を見ると共に惡をも注意をはらはなければならない。さうしてはじめて、讀む者に力を與へ、希望を與へ、勇氣を與へる文學を書き得るのだ」といふ海音寺潮五郎の言葉も、この現象を突き、小說の面白さに關聯して考へられた言葉ではないだらうか。

私小說にも、無論、面白さがないとは言へない。過去の小說の中にも面白いものがなかつたとは言へない。が、その面白さが小說の面白さの凡てゞはなかつたのだ。純文學に於ける私小說の過剩は、かつての通俗小說のストーリイだけのものゝ過剩と相通じる。この二つのものは、それぞれ兩端を行つてゐるやうでゐながら、實は、端でも何でもないのだ。文學の名を借りた遊戲に似てゐた。文學の世界はもつと別なところにあつた。安易なところに文學らしいものをこね廻さうとした消極的作家の商賣人根性の表れをみるやうな氣がする。

今日、小説が面白くないといふことを聞くが（これにはまた、別の理由をつけ加へることが出來るが）、丹羽文雄が、創作活動の休止をもつて、自らの作品の流れを斷ちきらうとしなければならなかつたものが、もつともつと、多くの作家の反省と積極的行動があつて、深く追究されてゐたならば、小説が面白くないといふことも、もう少し根底のあるもの丶表れとして、研究の一資料にもなるものではなかつたかと思はれる。

かうして考へてくると、丹羽文雄の「執筆休止」は氣障な言ひ方ではあつたらうが、また、文壇の心ある作家の幾人かゞ同時に持つてゐたところのものを指摘したゞけのものではあつたが、創作活動に積極的に働きかけて、より深く問題としたところに、この作家の（文學）への體あたりな熱情を感じるのである。

ある時期に、丹羽文雄は、阿部知二、武田麟太郎、石川達三らと並べられて流行作家の一人に數へられてゐた。七八年の間に五十冊もの單行本を書かしめたのは、ひとつには流行作家の波が書かせたのであると思ふが、他の流行作家に比べて、彼は別のものをもつてゐたやうに思ふ。阿部知二の知性の文學といつた風に、文壇から買ひかぶられてゐなかつたと同時に、通俗作家の域に押しやられてもゐなかつた。それは「東京の女性」の作者であるとともに、「太宗寺附近」の作者でもあるといつたところにあるのではないだらうか。

たとへ、彼が、（過去をきらつ）たにしても、彼の過去の作品が、それほど堪らない作品に滿ちてゐるとは思へない。「東京の女性」にしても、風俗小説の氣障つぽさはいなめないが、作者の態度がそれだけに終らうとする安易さから抜け出ようとする努力は感じられるのである。

4

時代の急速な進展は、作家に事實を作家自身のものとして消化するまでに、次の事實に迫はれなければならないといふ混亂を、その內面に味はねばならなかつた。

常に時代の目新しいものを追つて、其處だけに新鮮な興味をもつてゐた多くの作家は、もつと內奧の魂を搖り動かされてどまどはねばならなかつた。見方や、感じ方や、考へ方を、全く新しいものを自分のものとしなければならなかつた。戰爭文學が、さうではならないと知りながら、一應は、レマルクの「西部戰線異狀なし」を思ひ浮べずには、とりつきようもなかつた狼狽ぶりであつた。

やゝ、それらの心の流れも整理されはじめた。全く判りきつたことがらを、その整理のあとから引きづり出してきたのである。「われわれは、日本人の日本の戰爭文學をうち樹てるべき」だと。

丹羽文雄は、「執筆開始」の一文の中で、この問題に觸れてゐる。十二月八日の感激を書いた小說を二つ三つよんだが、或る若い批評家が、安易な精神と非難してゐたやうに、私もせつかくの十二月八日の感激がうすれていくやうな心細さと不滿をおぼえた。あのやうな歷史的瞬間をすばやく小說にとらへるといふことの良し惡しは、しばらく措くとしても、ああした大きな歷史的瞬間にぶつかると、作家の無力、といふより平常の不勉强がまざまざと見せつけられたやうにはがゆくなつた」と言つてゐるが、これは、誰もが感じたところのものであつた。

「新鮮な感動でバルザツクに取り組んでゐる」彼が、バルザツクの追究精神と方法を、如何に消化し、此處に指摘する面を、如何に丹羽文雄のものとして吐き出すか、といふことに期待をもたないではゐられない。

いまゝでの小說は、歐米輸入の文學する態度、或は對照の把握、素材の選擇をもつて、文學らしいものが創りあげられたかも知れない。が、いま、日本人としての作家の態度、日本人としての對照の把握、素材の選擇がなければ、眞の「國民文學」の道は拓くことが出來ないと確信する。

では、日本人としての見方に、それほど特異なものがあるのか――。と、いふことは、いま、此處では餘りにわき道に這入り過ぎるきらひがあるので省くが、日本人の見方といふと島國的な小さなものとする觀念から、先づ拔け出なければならないといふことが言へる。

私小說の殼も、ストーリイの過剩も、結局は、日本人の自覺から遠ざかり過ぎてゐたと言つても、もう單なるこぢつけと見られることはないであらう。

さて、丹羽文雄は、創作活動の中にさうした中斷を得た。脱皮の苦惱が、その中斷の間に、彼をぐるぐるとり卷いたに違ひない。無論、それは、創作以前の作家の態度のうちにではあるが。

われわれは、大げさな執筆休止、並びに開始の宣言によらずとも、一時現代風俗作家が、その刺戟の强さが、時流に添はぬものとして、執筆禁止のデマが盛に飛び廻つたくらひに、新しい時代の招來につれて、彼等の作品が如何變つてゆくかには充分の興味があつたのである。いや、興味とは言ひきれない、何か切實な打開の方法に、人事だけには感じられぬ身に迫るものがあつたのである。

丹羽文雄も、そのうちの一人に數へられてゐた。たとへ「宣言」がなくとも、彼は、今迄のものを押し通す譯にはゆかないのを分明と知つてゐた。それだけに、如何、變るか、が問題であつた。米屋が配給所となつて新しい體制の中に身の處し方を注ぐやうには、作家はゆかないのである。單に物語のストリーイを作るための作家は別として、少くとも、作品に何等かの主張をもち、思考、思想を流す作家であるなら、凡てを一應肉體に吸收し體臭のやうにあふれるものは、からだと、決心は出來ても、決して、さうすぐには變へられるものではないのである。

新しい空氣を充分に消化するだけの時間と努力がなければならないのだ。さういつた意味からも〈休止〉は、いゝ方法であつたらう。たゞ夢中に進んできた過去の作品の量が多いだけ、それだけ餘計に、休止の時間が、それに比して短か過ぎはしなかつたかの疑念もないではない。

〈開始〉後の作品として發表されたのは、「現代史」である。これは、〈開始〉宣言前に書かれた彼の最初の歴史物である「勤王屆出」にみせた、彼の別の面に添ふものである。

「勤王屆出」は、近年急激に流行化した純文學作家の歴史物に「我も……」と浮ッ調子に追ひかける感じがして、何かしら丹羽文雄の小才の效く一面をみる氣がして、どうしても讀む氣にならなかつた。それに、他の純文學作家の歴史物を若干讀んだあとで、ほとほとその面白くないのに弱りきつてゐたからでもあるが。

この論を書くにあたつて、兎に角讀んだ。矢張り面白くなかつた。途中で、何度か、投げようとした。が、無理をして讀み進んだ。最後まで結局面白くなかつたし、何だか、讀後の印象つてものもさつぱり殘つてゐなかつた。其處で、もう一度最初の頁から繰り返し讀んでみた。といふのは、村雨氏から、「とに角、轉換期に於けるラジカルな人間性といつたものを贖めてゐる。歷史の中から、その點を摑みだしたことは、最初のものとしてはよく歷史を贖めたと言ふことが出來る」とのことを聞いてゐたからである。その點では、慥に小說で苦勞してきた彼の考へ方が窺はれるやうに思ふ。

が、この面白くなさはどういふものだらうか。小說である以上、矢張り面白くなければならぬとしてゐる僕の信條は、その點で堪らなさが先づくるのだ、「勤王屆出」の一冊には、「曉闇」の一篇が收められてゐる。「勤王屆出」を書く爲に作者が、その史實や知識を得るために旅行する、その間の思考の跡を描いたものであるが、この方がまだ判りいゝ文體であるだけ讀みよく、後味があつたのは皮肉である。「曉闇」で忠實に歷史をみようとしてゐることを押しつけてゐるが、參考までに中澤茎夫の評を拔萃すると「中外新聞に關する點などは恐らく作者は、維新時代の新聞に關する知識が皆無なのではないかとさへ思はせらる。世事探訪に出かけるのを、非常にのんきごとと解してゐたり、世事探訪の任務を持つたものが、慶應四年二月末日前後に、江戶を通りすぎ乍ら、將軍慶喜の東歸りや、伏見鳥羽の戰を知らなかつたり、又、中外新聞を讀んでゐ乍ら、堺事件に憤慨してゐて、肝心の倒幕の風雲を見のがしたりしてゐるのは、どう云ふわけなのか、判斷に苦しむ作爲である。ちなみに、慶應四年二月二十四日の中外新聞（道中で手に入れた）には何よりも堺事件なるものが大きく扱はれてゐた（三十二頁とあるが、實は、この中外新聞の創刊號（それまでは、寫本で閱覽してゐたがこの號から出版したのであつた）この二月二十四日の中外新聞は、堺事件はのせてない。大きく扱はれてゐるのは、征討軍の出發の風聞と、東北諸藩の動靜に關するものであり、特に「一柏は只恭順謹愼にして敢て戰を好まず。一柏とは卽ち大君の事なり」と云ふ重要な記事である。このやうな重大なる記事を態々五月頃の新聞記事として、之を全文轉載してゐるのは、實に奇怪なことゝ云はなければならない。（四十五頁）」

調べた事柄を何でも彼でも書き並べようとするところに面白くない因があるのではあるまいか。丹羽文雄の「歷史文學」への努力は買ふが、同時に、これではならないといふことも言へる。

「現代史」は、改造に發表連載され、途中のまゝになつてゐるが、發表と同時、ひどく惡評された作品である。「勤王居出」にしても、「量を重ねるうちに幾らかいゝところがでてくるバルザツクを手本にしてゐる作家だけにこんなものが出來る」と誰かゞ書いてゐたやうに惡評だつた。かう言ふいひ方は、僕は好まないので問題とはしなかつたが、大體新しく意圖するものに矢鱈と投げつける遠慮のない文壇の惡習がまだ殘つてゐるのかなと考へさせられた。

5

「勤王居出」に於て經驗した創作の苦難（告白してゐるやうに、ペンと原稿用紙だけでは書けないといふ）は、たとへ、その成果が（惡評）の中に投げ出されたものであるとは言へ、その努力と奮闘への態度は望ましいことであると思ふ。結果に於て、小說らしい小說とはならなかつたが、それは、最初に飛び込んだ世界の意慾に、反つて自由が效かなくなつたのだと信じたい。あの苦澁な文體の羅列が、それ故に（純文學）の誇のやうに感じてゐるなら別だが——。

「現代史」も、「勤王居出」と同じく、飛躍への努力に生れた作品である。大正九年十年後の政界の一面を描かうと意圖されたものである。毛利恪、入江逸平、喜田川毅らの人物がその物語の主要な線を曳く。政界を描いた小說はあるだらう。かつての政界の表裏をあばくといふだけの意圖なら、今日更めて書かねばならないほどの意味はないと思ふ。當時の時代の性格と人間の本能的な征服慾といつたものが、毛利恪や入江逸平らに視線を集中させた理由があると思ふ。

作品の向ふで作者の瞶める眼を感じながら、それ以上に作品の混亂があるのは、矢張り「勤王居出」にみせた失敗から拔け出られないものがあるのを感じる。

最近のものである「この響き」や、「虹の家族」（婦人朝日連載中）の作品をみると、「現代史」を書く彼の意慾が何處へ行つたか、と、幾分、大げさな宣言に不滿を感じないではゐられない。純文學だとか大衆小說だとかの區別が、この作家にまだ殘つてゐるとしたら、先づ、其處からもう一度態度を改めるべきである。

突然、彼は從軍した。書齋の中で、漠然たる解決を、創作活動によつて追究してゐた彼にとつて、從軍による現實の經驗は、激しい衝動を與へたに違ひない。

從軍、日淺くして、彼はソロモン海戰に、生死を彷徨ふ壯烈な戰ひのうちに身をひきしめる尊い體驗を得た。眼の前に展開する息づまる瞬間に、記憶のよりどころとなる文學を書いた。輕傷を受けて歸還。彼は、從軍作家の責任といふ意味だけではなく、「休止」のうちに押し込められ、漠然とした解決が、激しい熱情となつて、原稿用紙にペンを走らせた――。「報道班員の手記」――「海戰」――この二篇でおよそ四百枚以上もあるかと思へる枚數の量を、矢つぎ早に書かしめた熱情が何であつたかを考へないではゐられない。

戰鬪を前にして、泊地における各新聞社の報道班員と從軍作家との位置、仕事の相違、心理の交錯を描いた「報道班員の手記」は、格別目立つたところも見られない作品であるが、「同じ班員でありながら、新聞社出身の記者たちのあひだに拔け駈けの巧名式な競爭意識が拭ひきれず、仕事や心理のうへで互ひにぶつかり合ふ姿が内部から眺められてゐる。どこの世界にもある通りで、むろん、珍らしいことではない。むしろ僕に珍らしかつたのは、各社とも記者と寫眞部員には戰時手當として一日三十圓見當、月に約千圓の金が給されてゐるとか、戰死をすれば一萬圓の約束になつてゐるとか、さうした片々たる幾つかの事實ばかりである」(東京新聞、目撃者の覺書)といつた杉山英樹の見方でもつてしては、この作品を見たくはないと思ふのである。

だいたい、杉山英樹のこの「目撃者の覺書」と題する文藝時評は、近頃的外れな文藝時評の多い中とは云へ、通り一遍の讀後感よりもつと腰の落ちつかぬものであつた。

新しい文學を要望し、新しい日本の國民文學の樹立へめざすことは、唯、作家の努力だけではなく、新しい批評家の眼をも、ともに必要とする。批評家が「文藝時評」から逃げだし、沈默を守らうとしたことも、作品の側に、その責任をなすりつけようとした態度も、要するにこの新しい眼や覺悟が、眞に批評家の魂のものとなつてゐなかつたからであらう。

さう言ふ意味から、新しく登場した幾人かの批評家に、かねて注意の視線を向けるやうにしてきたのであるが、杉山英樹のこの「文藝時評」には、失望せざるを得なかつた。古い見方や、考へ方の殼を破つた〈新人〉の登場は、あながち〈作家〉の場合に限られた問題ではないと思つた。

少くとも批評家として、今日の流れを洞察し、理想へ導くための思考と努力と熱情をもたぬ批評家は、今日、批評家の位置を與へられる必要はない。

「海戰」に就いても「これは立派な報告書だと思つた」といつた杉山英樹の眼は、飽迄一時代前の眼でしかないのだ。

「海戰などといふものは、まつたく僕らの想像を絕してゐる。それが、どんな風に準備され、戰はれるべくして戰はれるのか、見當もつかぬ。だから、誰か信用の出來る人間が、その激鬪の瞬間に立會つて、俺にはかう寫つた、といふならば、そのまゝを信用する他に手がない。その人間が信じられないといふのであつたら話は別だ、僕は、何となく丹羽文雄を信じてきたので、「海戰」の事實をも信じる。しかし、彼が、戰ひの濟んだあと、夜が明けて間のない海で後方からくる軍艦が、何事もなかつたかのやうにすましてついてくるのを見て、うろたへ、數を數へ、昨日のまゝだ、とわが目を疑つてゐる箇所へきて、僕は、はツとした、何んだ、まるつきり同じ根性ぢやないか、と思つた」杉山英樹の心の焦點が、空に迷つて彷徨つてゐる感じではないだらうか。

丹羽文雄の「海戰」は、「報告書」であるかも知れない。が、「執筆開始」からの彼の思考と創作體驗の凝集が、一發狂するかも知れない驚天動地の激鬪」の體驗を通つて「海戰」の中に、凡てのものを吐露してゐるのを見るのである。

斷ちきれぬ過去の流れが、まだ尾を曳いてもゐよう。書齋人の苦惱も殘つてゐよう、それらが反省となり、追究となり、この鬪ひの體驗に得た日本人の血のなかに凡ての解答を求めようとした心の、魂の、記錄であると思ふ。信用する。信用しない（杉山英樹）といふのは、何を言ふのかよく判らないのだが、この長篇を一氣に書きあげしめたところのものが、單に「報告書」とするものだけに終らせてはゐないと思ふ。

「報道班員の手記」には、ありのまゝを傳へ描かうとする意識が多分にあり、書齋人のものの見方（習慣からくるところの）で見ようとするところがあつた。

さて、「海戰」によつて吐露し、考へ、體驗した多くのものが、「現代史」などの一つの道とどの程度に溶け合ふか、また、如何表はれるか、「開始」のときに抱いた期待が、一步、新しい前進をして、いま、丹羽文雄のうへにあるのである。

無論、＜報道＞の使命と（文學）の使命とは異なるものである。「海戰」に於ける肉體的體驗は（報道）の貴重な面であり、魂の體驗が（文學）の貴重なる面である。

月例評壇

矢崎彈著『三代の女性』

鹿島孝二

この書は、著者のまへがきに依ると、「明治大正昭和の三代にわたる代表的な名作小説にあらはれる女性をたどつて、近代日本における女性の愛と倫理が、いかなる變遷をかさねてきたかを、歴史的にあとづけようとした」ものである。

著者は代表的名作として次のやうな小説を選んだ。卽ち、柳浪「蜃中樓」、一葉「十三夜」、蘆花「不如歸」、紅葉「金色夜叉」、鏡花「婦系圖」、荷風「地獄の花」、草平「煤煙」、漱石「虞美人草」、天外「魔風戀風」、以上を明治期の「傳統の惱みから解放へ」といふ章で取扱ひ、次いで、成吉「何が彼女をさうさせたか」、秋聲「あらくれ」、寛「眞珠夫人」、瀧太郎「律子と瑞枝」、荷風「つゆのあとさき」を「解放の悲劇から生活愛へ」（大正期）の章で引用し、昭和期としては「働く慧知と新世代の創造」といふ章題で、利一「寢園」、有三「眞實一路」、秋聲「假裝人物」、義秀「美しき囮」、ふみ子「煉瓦女工」、達三「母系家族」、洋次郎「若い人」、文雄「東京の女性」を取上げてゐる。そしてこれ等の小説の女主人公の姿を、小説の筋を丹念に語り乍ら、紹介してゐる。その限りに於てこの書は讀者にとつて誠に便利な本である。明治期は措いて、吾々の一時代前の大正昭和の作家達が、どういふ女性を描かうと努力したかゞ一應まざまざと見せられて、興味深い。

然して讀後に痛感されたことは、大正昭和の作家達がよくも揃ひも揃つて、日本人離れのした女性ばかりを描かうと努力したかといふことである。こゝに揭げられてゐる大正昭和のどの小説の一人の女主人公をとつても、日本の女性として困りものでない女は一人もゐない。日本の女性がかういふ女ばかりだつたら、大東亜戰爭に勝ち拔くどころか、忽ち脆くもついえて了ふだらうと思はれるやうな情けない女ばかりを、今迄の作家は夢中になつて書いてゐたことが分る。大正昭和の作家は、日本女性のあるべき姿を誰も書いてゐない。新しい女を描かうとし、その新しい女とは日本離れのした、アメリカ化した、たとへば都會の中の最も墮落した女で、それを最も墮落した境遇に置いて描かうとのみ努めて來た。卽ち眉をひそむべき女性の姿ばかりを、歐米的世紀末的思想から見てそれを新しいと誤解し、描いて來たのである。こんな女達が日本女性だつたら全く堪つたものでないし、これからの國民文學作家はこんな女共に興味を持つてはならないし、讀者も亦こんなのを日本女性と思つてはならないのだとつくづく感じた。

但し、さう感じるのは僕自身であつて、この著者は決して讀者にさう感じさせるべく努力してゐない。著者はこの現實を歴史的事實と見、批判を與へて居らず、寧ろかういふ過程を經て次の昭和女性が生れて來るのを見ようとしてゐる。この點僕は著者に限りない不滿を覺え、國民文學建設の同伴者に非ずと思はざるを得なかつた。

平田弘一氏『洋船事始』

戸伏太兵

永いあひだ歌舞伎座の監事室にかゞんで才能を持ちながら不遇であつた平田君が、やつと苦難の道から浮かび上つて、運命を自から開拓し、あたゝかい日の目にめぐまれる様になつたことを、ひとごとならずお喜び申上げたい。

一夜づくりの脚本、目さき本意の急造品、それでなければ便乘演舌附きのマヤカシモノがひどく横行してゐる劇界——といへば、まア文壇だつて同じやうなものだが——にあつて、平田君の新出發は、一おう深い意味があると思ふ。

永らく劇場にあつて實際的な經驗を經、その表裏の萬般に通じると共に、多年、新古巧拙となく種々な芝居を飽きるほど見て來た同君が、およそ實際の舞臺及び表現技法のコツについて知りつくしてゐるといふ强味は云ふまでもないとして、同君がこの經驗の上に、ユニークなものを以て臨まうとする逞しい野心と研究を忘れなかつた點は、敬服に値するものがある。

本書に收むる『洋船事始』『箱館火輪船記』『若き日の山田長政』の三篇——一は歌舞伎檢討會一等入賞作品で、六代目によつて歌舞伎座の脚光を浴び、二は二六〇〇年奉祝藝能祭懸賞一等入選作品であるが——三ぺんを通じて、すべて黎明新日本の海事に題材を選んで、雄大なスケールのもとに多勢の登場人物を驅使し、堂々の大作たらしめてゐる努力は、なまなかな舊人はもとより、新人の群をも脚下にヘイゲイする概があると思ふ。

いまその一々にわたつて詳論する紙數を持たないのは殘念であるが、ともかく群小脚本家を遙かにぬきんでて、意氣旺んなる大物作家の風貌があるのは、何よりもたのもしいと云はねばなるまい。

大物を手がけるがために、とかく質感がウスッペラであり、プロットが粗放で、人物の性格描寫が足らず、劇の進行葛藤が、いかにも段取りの並列の氣味があるのは、今のところはまだ止むをえないかも知れぬ。技巧方面の達者なのはよいが、盛上げかたが矢張り從來見て來たものにわざはひされてか、とかく常套をまぬがれないのは、『事始』の主役豊治の科白ではないが正に「釘」の研究が足らぬのであると思ふ。そして此の場合の「釘」は、要するに「史觀」の問題だと、小生は思ふ。

等々、望蜀の言はそれとして、ともかく平田君の努力と筆力は、たしかに今後の大成を期待せしめる。小生は、同君はもつと早く酬ゐらるべき人だと思つてゐた。そして雄勁な伊藤熹朔君の表装にかざられた此の美しい作品集は、平田君の遑しい出發を祝する華やかな號砲であると云ひ得るだらう。

（十二月二十五日）

眞杉靜枝著『鹿鳴館以後』

大慈宗一郎

文明開化が、世に歐化時代といふ特異の一時期を展開せしめた當時の代表的世相を語る鹿鳴館を背景に、作者は初めての歷史小說を發表した。充分なる史實の調査と構成の苦心、一讀力作であることは頷かされる。女流作家ならでは描けない點が多々ある。然しながら、そこには現代小說作家としての色彩が強い事實は否めないのである。作品中の人物が現代人としての性格及び動きを感ずるからである。淺子夫人にしろ、里井にしろ、主人公夏野にしても、彼等の生活から時代の動きを見ることが出來ない。淺子夫人は洋風模倣者として動き、夏野は自己の無い箱入娘の姿であり、里井に至つては彼女の騎士としてのみの存在である。此れは彼等の性格の中に、時代の思潮を吹きこまなかつたせいではなからうか。從つて作品の中の人物の動きが、現代人である以上、そこには人物を通じての歷史が浮び上つて來ないのであつて、反對に歷史の流の中に、現代人の生活を見てゐる如き感がある。人によつて歷史が作られる以上、人の動きの中に歷史が作られるべき要素がなくてはならないのではないだらうか。

此れは、上流社會を描いた構成の爲であらうが、時代が彼等の生活に遠い世界のもの丶様に人物が動いた爲であらう。歷史小說として歷史を追究する場合は、庶民社會を基礎としてとの同人村正治氏の言葉が思ひ出されるのである。條約改正會議といふ大きな當時の動きを取扱ふにしても、その世相與論を、作者は茶會に集る人々の會話で表現したのと、最後の政談演說會の描寫とに比較した時、前者よりも、後者の方が歷史的重大事實であるとの印象を強く與へる點は、考へさせるべき事ではないかと思ふ。更に保安條例の發布による由利一家の大騷動は、世相の說明不足により讀者に對してあまり突然過ぎる感を與へるのも、朝之介を廻る社會の動きが、全然無視されてゐるからであらう。此の點大崎天堂の動きをして說明出來る様な氣がする。

朝之介といふ人物が、時世に對して如何なる動きをなしてゐたかと云ふ事もはつきりとしなかつた。此の事は、本作品を通じて作者の描かうとした意圖が、漠然としてゐると同じ様に、作者の歷史小說に關する考へ方が表れてゐる様に思へるのは私の考へ違ひであらうか。歷史小說に對する本質の追究が不備であると感じるのである。

然し此の作品の歷史的背景を除いた場面に於ける作者の力は大いに認められるべき點がある。歷史小說に對する關心を深め、本質を摑んだ時には素晴しい作品を生みだすであらうとの期待をするものである。

大衆文藝新年號

村正治

壯士芝居　長谷川幸延

「現在歌舞伎王國に頡頏して演劇界を二分

する大勢力となつた新派の草分け」たる壯士芝居の濫觴記といつた風のもので、自由黨の壯士角藤定憲の熱情に中村宗十郎の人情を絡ませ、福井茂兵衞、川上音二郎等を配してゐて、演劇史的な興味から一應は面白く讀める。然し、小說としては、定憲の妹由枝と宗十郎の弟子尾上梅二郎を點綴したのも、「何によらず固いばかりでは飽かれやすい、ほど〳〵の柔か味が必要だす」との狙ひからだらうが、結末が曖昧であり、二人の戀愛的な心理も描けてゐないので、食ひ足りないものになつてしまつてゐる。

何時ものやうに、大阪の鄕土色が背景に活かされてゐるのでもなく、資料的興味に凭れ過ぎて、駈足で片附けてゐるやうなのが憾まれる。

とんにやく八兵衞　宇井無愁

大正年代の大阪民俗史的な興味と、西鶴、紅葉の味を持たせた文章とで讀まさうとしてゐるのが、作者の味噌らしく受取れるのであるが、さういふ藝の上での遊びが鼻について、却つて隨いて行けない。おもひつきも構成も陳套なもので、最後のお大師詣りの鄕土色の豐かな描寫と、八兵衞大明神への無言詣りのお糸母娘と、傳さんの邂逅で僅かに救つてゐる。然し、觀方に依れば此の最後の趣向が一層、此の作品を戲作めいたものに、低落さしてゐるとも云へるのである。

「いづれはどこぞの若旦那が、道樂すぎての勘當か御沈落、九尺二間の裏長屋に風雅でもなく洒落でもない、仕様ことなしの侘住居とはよくある話」といつた大正年代を更に一時代溯つての紅葉擬での文章にも、「板倉政要」の骨つぽさとは逆に、肉附き豐かな器用な筆遣ひを見せられて、一應は感心されたが、斯う凝り過ぎては贅肉過剩の態で、作者の愉しんでゐる程には愉しめない作品だ。況んや、相當ムラが目立ち苦吟斧鉞の痕の窺へるに於て、詰らんお道樂はおよしなさいよと申上げたい。

鯨の町　梶野悳三

この連載小說は、最初から毎號面白く讀まして貰つてゐる。專門書を讀む程の熱意も閑もない讀者には、小說を讀みながら自然に、捕鯨上の智識を與へられることが愉しみの一つだ。鯛吉と海保の性格にも魅力があり、筋の發展に期待してゐたのだが、此の回には二人ともこれといふ動きを見せず、僅かに、靜江が稻取から海保の話を持出されて、何う動くかといふ點で、後は次回のお樂しみ式に繫いでゐるだけで、期待した發展は見られなかつた。小說が捕鯨智識を廻つての定轉にならないやうに、成功を祈つてゐる。

江戸の背坊　森　健二

陋巷の庶民生活に愛着を寄せてゐるらしいこの人の作品には、僕として好もしい部類のものが多いのだが、何にか、安手な感傷主義だけで、安易に片附けてゐる傾きがありはしないか、それに、何時も指摘するやうだが、文章にも神經が行届いてゐない。例之、「困つた孤兒だ、親の名は」「壁も壘もビリリツと震へる」「もう兩騎の間に見えるより外はなかつたらう」といつた式に、文章が行き當りばつたりに使はれたり、八ツにもなる子供が捨兒にされてゐたり、それを一見して孤兒だと直感したり、その孤兒に「親の名は」と聞いたり、鳶魚式は愚か、常識的批判にも耐へられない不用意なところの散見するのは、損なことだとおもふ。

白衣の歸還（二）

岩崎　榮

せッちやん

1

宿舍には二十一の部屋がある。その各室にたいてい、誰れか病人があつた。それで、病人はまた、たいていデング熱患者であつた。

誰れは、こゝンとこ食堂へ顏を見せないぢやないか、なぞ云ひ出すものがあると、あゝ先生もデングにやられてるんだ。うんうん呻つたり、泣いたりしてゐると、誰れかゞ說明してゐる。そのうちに、自分が罹つた。まことに嫌な氣持ちの熱病である。毎日三十九度から四十度くらひの熱が間歇して、みな、相當頑健な三十男や、四十面が、譫言を云つたり、魘されたり、或は女房の名前を呼んではシク〳〵泣いたりする。自分は、しかし、泣かなかつた。精神力が强いからではなく、心臟が、熱に强い體質なのだ。そのかはり、ひどく胃を胃され、まるつきり食慾が無くなり、從つて、體力も氣力も消耗してしまつた。

てうどその頃、島田一道君が、バンコツクから空輸されて來て、われらの部屋の一員に加はつた。島田君は、山口縣岩國の人で、日本タイヤの會社員。英語の飜譯者として、徵用された宣傳隊員である。色が白く、髮の毛が濃く、ちよつとした容貌を持つてゐる。兩親がハワイに住み、父親がホノルルで邦字新聞を主宰してゐた頃、そこで產まれ、間もなく兩親もろとも故鄕に歸り、中學を卒業すると、また今度は、單身ハワイに渡り、大學へ入り、更にアメリカの大學に轉じ、三年か四年か前に歸國したといふ經歷だが、非常なアメリカ嫌ひで優さ男らしくもなく、氣骨のある面白い人物だつた。もと〳〵われらと一緒に、日本の港を船出しサイゴンから、ずつとバンコツクまで、苦勞をともにして來たのだが、われ〳〵がビルマに進出したのちまで、仕事の都合から殘留部隊員として引きとめられてゐた人だつた。

島田君を加へて、わが部屋は三人の侘び住居となり、高光君と、島田君と、相異した二つの性格が、それ〴〵親切に、自分の病氣を介抱してくれ、自分はその二つの好意の上にあまへてゐた。

朝、六時に鐘が鳴る。起床の鐘だ。二十分經つとまた鐘。これはマアケツトへ行かうと誘ふ鐘である。全員の半數くらひが、每朝その鐘に唆かされ、トラツクに積まれて出かける。

島田君は、かなりの興味をもつて、これに從ふが、高光畫伯は、あまり出かけない。自分に至つては全然行かない。病氣でなかつた頃でも決して行かなかつた。性來の買物嫌ひで、東京の百貨店は、この歲になるが、まだ、どこをも覗いたことのない自分である。島田君はいろんなものを、たんねんに買つて來ては、一應みせびらかし、トランクの中へきちんと納ひ込む。洋服地から、皮革類。化粧品でも、何でも買つてくる。妻君用のレースや、小供の服までも買つてくる。島田君ばかりではない。みな熱心に買ひ漁つてくる。某氏の如きは、或る朝妙なパイプを買つて來て、莨をつめ、一ぷく吹かしながら見せに來た。アルマイト製の何かの管らしいのだが、當人は琥珀のパイプで、たいした掘し物だとひどく得意になつてゐた。醫者の代診をしてゐたことのある齋藤君が、それを一目して顏の色を變へ「そいつア女の、性病を洗滌する管の頭部だぞ」と斷定した。

朝食をすまして三十分經つと、また鐘が鳴り、トラツクが、みんなを宣傳隊本部へ運んで行く。島田君も、ビルマの陽氣を呪ひながら出勤する。高光畫伯は、しかし、そのときは出かけないでほどなく現れるであらう兵隊を待つてゐる。

兵隊は、たいてい、いつも二人づつで現はれる。一人は唐澤兵長、も一人は樋口上等兵で、兩人とも谷部隊の佐藤隊に屬する歩兵である。

イラワヂ河畔のシュエダンといふ町で、佐藤隊は酷烈な戰鬪をし、英軍の誇る機械化部隊およそ一個旅と、歩兵二個旅を、その十分ノ一にも足らぬ小部隊でもつて、鮮やかに粉碎したものだが、自分はこの部隊に從軍し、部隊が、ブロームから、タエトメウあたりに前進した頃、その戰記を物するために、ラングーンへ引き返して來た。高光君は、この自分と行きちがひに、シュエダンへ戰跡のスケッチに出向いた。佐藤部隊長は、その戰鬪の負傷で、ラングーンの兵站病院にゐたが、高光君のために、案内その他一さいの世話をし、便宜を與へてやらうといふので、同じ病院に入院してゐた部下の中から、全快して、近く原隊に追及しようとしてゐた唐澤兵長と樋口上等兵とを選び出してくれた。

唐澤兵長は、どこからか一臺のシボレーを持つて來て、樋口上等兵を助手とし、高光君を乘せ、一週間ばかり、イラワヂ河のほとりを驅け廻つて來た。

高光君は歸來直ちに、われらの部屋のロビイを畫室に、古看板かなにかにカンヴアスを張つて大作にとりかゝつた。

二人の兵隊は、或ときはモデルとなり、また或るときは高光君を自動車に乘せて、市内や郊外へ、材料蒐集に出かけた。そんなことをしてゐるうちに、佐藤隊長も、中隊長も、そのほかのものも、たいてい自己退院をして再び、前線へ驅けつけてしまつた。

「この二人の兵隊は、高光さん、いつまでゞも、お役に立つのならご遠慮なくお使ひください」

佐藤隊長は、行きがけに、そんな挨拶を殘した。だから二人の兵隊は、毎日、どこでくめんしたのか、決して出處を言はないシボレーを、喘息病みのやうに喘がせながら、どこからか出勤してくる。

「お早うございました」

と云つて、二人は小學生のやうに、部屋へ入つてくる。あまりお早くもないぜと、高光君が笑ふ。そのかはり途中で、こんなマンゴウを見つけて來ましたよ。なぞと云つて、たいてい何か持つてくる。或るときは、自分のために、飯盒へ一ぱいの粥を煮て來てくれた。どこから、そんなものを持つてくるのか。ぜんたい彼れらは、どこに泊つてゐるのだらう？

高光は、ウー・サニヨン氏のところに泊つてゐるのだと云ふ。自分が唐澤兵長に訊いてみたら、やはりさうだと答へた。お粥なぞ君たちで炊くのかねと訊くと、そんなことはせツちやんがしてくれるんですといふ。

せツちやんとは、よく訊いてみると、ウー・サニヨン氏の娘で、ことし十一か十二になるおちびさんで、日本女とウー氏との混血兒らしい。その日本女性なる、せツちやんの母親はどこにゐるのか、一緒に生活してゐるのかと訊いたら、それは、イングリに捕へられて、どこか、カルカツタへでも連れて行かれたんでせうと云つてゐた。

高光君が、いつまでしても起き出さない朝があつた。よく腹を空らし、食慾の旺盛な彼が、食堂へも行かず、陽がすでに三竿に達して、熱くてたまらないのに、蚊帳から出て來ない。

どうかしたかねと訊いてみたら、蚊の啼くやうな細い聲でやられたらしいんや。デングやろなといふ。

例によつて、午近くになつた暑さの中を、二人の兵隊が、汗をふきながら、お早うござんしたと云つて現はれたが、こちらは二人とも臥てゐて默つてゐるので、變な顏を見合せ、それから高光君のベツドを蚊帳の外から覗くやうにし、どうかしたんですか。と、兩側から訊いてゐたが、返事が無い。やゝしばらく、蚊帳の中から、ぽつりとした云ひかたで、

「嘉代子……僕は病氣や」

二人の兵隊は、呆れた表情で、自分のところへ戻り、唐澤が小聲で、畫伯はどうかしたんですかと訊く。デング熱らしいよと云ふとなアンだ、デングかと、非常に安心したやうな態度になり、やつこらしよ！と、二人でソファに尻を投げつけて、煙草を吸ひつけた。

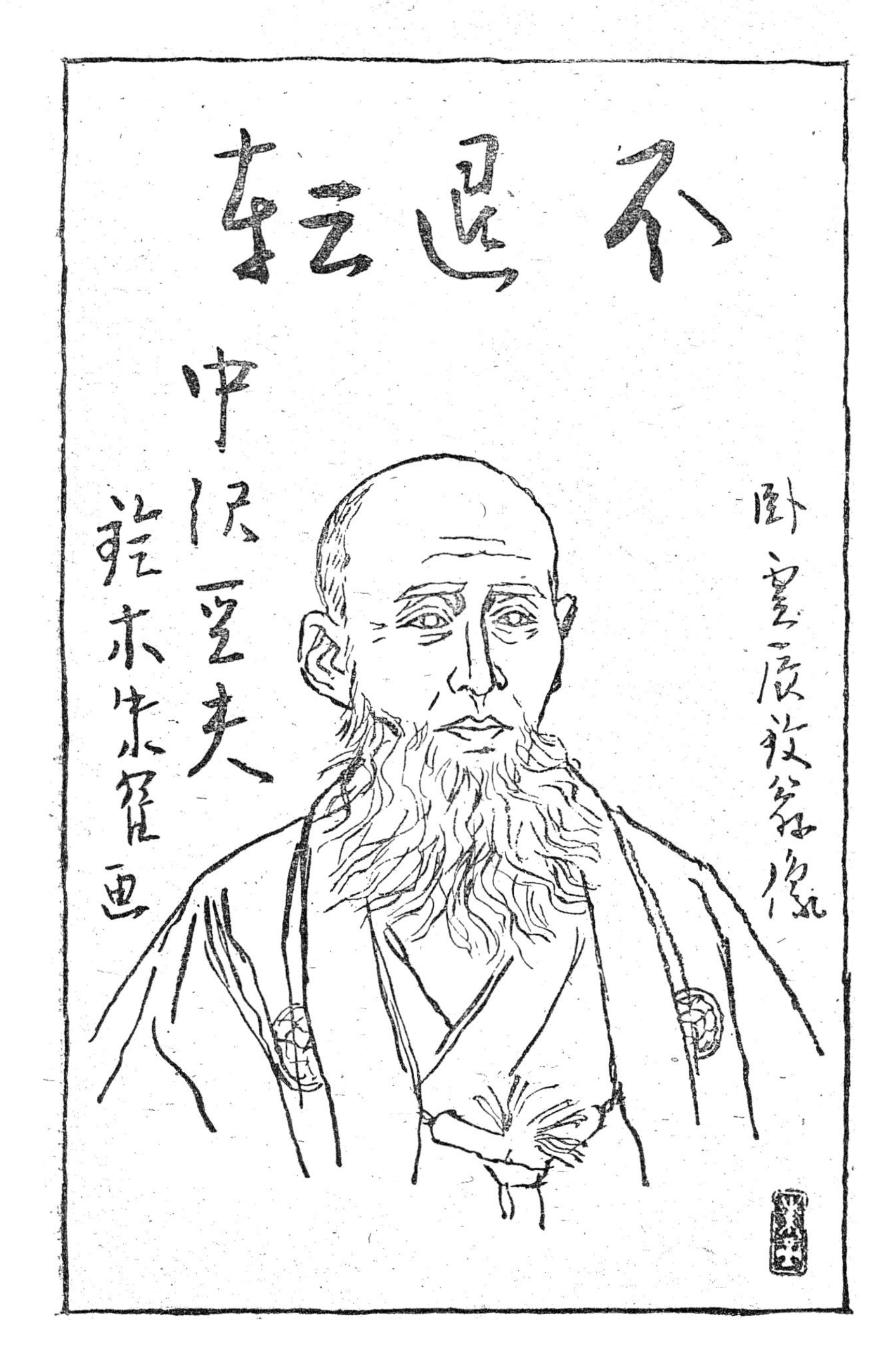
不退転
臥雲辰致翁像
中沢至夫
鈴木朱雀画

廢佛毀釋

崩れかけた山門の扁額は、風雨にさらされて、臥雲山(ぐわうんざん)の文字が薄くなつてゐた。

ひつそりとした境内に、三十位の和尚が、竹箒をもつて、ぼんやりと、よく實つた柿の實を見上げてゐる。色づいた柿をつひばみに來た鳥が、葉をふるひ落した枝にとまつてゐたが、和尚は、それを追はうともしないで、眺めてゐるのである。

蒼くすみとほつた空に、青梅綿のやうな雲が浮かび、この信州松本平の盆地をとりかこむ山々は、雪をかぶつて、白銀色に光つてゐた。

豆腐をさげて、山門をくゞつて來た十四五の小僧が、柿の枝にゐる鳥を見つけると、

「こらア……」

と、大きな聲を出して、追拂つた。

和尚は、びつくりして、小僧を見た。

「なんだい。智光か。殺生な事をするな。鳥は柿が喰べたいのだらうに……」

「和尚さん。鳥は、熟した奴を突ついてしまうので、俺の喰べるのがなくなるもの……」

「坊主が、そんな喰ひ意地を張つてはいかぬ……」

たしなめて、和尚は、ゆつくりと、落葉をはき寄せ初めた。

智光は、庫裡の臺所へ、豆腐を置いて、また、和尚の傍に驅けよつて來た。

「和尚さん。先刻、豆腐屋の所で、お庄屋さまに逢ひました」

「庄屋ではない。戸長(とちやう)様だらう……」

「さう——さうです。戸長様が、後で、檀家總代と、一緒に寺にお伺ひすると申しておりました」

「ふーん。何が始まつたのかな。戸長さんと檀家總代が來るといふのは……」

御一新以來、なにやかやと寺へ人寄せをしては、戸長から話をするのが多くなつたから、又、新政府の御布告のことでもあらうかと考へた。

「智光や、いそいで方丈の間を掃除しておきなさい」

「はい……」

智光は、また、ぴよんとはねて、庫裡へ走りこんだ。

鳥川村安樂寺の末寺孤峰院(こほうゐん)は、住持の智榮和尚と、小僧の

智光の二人だけしかゐない小さな山寺だつた。

智榮は、安樂寺の智順和尙の弟子で、四年程前に、この山寺の住職となつた、壯年の和尙であつた。

明治も三年になると、この佗しい山間の僻地にも、何やかやと新らしい時代の空氣が流れ込んで來て、戸長役場を戸惑ひさせる事が多くなつた。智榮和尙は、山間の部落の數少い智識人の一人であつたから、戸長の――つひ二三年前までは、庄屋樣であつた――相談役である。

間もなく、羽織を着た戸長樣を先頭に、孤峰院の檀家總代が四人、ぞろ〳〵と寺を訪れた。

「よくおいで下さいました」

本堂の上り口に出迎えた智榮を見ると、戸長さまは、ほつと吐息をもらした。

「和尙。大變な事が、起つたのじやよ」

「何でございますか……」

「ま、上つてからの相談じやが――大變な世の中になつたもんじや」

平常、あまり物事にあわてぬ戸長が、今度ばかりは困つたといふやうな顏色である。

方丈の間に坐ると、また、重い吐息をもらした。

「何が起つたのでございますかな」

和榮は、にこ〳〵しながら、戸長の眞白な丁ン髷を眺めた。

「和尙。笑つてゐる所ではないのじや。藩知事樣からお達しで、この孤峰院も廢寺にせにやならんことになつたのじやよ」

「廢寺に……」

和榮は、ぎよつとなつて、檀家總代の方を見た。總代の治兵衞も太郎左衞門も、腕を拱いてうなだれてゐるのだつた。

「それはまた急な事で――」

「わしにも、事情がのみこめんのじやが、廢佛毀釋とかいつてな、佛もやめる、釋迦は印度とやらの神だから棄てろとかいふわけじや」

「へえ――」

と、いつたぎり、二の句がつげない。智榮は、眼をぱちぱちとまばたかせて、もう一度、戸長や總代を見たが、冗談や嘘でないことは、みんな眞劍に心配してゐるのである。

「これからは、日本の神樣一本槍でな。氏神さまがあればよい。氏神さまの子だから、氏子といふのだ。お前達は、神さまの子だから、佛などを信じてはならんといふのじや」

「のう——和尚さん。わしらは、先祖代々、この孤峰院の檀家じや。寺證文もこゝで貰ふし。佛になれば過去帳に載せてもらう。それが、この寺がなくなれば、わしらは安樂寺さまを頼むことになるのでございませうがなう」

「いや——安樂寺も廢寺なさうじや」

「それでは、わしらは佛になれんことになるのじやな。一體わしらの御先祖さまは、どうなるかなう……」

總代の治兵衞は、泣きさうに顔を歪めた。

松本藩知事戸田光則は、廢佛毀釋運動に賛成し、自家の菩提寺である全久院や前山寺を廢し、率先範を示すと共に、藩内にもそれを勵行したのであつた。

この問題は、秋の初め頃から起つてゐたのであつた。

戸田家は維新に際しては、眞先に恭順の意をあらはし、東山道鎭撫隊に屬して、奥羽北越戰爭のときにも相當の功をあらはしたのであるが、維新後の賞典錄は、松代藩眞田家は三萬石であるのに、松本藩は僅か三千石であつた。明治二年、版籍奉還が許され、藩主は松本藩知事に任ぜられ、大參事稻村久兵衞が之を補佐した。稻村大參事初め小參事なども、水戸學系の勤皇家であり、平田篤胤門下であつたのと、諸事御一新で神代ながらの王政に復古した機會に、賞典錄僅少の不名譽を回復しやうとして、神道復興、佛道排斥を强行した。

知榮は返事に迷つた。

前から、少しは耳にしてゐたが、このやうに疾風迅雷の勢で、襲つて來やうとは考へなかつた。二十歳で、智順の弟子となり、ひたむきに佛道修業に精進して來た智榮には、明治維新といふ大きな社會的な轉換も、又思想の變異も深い理解はもたなかつた。庄屋が戸長となり、殿様が藩知事になり、いろ／＼な布告やら布達が、太政官といふ役所から出るやうになるなど、新らしい時世になつたことは感じてゐたが、それが佛道の大問題にならうなど、夢にも考へたことのないことだつた。

「みなさま。政府の御觸れに背くわけにはまいりません。佛道を廢した後をどうするかといふことも、政府でおきめになることでございませう。御觸れに從つて、孤峰院は廢寺にいたすより仕方がありますまい」

何とか、殿様に嘆願して……」

「いや——百姓一揆などと、間違ひられると大變じやぞ——

治兵衛さん」

「それもさうじやが――和尚さんはこれからどうなさる…」

「どうすると申しても……。まあ還俗するより仕方がありません」

「還俗してどうなさるつもりじや」

「はい――ま、ゆつくり考へます。なにしろ急な話で……」

智榮はさう答へる外に仕方がないのだ。

戸長や檀家總代が歸つてしまうと、智榮は陽當りのよい緣側に出て、ぼんやりと空を眺めた。

山々の上には、ぽつかりと白い綿雲が浮んでゐる。

智榮は雲を見ながら、

「綿いぢりをやるか……」

と呟いた。

智榮の後へ、そつと近付いた智光は、泣きさうな顏だつた。

「和尚さま。私らは寺を追ひ出されるのでござりますか」

「うむ――これからは坊主はいかんさうじや、わしと一緒に還俗するのだよ――」

智榮は、智光の綺麗に剃つた頭を撫でてゐたが、ふつと自分が、智光位の年頃の時のことを想ひ出した。

「わしは、お前位の時に、親父どのから頭が變だといはれて、たうとう坊さんにさせられてしまつたのだが……」

智榮は、にこつと笑ひながら話しだした。

紡績器械

還俗した智榮和尚は、寺の山號をとつて、臥雲といふ姓にし、辰致と名告つた。辰致は弟子の智光を連れて、筑摩郡波多村に移り住んだ。

彼は信州松本の在、安曇郡科布村（南安曇郡三田村小田多井）の横山義重の次男で、天保十三年八月に生れた。實家は、足袋底織を職業としてゐた。松本附近は、古くから、農家の副業として足袋底を織つてゐたのであるが、辰致が生れた頃、分部嘉吉といふ人が、機織器を發明して、それ使用するやうになつてから、製品は、非常に優秀になり、信州底とか石底とか云はれ、大層評判がよく、仕事もいそがしくなつた。原料は、大部分、近在で作られたものや、善光寺邊から買込み、農家で、之を絲に紡いで製造したものである。

辰致の家も、棉花を買入れ、打棉、篠卷づくり、紡絲、機織と、全ての工程を一家中でやつてゐた。

緜を紡ぐといふことは、大仕事であつた。打綿を、細緜にまきつけて、蠟燭のやうな綿の棒をつくる。これを篠巻とかよりことかいふ。この篠巻を細く長く引きのばし、撚をかけながら、緜車へまきとつて行くのであるが、細心の注意と根氣と熟練とを要する仕事であつた。

しんき篠巻き車にのせて
日數まわさにや撚りは來ぬ。

こんな歌をうたひながら、母も姉も、暗い行燈の灯影で、びーん、びーんと緜車をまわしてゐた。

辰致が十三四のときであつた。ある日、火吹竹を吹いて、火を起してゐた辰致は、部室の隅の積み重ねてある棉を、火吹竹に詰めたり、引き出したりしながら、留守番の所在なさをまぎらしてゐる内に、ふつと素晴らしい事を發見した。竹の筒から綿を引き出すと、綿は、自然に細く長く伸びて出て來るのであつた、そして偶然、手から火吹竹が滑り落ちた時、二三回くる〳〵とまわつて細く長くのびた綿に撚がかゝり、緜のやうになつたのだ。辰致は、どきつとした。うれしくつて、大聲でわけのわからぬことを叫んだ。少年の心に、紡績器械發明の、端緒が、はつきりと映つたのである。

それからの辰致は、夢中になつて、工夫を重ね、やつと四五年もかゝつて一つの機械を作つたが、勿論不完全なものではあつたし、又器械工業などといふことを夢にも考へなかつた父母たちは、本氣で相手にもしない。

學句の果には、少し頭がおかしいのではないかといふことになり、兩親も、その將來を心配し、幸ひ次男でもあるからと、隣村の鳥川村の安樂寺の弟子僧にさせられたのであつた。

今、辰致の前にある木製の機械が、十年前に作られた最初の紡績器械である。

弟子の智光は、默々として、綿操器をまわしながら、操綿をやつてゐる。

孤峰院を出るとき、檀家が集つて、相當の餞別金をこしらへて呉れた。

辰致は、それを資本に、少年の日の夢を、實現しやうとしてゐたのである。

緜を紡ぐことが省かれたら、どんなに女達が喜ぶだらう。僧侶として、衆生濟度を心掛けて來た辰致は、その道は阻まれたが、緜紡ぎの器械をつくることによつて、人々を喜ばせやうとする情熱に燃えるのだつた。

「御精が出ますね……」

綿操りをしてゐる智光に聲をかけて、芋を入れた笊を抱えた若い娘が、土間に入つて來た。男手ばかりの辰致を氣の毒におもつて、附近の川澄といふ家の娘のおかねが、煮たきの世話をして呉れてゐた。

智光は、顔をしかめて、

「えゝ……」

と、生返事をしてゐた。

「わしは、御飯前に、ちよつと大工さんのところへ行つて來る」

と、いつて、辰致は、家を出かけた。

おかねは、その後姿を見送つて、

「時々、お飯を喰べるのも忘れる樣だけど、からだをこわさなければいゝけど……」

と、呟いた。

「和尚さんは、一度、氣がちがつたことがあるさうですよ。又、少しおかしいのじやないかな……」

辰致の姿が見えなくなると、智光は、操綿をやめて、あゝあゝと、のびをした。


それから四五日たつた或る日、おかねが、辰致の家に行くと、家の中から、がら〳〵がら〳〵といふ妙な音が聞えて來た。智光の言葉もあつたので、おかねは、どきつと胸をさわがせて、家の中に走り込んだ。

家の中には、かねて、辰致が、大工に作らせてゐた機械が、据えられ、辰致は、一心に機械の把手をまわしてゐるのである。變な音は木製の齒車と齒車とが、觸れ合ふ音だつた。

「今日は、智光さんは、お使ひですの」

と、聲をかけた。

けたたましい騷音だし、機械の操作に心を奪はれてゐる辰致の耳には、聞えないらしく、振向きもしなかつた。

おかねは、何か、物足らぬ氣持を感じて、ぼんやりと土間に立つて、齒車をまわしてゐる辰致の一心不亂の姿を見まもつた。

その內に、騷音は、ぴたつと止んだ。

「ちいつ――またしくじつた……」

はげしく舌打ちをして、辰致は、器械の前に坐り込んで、じつと考へ込んだ。

其の一心を籠めた姿には、人の心の打つものが浸み出てゐた。

おかねは、胸がしめつけられるやうな氣がした。

「今日は、智光さんは——」

また聲をかけると、辰致は、やつと氣が付いて、振りかへつた。

「やつ……。おかねさん。毎度御厄介をかけますね……。智光は、たうとう逃げて行つてしまひましたよ……」

辰致は、苦笑に、顔を歪ませた。

「ま……」

「無理もありませんがね。綿打や綿操ばかりやらされたのでは……。いやならいやといつて呉れれば、何とか考へてやつたのですが、つい私も機械に夢中になつて、智光の事を忘れてしまつたので……。可哀想なことをしましたよ……」

辰致の言葉には、辰致の困るのを知りつゝ、逃げた智光を恨む色はすこしも感じられなかつた。むしろ智光が、逃げ出さねばならないやうに仕向けてゐた自分の仕方を反省して後悔してゐるらしい。

「不便になりますわね」

「仕方がありません。こんな念願を達成するのは、私一人の苦行でやるべきですから。智光が、自分の道を見つけたのは、結構なことですよ」

「妾——これから智光さんの分もお手傳ひさせて頂きますわ」

「えつ…。あ……ありがたう。ありがたうございます…。けれども、いつになつて、立派に世間に出せるやうなものになりますが——おかねさんの親切に、早く酬ひたいと思ふのですが……」

「私のお手傳ひなんか、何の役に立てますまいけど——早く機械が出來て、絲紡ぎをやらなくなるやうになつたら、信州中の娘達が、みんな辰致さんの事を……」

といひかけて、おかねは、はつとなつて、口をとぢた。急にはげしい胸のときめきを覺えたからだつた。

「つまらないおしやべりして……。お飯を炊かなければならないのに……」

と、いひながら、臺所へいつて、米櫃の蓋をあけて、また、はつとした。

（さうだ。昨夜で、米櫃に米はなかつたのだ。智光さんに、さういつておいたのに）

と、思つたが、すぐに、辰致の生活のことを考へた。

機械はつくつてゐるが、それで何かと作つて賣り出すわけではないし、百姓してゐるわけでもない。きつと、米を買ふお金がないのではなからうか。

おかねはさう氣が付くと、「妾、前垂れを忘れて來ちまつた」と、いつて、すぐに自分の家へとつてかへした。

そして、間もなく前垂れに包んだ笊をかゝえて來た。笊の中には米が入つてゐる。

辰致は、それには少しも氣付かず、またがら〳〵と歯車をまわしながら、機械を調べてゐた。

妊人臥雲

「口惜しいじやありませんか。うちのお父さんまで、この頃は、その噂を信じ始めてゐるのですもの……」

ぺん〳〵や――、ぺんや――、と弓弦の音を立て乍ら、綿を打つてゐるおかねは、ひとりで口惜がつてゐる。

「仕方がありません。小さいときに、兩親からも、氣がちがつてゐるのだらうと思はれた位です。今は、その頃よりも、もつと生命がけですから、まあ、氣ちがひに見られるのは當りまへですね……」

辰致は、自分の發明した紡機械で紡いだ絲を、丹念に調べながら、にこ〳〵笑つてゐた。

「でも、折角、みんなを樂にしてやらうと、心を籠めてやつてゐるこの仕事を、ちつとも解らないなんて、あんまりですわ……」

「すつかり出來れば、世間の人は喜ぶのですが、まだ、世間の人には役に立たないのですから仕方がありません」

辰致の「仕方がありません」は口癖であつた。が、それが又、辰致の人柄を偲ばせる床しさに感じられる。

「世間の人つて勝手ですね……」

「さうでもありません。おかねさんのやうな方もゐますから」

辰致は、別な一房の絲の束をとつて、自分の紡いだ絲と較べながら、生眞面目な調子でいふ。

「ま……」

おかねは、颯つと顔を紅に染めた。

「私は、おかねさんに、どんなお禮をいつてい丶か判らない。たゞ、立派なものを作るのが、本當のお禮と思つてゐるのです」

「ま──お禮なんて……」

「本當におかねさんには、濟まないと思つてゐるのです──私は、こんなに貧乏人でなければ、お父さんにお願ひして、貴女をお嫁さんに貰ひたいのですけど……。なにしろこの貧乏の上に、お父さんは、私を氣違ひだと思つてゐるとすると、それこそ、そんなお願ひをすると本物だと思はれますからね……」

正直で、生一本な辰致は、心と言葉とが、ぴつたりと合つてゐることは、もう二年も、かうした暇を見ては身近に手傳つてゐるおかねが一番よく知つてゐた。言葉にだしたことは、その儘、心の姿だと思つてゐゝのだつた。おかねは、弦をうつ手をやめて、うなだれた。

「私は、貴女が、お嫁さんになつてくれたら、どんなにか樂しいだらうと考へるのもやはり世間並の人と同じ、自分勝手な考へなのです。私は、まづ第一に、紡機械を立派に作らなければならないのです。それなのに人並の幸福をも一緒に受けやうといふのは蟲がよすぎるのです。かうして、あなたのお手傳ひがいたゞけるだけでも、私は倖せなものです……」

おかねは、大きくみひらひた瞳で、じつかと、辰致を見つめた。

「おかねさん、これを御覧なさい」

辰致は、おかねの表情の變化には氣付かず、その手許へ、一束の綿絲を投げた。

「それは、近頃、イギリスといふ國から輸入した木綿絲です。この絲や、これで織つた木棉が、どんどん、我國へ輸入され、この頃では、大變な金額になつてゐるさうです。先だつて、松本へ出たついでに、縣令の永山さんが設立した開産社へ寄つて、いろ〳〵と智慧をお借りして來たのですが、その時の話では、この四五年來、年々壹千萬圓も輸入してゐるさうです。年々その額は大きくなるのださうですよ。開産社の人もどうしたらこの棉製品の輸入を喰ひとめるかは大問題だといふのです……」

辰致の瞳には、異樣な輝きと熱が加はつて、相手が、山間に育つ乙女であることも忘れてしまつて次第に語氣に熱をこめるのだつた。

開産社といふのは、筑摩（ちくま）縣（けん）令永山盛輝が、發起して明治六年に松本に設立された勸業殖産の公益團體であつた。

辰致は、其處で、最近の貿易統計といふやうなものに初めて觸れたのである。

「これは、日本の絲紡ぎが、手作りで、手間がかゝるからです。この手間を省けば、木棉絲は、簡單に誰にも出來るやうになります。さうすれば、どん〳〵日本で作りますから、イギリスなんかから買はなくてもすむのですよ。私は、始めは母や姉を樂にしてやらうと思つたのですが、今では、この機械が出來れば、國の爲にもお役に立つことだと知りました。すばらしいことをやりとげるのですから、世間で何といはうと仕方がありません――自分の幸福なんか犧牲にしなければなりません」

おかねの耳には、むづかしい國家經濟の問題は、はいらなかつた。おかねはじつと一つことを考へてゐた。

（妾が嫁に來て、もつとお手傳ひすれば、辰致さんの立派な仕事も、もつとはかどる）

おかねは。急に默つて、立つて、土間に下りた。

辰致は、はつとして、おかねを見つめた。おかねは、瞳をそらせて、家を出て行つた。（とんだ事をいつてしまつた。何といふ馬鹿な事をいつたのだらう……）

辰致は、今まで抑へて來たおかねへの思慕を、ふつともらしたことを、はげしく後悔した。

と、がた〳〵と、手荒く戸を開けて、足音も荒々しく、一人の老人が、土間にとびこんで來た。おかねの父である。

「臥雲さん――餘りふざけたまねをしなさんな――」

怒鳴りつけられた辰致は、疊にぴたりと兩手をついて、額を疊にこすりつけた。

「お前さんも、元は、坊さんじやないか。人の親切に甘へて、とんでもないことをいふものだ。どんなすべた阿魔でも、自分の子となれば可愛いものだ。お前さんも、少し自分の身上を考へなさるがいゝ。お前さんのやうなものに、大切な娘がやれるかやれないか自分で積つて見るがいゝ。娘が、お前さんを氣の毒だ、氣の毒だといふので、こつそり、米まで、運んでゐるのを私は知つてゐるのだ。そんな身上で、娘を嫁にしたいなどどこをおしたら出る音だい……。馬鹿々々しい。今後は、一切、私の家に顔を出さないでもらいたい――」

「はい――申譯がございません」

辰致は、顔をあげることも出來なかつた。その時、表で、「御免――御免――」と、訪ふものがあつた。

辰致には、聞えなかつたが、おかねの父川澄は、その聲に氣がついて、ふつと口を閉ぢた。

「御免――臥雲さんお宅はこちらですかね」

「は――はい、左樣でございます」

辰致はあはてゝ、土間に下りて、戸を開けた。

表に、羽織袴の役人らしい男が二人立つてゐた。

川澄は、その二人を見て、

「おや――杉浦さまと河合さま……。お珍らしい。何か御用ですか」

川澄は、縣廳の產業係をしてゐる杉浦と河合とは、かねて面見知りであつた。

「いや――臥雲さんの作つた紡ぎ機械を拜見に來たのさ」

「この還俗坊主は、すこし氣が變ですから、お氣をつけなさいましよ」

川澄は、あつけにとられてゐる杉浦と河合に、捨臺詞のやうに云ひ殘して、外に出て行つた。

春　芽　ぐ　む

臥雲式綿紡機の構造は、極めて簡單なものであつた。

直徑一寸、高さ五六寸のブリキ製の筒の尻に軸があり、端に分銅のついた軸承がある。

筒の中に篠卷の綿をつめ、絲口をつけて、靜かに上に引上げる。絲は上部の絲枠（いとわく）にまきとられる。ブリキ筒の軸に細い紐帶（ベルト）がかけてあつて、筒を廻轉させるやうになつてゐる。それだけの構造であつた。

一臺の機械の錘數は、二十四で、左右に十二づつ並列し、手廻しの齒車によつて軸の廻轉も絲枠の廻轉も同時に行へるやうになつてゐる。絲の太さは、軸承に裝置した分銅の重さを加減し、廻轉速度を調節することによつて、適宜に作られるが、これは、何の機械裝置もなく、操作するものの熟練に委ねてゐるのである。

臥雲は、がら〳〵と、けたたましい音を立てて、齒車をまわし乍ら、說明した。

單純なだけに操作も叉、簡單至極であつた。然し、一度に、二十四本の絲が紡げ、しかも、手紡ぎのやうな細心の注意と技術は要しないのであり、その速度も叉比較にはならなかつた。

從來の絲車で、女一人が一日に紡ぐ絲は、せい〴〵四五十匁であつたが、臥雲式綿紡機を使用すると、細絲で、四百匁は、樂に紡げる。

驚歎すべき成績であつた。

河合も、杉浦も、感嘆して、木製の粗末な機械と、昂奮して、一心に説明する辰致とを、見くらべた。

「いや――よく判りました。實は、開産社のものから噂を聞き、半信半疑で、おうかがひしたのですが、實に立派なものです。縣へ歸つて、よく報告いたしますよ」

「ありがたうございます」

初めて、自分の仕事が、公に認められた辰致は、喜びに聲がふるえてゐた。

「まあ――一つ澁茶でも……」

と、辰致は、圍爐裡にかけてある藥罐の湯をくんで、二人にすゝめた。

「實に立派なものだ。かういふ便利なものは、早く世の中に知らせなければならないが、早速、之を賣り出せるやうに手續したらどうだらう……。開産社でも、後援させるやうにしやうじやないか――」

杉浦は、河合にさういつて相談した。

「まだ、まだ、不完全なもので……」

「使つて行くうちに、どん〳〵改良すればいゝのですよ。とにかく、賣出せるやうに願ひだけは出しておくことですな……」

この頃、太政官布告で、新發明をしたものがあつたら、管轄地方官が、發明品及び其の工夫の手續などを詳細取調べ工部局へ屆出ることになつてゐた。これは、發明者の利益を保護するといふ積極的な效果はなかつたが、消極的に、發明奬勵の意味はもつてゐたのであつた。

河合も杉浦も、すつかり辰致の人柄にひきつけられ、爐端に坐りこんで、辰致の發明の動機になつた火吹竹の話などを聞いてゐた。

家の中は、滅多に掃除などをしたことがないやうに、天井の棟木まで、厚く綿ほこりがつもつてゐるのを見、又、いつまでたつても外に人の氣配もないので、杉浦は、不審さうに、辰致の妻のことを訊ねた。

「ひとりものです。何しろ、二三年前に還俗したばかりですから――それに、こんな氣違ひじみた男に、嫁に來るものはおりませんよ」

辰致は、ふつと淋しさうに云つて、おかねのことを考へた。

「それは不便でせう……」

「結局。發明や工夫に心を打ちこむものは、家を省みる餘裕がありませんから、どうしても孤獨になつてしまひます…」

「先刻——川澄さんが、大層な見幕で怒鳴つてゐましたな——いや、立入つた事をお訊ねして恐縮ですが——あの川澄といふ人は、仲々俠氣のある男で、話は判りいゝのですが。どうかしたのですか——」

河合は、少し立入すぎた質問だが、若し川澄が何が誤解してゐるなら、この熱心な發明家の爲に、口をきいてやつてもいゝと考へたのだつた。

「私がいたらぬものですから、長い間お世話になつた川澄さんをすづかり怒らせてしまつたのです。實は、川澄さんの娘さんに、長い間、いろ〳〵お手傳ひを願つてゐたのですが、たうとう斷はられてしまつたのですよ。何か發明するといふのは、一つの行ですから、やはり人樣の手傳ひをのぞむのはいけませんな」

さういふ辰致の顏に、いかにも淋しい色が浮ぶのは、かくしきれなかつた。

河合と杉浦は、瞳を見合せた。

「しかし、一人よりも、親身に手傳う人がゐれば、もつとうまくいくかも知れませんぞ——臥雲さん。我々も大いに力を添へますから、一つ、頑張つて下さいよ」

激勵の言葉を殘して、立上つた二人は、辰致に別れをつげて、戸外に出た。

「驚いたなあ——」

河合は杉浦を見て、改めて呟いた。

「うむ——驚いた。折角あすこまで工夫したのだ。我々も助力して立派なものにしたい……」

杉浦は、河合の驚きに相槌をうつて、ふつと思ひついたやうに
「ちよつと川澄の所へまわつて見やう。何か事情がありさうだ。詳細を取調書を以て屆出べしといふ御布告の趣旨に忠實なことかも知れんから」

「うむ——」

河合も、同感であつた。

道沿ひの用水堀に、枝を差し伸べてゐる梅は、つぼみを綻ばせ、ほのかな早春の匂ひをたゞよはせてゐた。

「臥雲さん、ゐるかね」

筑摩郡北深志村の辰致の新居へ、杉浦が訪ねて來た。

家の中はひつそりとしてゐた。裏の水車場から水車のめぐる重いきしみと一緒にがら紡機の動いてゐる特有の音が聞えて來る。

「仕事かな」

杉浦は、口の中でつぶやいて、裏手にまわつて、水車場の戸を叩いた。

がたぴしと、建付けの惡い戸を開けて、小屋の中から、姉さんかぶりをした綿屑だらけになつた女が顏をだした。おかねだつた。

「まー杉浦の旦那さま……」

「臥雲さんは……」

「ちよつと用達にまいりましたのでございますが――急な御用でも……」

「臥雲さんを喜ばせてあげやうと思つて、急いでやつて來たのだが……」

「ま、なんでございませう……」

おかねは、頭髪をおほつた手拭をはづして、ごみを拂ひ乍ら、小屋から出て來た。

杉浦や河合の骨折りで、川澄の誤解が解け、おかねは、その年の末に臥雲にとついだのであつた。

臥雲式綿紡機は、すぐに官許になつて、開産社の援助の下に、一般に賣廣められるやうになつた。そして、改良を重ねた結果、開産社の中に連綿社といふのが設立されて、改良されたがら紡機を据ゑつけて、紡績を始めると共に、機械を製作して、之を全國に普及した。

しかし臥雲は、決して、今の狀態に滿足してゐるわけではなく、日夜、改良に苦心してゐたのであつた。そして、今年になつて、錘の數も五十にし水車の動力を利用することに、成功し、この北深志へ移つて、おかねにこの水車紡績の方を受持つて貰ひ、自分は、機械製作の方に力を注いでゐたのであつた。

「まあ――澁茶でも――すぐに戻る筈ですから」

と、おかねは、杉浦を、住居の方へ案内した。

そこへ、辰致が、歸つて來て、杉浦の顏を見ると、にこにて笑つた。

「杉浦さん。よくおいで下さいました。少し嬉しい事があつた、ものですから、お宅へおうかがひした所、私の方へ來て下すつたといふので、急いで歸つて來たのですよ」

「さうか。臥雲さんも知つてゐたのか」

「いや――今朝聞いたのですよ。私も、どうやら世繼が出來たらしいので……」

「えゝ……」

杉浦は、妙な顔をして、

「なんだ、その話は……」

「いゝえ――おかねが、孕んだのですよ」

「ほう――それは芽出度い……。それではお祝ひが二重になるな。臥雲さん。どうも話が變だと思つてゐたよ」

杉浦は、笑ひながら、澁茶を運んで來たおかねを見て、

「お手柄ださうだね……。結構なことだ」

「まア……」

おかねは、颯つと顔をあからめて、あわてゝ、その場から立ちかけた。

「おかねさん。逃げちや駄目だ。私のうれしい話を聞かなければ……。臥雲さん。驚いちやいけないよ。あんたの綿紡機が、博覽會で、鳳紋賞がもらへるといふことなのだ」

「鳳紋――」

辰致は、まるで夢のやうな氣がした。

杉浦の話によると、東京に開かれた內國勸業博覽會で鳳紋賞といふ二等の賞が、臥雲式綿紡機に與へられるやうに內定を見たといふことであつた。賞牌授與式も近々に行はれるので、臥雲にも東京へ行つて貰ひたいといふのである。

明治新政府が、維新の動搖が少し納まると、最先きに民心作興として揭げた旗印は、「富國强兵・殖產興業」であつた。これこそ、嘗つての尊王攘夷の旗印にかわるべき標識である。

攘夷は、外國の侵略を防ぐことだ。舊幕府は外國と屈辱的な條約は結んだが、しかし、幸ひに國土をけがされるやうなことはなかつた。が――明治新政府ほ、維新の功成ると、旣に攘夷は、忘れて、開國黨になつてゐた。そして、どしどし西洋文物の流入をはかつたが、文明の流入と同時に、政府は、外來品の流入による經濟壓迫に苦悶しなければならなかつた。我が國の西洋文明の攝取は、歐米諸國と對抗する爲の絕

對必要な手段である。しかし、その爲に、我が國が米英資本主義の殖民市場化することは、絶對に排撃しなければならない。明治新政府の要路の人々は、嘗つての勤皇志士で、我が皇國を外國人の支配に委ねるやうなことは、極力排撃し、機會があれば、幕府が取結んだ屈辱條約の改正をしようと考へてゐる人達であつたが、經濟的に壓迫されれば、遂には軍事的にも、政治的にも米英の支配下に置かれるやうになるのは、明かだつた。だから、この問題に對する對策は、國家の重要國策であり、その方法はたゞ一つ、我國產業を、米英產業を凌駕するものにすることである。いひかへれば、殖產興業、富國强兵は、攘夷の思想の新らしい衣であつた。

内務卿大久保利通は、この思想の代表者だ。

「兵馬の間と雖も、殖產興業の事一日もゆるがせにすべからず」と、いつて、周圍の反對を押し切つて、第一回內國勸業博覽會を東京上野に開いたのも彼だつた。

時に彼の竹馬の友、南州西鄕隆盛が、新政厚德の旗をあげた西南戰爭のさなかであつたのだ。

戰爭があらうと內亂があらうと產業の事は、一日もすてゝおけないのは、當然のことだが、明治の產業開發は實に大いなる攘夷戰であつたのだ。

信州の山里から、初めて東京に出て來た辰致は、都の繁華さに眼を奪はれた。上野の山下は、特に雜踏してゐた。博覽會場は、彰義隊の戰に兵燹にかゝつた寬永寺の境內（竹の臺）三萬坪の地があてられ、規模計畫は明治六年、墺太利ウィンに開かれた萬國博覽會を模範とした日本最初の本格的な博覽會であつた。

褒賞授與式には、畏くも車駕親臨あらせられる趣きであつたが、丁度その頃、都下に惡疫が流行してゐたので、行幸はお取止めとなつた。

十一月二十日、總裁大久保利通臨席の下に、晴れの褒賞授與式が行はれた。

「本邦第一の好發明」と審査員が、折紙をつけた。臥雲式綿紡器に對し、鳳紋賞牌が授與された。この時、美術部類では、高村光雲が、龍紋賞を受けたのである。

辰致は、五年の辛苦が、一度に消えた。

鳳紋賞牌が、どれ程の名譽であるかは知らなかつた。何しろ、產業獎勵賞は、日本で最初のことであるから、この博覽會の授賞者の誰もが知らなかつたのだ。しかし、昔でいへば御老中さまともいふべき、內務卿から直々に、授與された賞狀と賞牌を受けて、辰致の眼頭に、おのづと涙が滲み出た。偉い人達が集つて、嚴重に審査した結果、機械部類で、日本第一といはれたのだから、嬉しくないはづはない。

一時も早くおかねに、この喜びをわけてやりたいと、式が終ると、すぐに、宿屋へ歸つて、最愛の妻であり、忠實な助手であるおかねに手紙を認めた。

そこへ、郵便報知新聞の記者が訪れて來た。

「おめでたうございます。鳳紋賞を頂いた感想と、發明苦心談を聞かせて下さい」

「はい――別に感想はございません。たゞ有難いと思ふばかりで……」

靜かな山國に育つた辰致は、何を語つていゝのか見當がつかなかつた。

相宿の杉浦が、外出から歸つて來て、記者に責め立てられてゐる辰致を見て、滔々と一席、臥雲式綿紡器發明苦心談を述べたてた。

火吹竹の暗示から、水車紡績となるまでを、順序よく話してゐる杉浦の言葉を、傍で默つて聞きながら、辰致は、博覽會から貰つた東京名所案內やら一枚刷の博覽會の錦畫やらをひろげてゐた

何氣なく、開いて見た東京名所案內の（府下瀧の川村飛鳥山下、鹿島紡績所）の文字に、瞳を吸ひ寄せられた。

西洋紡績の機械を裝置する日本第三の紡績所で、博覽會開會中は、特に諸人の縱覽の求めに應ずといふのである。

新聞記者が、「私共の新聞は、記事の早いのが特徵です。明日の新聞を見て下さいと」自慢して歸つてしまふと、辰致は、「瀧之川村の飛鳥山といふのはどの邊でせう」と、杉浦に訊ねた。

「飛鳥山――王子權現の所だが、あれは櫻の名所ですよ。名主の瀧の紅葉はいゝさうだがそれもおそいでせうよ」

「いや――櫻や紅葉は、國でも見られますが、明日は、鹿島紡績所へ行つて見たいと思つて……」

「紡績所……。さうですか。臥雲さんは、花見よりも紡績ですか……」

杉浦は、紡績といふと、眼の色の變る辰致を、あきれたやうに見直した。

翌朝早く、草鞋ばきで、瀧の川の鹿島紡績所を訪れて、工

場を縦覽させて貰ひたいと頼んだ。

何しろ都下最初の西洋式紡績所であつたから、明治六年に創設されると、物見高い都人士は、わい〳〵と押しかけて來て仕方がないので、工場の外側に足場を作り、見料を一錢づゝとつたといふ話が殘つてゐる位であつた。東京名所案內で、宣傳されたので、一層見物は多かつた。

機械は、イギリスのウイリアム・ヒーギンス會社製で、錘數は五百七十六錘、職工は男女三十名位が働らいてゐる。

多勢の見物と共に、機械を一目見た辰致は愕然とした。

鳳紋賞に醉つてゐた辰致の頭上に、がんと大きな鐵槌を下されたやうな氣がした。

美しい機械、精巧な裝置、立派な製品。臥雲式綿紡器と比較すると、まるで、月とすつぽん程の違ひであつた。

あゝ、己れは何といふ愚かものであらうか。日本第一と折紙をつけられ、天下をとつたやうな氣持になり、その得意さを妻に知らせてやつた自分は、なんといふ思ひ上つた馬鹿者であらう。鳳紋賞は、奬勵賞だつた。これでもういゝといふ功勞賞ではないのだ。見よ。この機械の美しさを。立派さを。

我と我が心を鞭うつて、辰致は、喰ひ入るやうに、精紡機を見つめて動かなかつた。一時間も二時間も一個所に立どまつてゐる辰致の姿に、職工が薄氣味惡くなつて、取締りに告げたのであらう。

人品の整つた五十位の男が、辰致の傍へ寄つて來て、

「失禮ですが――大分御熱心のやうに見受けますが、貴方も紡績をおやりですか……」

問はれて、はつと我にかへつた辰致は、

「はつ……。どうもお仕事のお邪魔をして申譯ありませんが、お察しの通り、それを志すものです……」

「さうでございますか――結構なことです。粗茶を差上げたいと存じますから、お差支へなかつたら、こちらへ……」

さういふ物腰から、これが、この紡績所の主でもあらう。若しさうならば、幸ひだ。疑問の點もあるから質問して見たいと、誘はれるまゝに、工場の裏手の住居へついて行つた。

「初めて御意得ます。私は信州人で臥雲辰致と申します」

と、名告ると、相手は、「ほう。それは奇遇だ。私は、今日貴方を訪ねやうと思つてゐたのですよ」と、いつて、

「私は鹿島萬平です」

と、名のつた。

「今朝の郵便報知で、貴方のことを知つて、是非逢ひたいと思つてゐたのです。立派な機械を御發明下すつて有難うございます」

「いゝえとんでもない。實は、今、このイギリスの機械を見るまでは、少しのぼせてゐたのですが、今は熱が下がりました。おはづかしい次第で……」

「御謙遜は無用です。貴方の發明は、劃期的なものです。新聞で大體發明の經過も知りましたし、博覽會で、實物も拜見してゐます。西洋式に較べて、缺點はあります。然し美點も多いのです。ま、ゆつくり話合はうじやありませんか」

萬平は、さういつて、手づから、茶道具を出し、薄茶を點じて、辰致にすゝめた。

信濃の山猿のやうな、不粋な辰致が、作法正しく茶を喫むその手許を見て、萬平は、意外さうな顔をした。僧侶の生活を離れて以來、すつかり忘れてゐた茶の味を、辰致は、ゆつくりと舌の先にあぢはつた。

鹿島萬平は、江戸日本橋堀江の木綿問屋で、横濱開港以來舶來綿絲（唐絲）を扱つて大いに儲けた。そこで、日本でそれを製造することを思ひ立つたのであつた。我が國の最初の紡績工場は、島津家の鹿兒島紡績所で、その次にそれが進出した堺紡績所で、第三番目が明治五年創業の、鹿島紡績所で、純粋な民間商人の手に企業された濫觴である。

「缺點はどこでございませう」

辰致は、忌憚のない批評の聞けることが嬉しかつた。

「絲の仕上りが悪いことです。節があつたり、太さが不揃ひであること。それから、もう一つ、細い絲が出來ないことです」

萬平は、ずばりといつた。

そのことは、辰致もよく知つてゐた。それを改良する爲に、骨を折つてゐたからだ。

「美點は、何といつても、操作が簡單で、機械が簡易であることですよ……。西洋式では、一本の絲を紡ぐのに、あらうちをする打綿機（バッチング）、綿調べをする梳條機（カルチング）、篠卷をつくる練條機（ローイング）、粗絲をつくる粗紡機（フライエル）と、仕上げの精紡機（ミュール）に、わくとり機（き）です。貴方の器械はフライエルとミユールと、とりわくとを兼ねいきなり綿から絲をつくるのです。西洋式のものは、これだけの機械が揃はなければ絲は出來ません。この器械を据ゑつけるには相當の資本がいります。誰でもやるといふわけには行きません。ところが貴方の器械は簡單です。値段も安いし、操ふのも樂で、どんな片田舍でも使用できるのです。これが一大美點ですよ。今政府では、外國綿絲の輸入を防ぎ、一日も早く國內需要は國內で生產したいのです。その爲にはあなたの器械こそ、政府の要求する所に合ふのですよ。しつかりやつて下さい……」

萬平は、外國人は、日本が器械について、無智なことを嘲笑して、日本では人を牛馬の代りに使つてゐるといつてゐると語り、牛馬の代りならまだいゝが、機械の代りにつかはれてはかなはぬと笑つた。

「有難うございます。お蔭で少し元氣が出ました。あの機械を拜見して、金づちで頭をうたれたやうな氣がしたのです」

「氣を挫いてはいけません。よく考へ下さい。私は機械を發明する力がないから、取りあえず外國の機械を買つて、日本の急場を間に合はせやうと思つてゐるのです。しかし……」

萬平は、言葉をきつて、じつと辰致を強い瞳で見つめた。

「臥雲さん。いつまでも外國の機械に賴つてゐたのでは、日本は一人立ちにはなりませんぞ。機械も日本人の手で作り、その和式機械で西洋に負けない絲を安く作り出す。そうすれば、今度は、日本の絲が、外國へ輸出されるやうになる。商賣も戰爭です。日本の兵器が外國のものを使つてゐる內は、なか〳〵外國と戰つても勝てません。それと同じです。臥雲さん。貴方の發明した器械で、私の紡績所を立ち行かぬやうにして下さい。私は、それで滿足です……」

萬平は、さう云つて、強く強く、辰致の手を握りしめた。

――以下次號――

會友募集

文學は國民のものである。文學者の專有物ではない。國民の中から常に新たなる文學者が生れて來る。そして日本の文學は進步するのである。然し、出版界の現狀は、文學界の新人出現の途を、やゝ阻むかのやうに見受けられる。

本社は、日本國民文學樹立を目標として、運動を續けてゐる團體だ。國民文學に志望を有する新人に、どしどし誌面を開放するつもりだ。志を同じくする士は、本會の會友となつて貰ひたい。

一、文學建設會友は會費半ヶ年分六圓を前納すること

一、會友の原稿は、編輯委員會に於て批判し、その推薦によつて掲載すること

編輯後記

▽新年増大號に續いて、本號も「大東亞戰爭下に於ける文學者の任務」といつた課題の下に、特輯増頁した。二三、社外の精鋭の士にも執筆を願つたのだが、年末の多忙に累せられてか、締切に間に合はなかつたのが、遺憾だつたが來月號を飾り得べく本號と併せ讀まれたい。

▽創作を九十枚の力作、中澤巠夫君の「不退轉」一本建てにしたので、目次面は些か淋しくなつたが、ガラ紡絲の發明者松本臥雲を主人公とした、産業史的にも興趣深い雄篇である。新年増大號に續いて、敢て一本建てを再びした所以であるが、次號からは二―三本建てとして、現代小説に於ても力作相踵ぐ充實味を示したく、讀者の期待と併せ同人の奮起、文建第一主義の履踐を念じたい。

▽柳田泉氏から「歴史文學略史」の玉稿を賜はつた。分載さしていただいたが次號で完結する。明治大正の歴史文學を洩らすなく、併も簡叙要點を盡くした此の佳篇を、本號の華とし得たことを感謝したい。

▽北町一郎君の「チャハヤ・マタハリ」は本號で完結すべきだつたが、次號と三回の分載となつた。

▽用紙割當の大縮減に依て、雜誌の紙面はいよいよ貴重性を加へて來た。大東亞文化戰爭の戰士たる責務と、斯の歴史的な時代に文學者として御奉公し得る矜持に筆を執つて、吾等は此の貴重な紙面を、皇民たる赤誠と日本の文學者たる信念を以て、惜しみなく强く正しき文字を以て埋めたい。評論、創作は勿論、月評一つにも「國民文學の旗の下に」といふ信條を以て臨み、國家と共に此の一年に吾等の運命を賭けて悔ひなき、全力的な前進を果したい。單り社内だけでなく、倶に談じ倶に行ひ得る同志には廣く呼びかけて、執筆をお賴みしたく、研究考證等に就ても權威者に寄稿をお願ひして行く方針である。

▽中澤君の「不退轉」は全篇を本章に收載する筈で編輯したのであるが、印刷所の活字改鑄に累ひされて次號と分載の止むなきに至つた。その爲め遽かに編輯プランを變更したので不體裁の箇所の生じたことをお詫びして置く。（二十一日追記）

文學建設　二月號　（定價三十錢　送料壹錢）

昭和十五年五月六日第三種郵便物認可
昭和十八年一月二十五日　印刷納本
昭和十八年二月一日　發行
（毎月一回一日發行）

東京市小石川區白山御殿町一一四
編輯兼發行人　岡戸武平

東京市赤坂區青山南町二丁目一六番地
印刷人（東京一八）　岩本米次郎

東京市赤坂區青山南町二丁目一六番地
印刷所　愛光堂印刷社

日本出版文化協會會員
（會員番號一二八五二五）

事務分室　東京市神田神保町一ノ二二
聖紀書房内

東京市麴町區平河町二ノ一
發行所　文學建設社
電話九段(33)三四一〇
振替東京一五六五九八

東京市神田區神保町一ノ二二
發賣所　聖紀書房
電話神田(25)二〇六八
振替東京一二五八八

東京市神田區淡路町二丁目九番地
配給元　日本出版配給株式會社

昭和十五年五月六日 昭和十八年一月二十五日印刷納本

國防政治論
陸軍中將 石原莞爾著
B六判上製 三二四頁
定價二・〇〇 〒・二〇
東亞聯盟運動の理論的實踐的指導者たる石原閣下の論策は、從來百萬の讀者から待望されつゝも、種々なる事情のためにこれが刊行を許されなかつた。然るに今回、我が社は萬難を排して本書「國防政治論」を世に送る。世界最終戰に對處すべき、雄渾なる世界史的規模に立つ、理想と現實性の綜合統一を完成せる國防日本の政治は如何にあるべきか。乞ふ！ 本書一卷を以てこれに備へよ!!
北一輝著
支那革命外史（普及版）
定價一・八〇 〒・二〇
東京神田神保町一ノ二二
聖紀書房
振替東京一二五八八

三十錢

國民文學の旗の下に

文學建設

三月號

特輯・國民文學と大衆雜誌

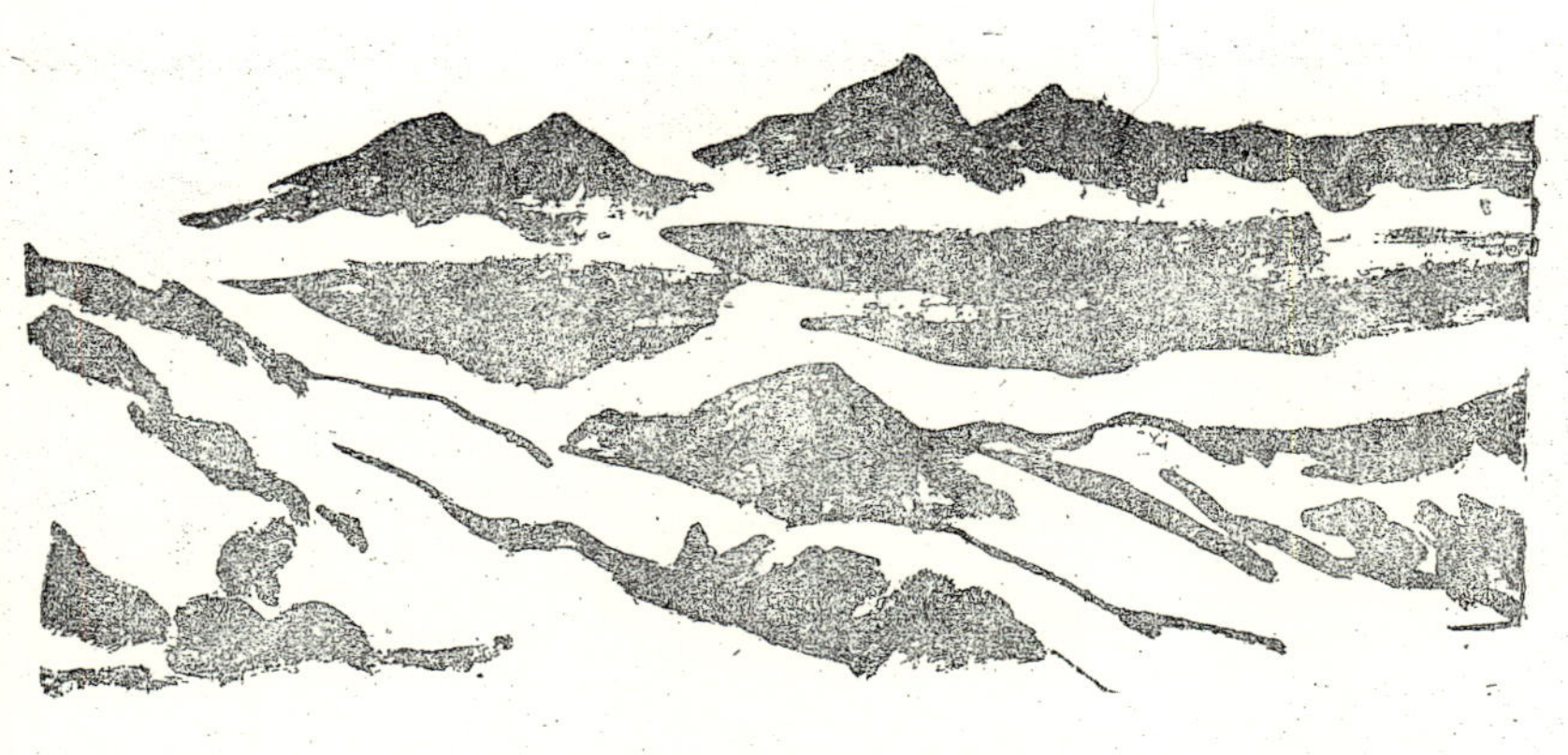

文學建設 三月號 目次

文學建設

第五卷 第三號

うちてしやまむ

神武天皇御製

おさか（忍坂）の　おほむろやに
ひとさはに　きいりをり
ひとさはに　いりをりとも
みつみつし　久米のこ（子）が
くぶつつい（頭椎）いしづつい（石椎）もち
うちてしやまむ
みつみつし　久米のこらが
くぶつつい　いしづついもち
いまうたばよ（善）らし

特輯・國民文學と大衆雜誌

庶民文學雜考

——附、大衆雜誌と國民文學——

牧野吉晴

文學の庶民性について、隨分長い間私はおしやべりして來た。

文學ばかりではなく、美術に關してもそれ相當に言及して來た。——もつとも、繪畫が、私の專門の一部に屬してゐたので、口を酸つぱくして、國民美術に關して論述したのであつたが（美術雜誌東陽誌上）、（當時昭和十年前後）それに共感してくれる人々は、身邊の三四の友人以外には、ほとんど皆無といつてよかつた。それほど藝術が、一般國民から隔絶されてゐる有樣だつた。

藝術の一切の正統が、それぞれの範疇による、特定社會の手に委ねられてゐるといつたやうな錯覺のうちに、庶民は、自分たちの生活から流露する「美」の行方を、まるであらぬ方向に、歪曲された形で見せつけられ、ただ茫然としてゐたわけである。

其處には、庶民の共感する「美」の實態はなく、一般の國民感情から游離された狷介な「あそび」の世界や、個人感情による「わがまま」の強要と主張する「すがた」が、藝術界を代表する「型」となつてゐたのだ。

庶民感情にある「美」の實態とは、よろこび、なげき、いきどほりを透して、みちに通じる信念の現象化を言ふので、忠義のみちにその極點があるのだ。

故に、文學も美術も、此處に至つては、所詮、庶民のかてではなかつた。むしろ、國民感情を離れた別世界の「もの」であつた。

かくて、國民生活を離れた藝術の特種性がある筈のものではないのに、遂、最近まで、藝術とは、國際的世界觀の上に樹立されてゐるもののやうに見受けられたし、藝術家は、國民生活の圏外にあるかのやうに振舞はれて來た。――驚くべき錯覺である。

なぜ、そのやうな迷盲が宥されてゐたのであらうか。――過去の政治が、國民生活の根幹である、國體尊嚴の遵守からはじまる、まつりの精神によつてなされ、深く大いなる愛情に、その一貫性を託して、衆庶と共に國家威信の發揚に努力邁進すべきであつたのにも拘はらず、徒らに特權社會の便法に利用されがちであつた其處に、宥すべからざる禍根があつた。――藝術も亦、そのやうな文明の悪德に便乘して來たわけである。

明治末期から、昭和前期に至る、政治家の墮落は、又畢竟するに、歐米的な物質文化に禍ひされ、節義を失つた藝術家の墮落でもあつた。――然も、歐米文化の無軌道な進展は、遂に來るべき限界まで、追ひつめられた形となつた。庶民のいきどほりはどのやうな形で、彼等に對して無言の抗議を示しつつあつたか……。

政治に於ける政黨の沒落は、國民感情に流れる草莽の血脈によつてなされた。――滿洲事變の勃發以來、昭和血盟團事件、五・一五事件、神兵隊事件、二・二六事件等々、維新陣營にある人々の身をもつてなした犧牲は、いつたい何を物語つてゐたであらうか。――庶民は、これらの憂國の志士たちの行動に、心からなる合掌をおくり、彼等の理念を超絶したまごころに深い共感をおぼえてゐた。私たちは、ただ單に、これらの志士たちの蹶起が、ひとり彼等によつてのみなされたと誤認してはならない。凝結するその精神の流露するところに、庶民の個々の脈搏が、變らぬ命脈を、高らかにうちつづけてゐたことを、決して忘れることは出來ない。

少くとも、かかる意味に於いて、多くの藝術家は、いついかなるとき、血脈の道に、己等の本然の姿を託したであらうか。――庶民は、彼等の高鳴る胸の鼓動を、ひそかに自らの血脈のうちに聽くを得たであらうか。

すでに大東亞戰爭は勃發し、國家は最大の危機に直面してゐるではないか。國民は、敵性文化の一切をあげて撥除しながら、總力をもつて國體護持の信念に燃えてゐる。――かかるとき、僅か一部の尊王攘夷の文學者、藝術家を除いて、彼等はいつたい何をしようとしてゐるのであらうか。

國家の施政方針に形式的な協力を申合せて、便乘的日本主義を奉戴し、過去に於ける自由主義陣營を固めつつある現狀を喝破するとき、庶民は何と思ひ何を感ずるであらう。

資本主義藝術の溫床となつた美術界自由主義藝術の華と咲いた文學界等、此等の不透明なる存在を、庶民は、白眼視つつ今尙、かかる陣營に隷屬する、一部の知識人に反感と憎惡を抱きながら、默々と戰爭遂行に精根をつくしつつある事實を知るとき、私たちは決然としてあらたなる旗じるしの下に立上らなければなるまい。

衆庶と共にある血脈の文學の樹立。

庶民の生活と共にある美術の確立。

國民文學とは、此の言ひでなくてなんであらう。換言すれば、忠義の道に突入する文學が、今こそ簡明さるべきであらう。――庶民の情熱を高め、その愛情に共感し、たくましく男らしく、挺身する國民感情に沒入するところから、今日の新なる文學が發生さるべきだと、私たちは信じてやまないのである。

一兩日前、私は雜誌「讀書人」で、森本忠氏の「傳統との戰ひ」を味讀して、はたしてかくの如くであつたのかと、しばし慄然たる思ひのうちにあつた。一文を再錄させて戴いて、此の稿の結語としたい。

(前文略)

國の傳統の中に見ずして、傳統を故意に無視し反逆して外國文學に生命を見出してゆく傾向は、大東亞戰爭下の文學者にも決して亡びてはゐない。旣成の作家は狡猾にも緘默し或は口を開いて日本主義を云々するけれども、內心では依然として歐米依存、西歐崇拜の自卑心は拭ふことが出來ない。國民の自主獨立の氣慨旺んな戰時下、彼等の作品のみがひとり力が無いのはその證據である。又今日の同人雜誌等に依る靑年無名作家は皆旣成作家の亞流に甘んずるものであるが、旣成作家の蔽ひかくす最も惡い面が案外正直に靑年作家の小說手記の類に露出するといふ點で、私は同人雜誌に常に注意を拂つてゐる。例へば、「正統」十二月號にのせられた角浩一といふ人の「傳統との鬪ひ」なる手記は、その最も著しい例であつて、國家を否定し、日本を弱小民族と罵り、藝術家を世界的個人と思惟する不逞極まるものである。しかもこれが不逞を不逞と自ら知る深い反逆心があつてなら寧ろ我々はその意氣稱贊の辭を送つてもよい位のものだが、當人はそれを何でもない當然の如く考へ又雜誌も當然の如く揭げてゐる所に、救ふべからざる病根の深さを見るのである(後略)

以上、森本氏の文章にあるがごとく、此處に恐るべき敵性の本體があつたのである。これは單に、綜合雜誌、文學雜誌同人雜誌のみの問題ではなく、大衆雜誌又それに所屬する作家の上に於いても、かかる病根は見逃せない事實であらう。所謂大衆小說家のうちにあつても、作品の本質的向上が、外國文學に於ける個人主義精神のうちにあるかのごとき言說をなし、藝術至上主義に文學の本體を見出すがごとき口吻を洩らす者のあるを知るとき、庶民生活と最も密接なる大衆雜誌の使命上、これは亦容易ならざる問題ではなからうか。

少くとも、大衆雜誌の生命は、庶民との血脈の連關性を强張するところに、その重點がおかれるべきであつて、文化の形體を表現するものではなく、國民生活の總意を如實に傳へるところに、その使命の基調があるべきを思はねばならぬ。（終）

編輯者に翹望す

山田克郎

私は綜合雜誌の編輯者に對しても洩らしたい言葉を持つてゐるが、與へられた命題が「國民文學と大衆雜誌」といふ限定されたものであるから、特に大衆雜誌の編輯者に對してこの短文を草したい。

國民文學といふことはこゝ二三年、口にされてゐるが、具體的、理論的にそれがどういふものであるかといふことは、村雨君の「日本小說文學の原理」によつて明確に規定づけられた。併し理論は作品の先驅を示す地ならし作業である故、眞の國民文學の出現は、今後に待つよりほかないが、それを生みだすものは、作家のみではなく、編輯者の强力な提携が必要とされるのである。

我々がいかに良き意圖を持つてゐても、その發表舞臺を握る編輯者が一顧だにしなければ、我々の意圖の實現は實に困難なものとなることは、論を俟たない。

以前には編輯者の使命は――特に大衆雜誌の――いかに良き文學を生むかといふことではなく、いかに讀者を獲得するに都合の良い作品を得るか、といふことにあつた。その爲に編輯者は作家といふ名に値しない作家のもとに殺到し、原稿を求めた。

現在ではその積弊は革められ、良き文學が望まれてゐる――良き文學とは何であるか。現在に於いてはそれは勿論國民文學であらなければならない……と云ふことは自明のことでありながら、國民文學理論の混迷の爲か、今なほ充分のことはなされてゐない。

就中、憂ふべきことは、國民文學を何か生硬な、標語の解說とでも解してゐるのではあるまいかと思はれる節のあることである。その結果その思想內容は健康なものとなつてゐるが、以前と同樣の現象は、文學に非ざるものが、橫行してゐる有樣である。

さうした作家は、次のやうなことを云ふ。

「とにかく現在は、日本は興廢を賭けた戰爭をしてゐる。ぐずぐずしてゐる時ではない。紙は彈丸だ。國民に絕えず敎へるものを書かなくてはならない。

そして、自分ひとりが國を憂へてゐるやうな顏をする。その人たちは、眞情から、さうしたことを考へてゐるのであらう。その眞情は尊いものであるかもしれない。併しその人達は自分が藝術家であることを忘れてしまつてゐるのだ。(尤も皮肉なことには、さうしたことを口にする人々は、以前にも藝術作品をつくらず、讀者の御氣嫌とりがいかにうまいかを誇つてゐた人々ばかりであるが)――藝術家とは、一體何だ。藝術を作る人間である。作家とは一體何だ。文學を生産する人間である。文學に非ざる文學を産する者はにせ作家である。文學を壓殺する者は、このにせ作家より甚だしきものはないのである。

當面、國民文學の最大の頑敵は、これらの作家とこれらを支持する編輯者達である。

藝術は國の品位である、國民の魂の清純な結晶「物體」である。……それに氣づかず、それを踏みにじり、――文學を讀物の地位まで引さげようと、標語を作る人間と同じ列に列べやうと、それが正しいことなのだと大童になつてゐる一群の人々があるのだ。

文學が彼らの考へてゐるやうに、安手な宣傳文でしかないのならば、我々は萬葉に感泣し、「源氏物語」を世界的名作として誇る立場を失ふ。それよりも、一つの標語に變身をやつしてゐた方が、良いといふ結果になる。

大木惇夫氏は二三日前の東京新聞紙上に、「詩に就て天下に訴ふるの辭」として次のやうなことを述べてゐられる。

「勿論この人達を初めとし多くの詩人たちも、なるほど一かどの愛國者ではあり日本人であるだらう。その把握した主題も、この決戰下にあつて最も緊急を要する問題や素材に鋭く觸れようとしてゐるやうであり、いづれも國家理念を盛りあげようとしてゐる熱意は自分としてもこれを汲むのにやぶさかではない。

しかしいかなる精神、いかなる理念も、それが藝術的に感覺化されて完璧なる詩的表現乃至は形態に盛りあげられなかつたならば、遺憾ながら、それは詩ではないのである。諸君は行あけ散文によつてその理念や感想をのべてゐるに過ぎない。說いてゐるに過ぎない。或は論じてゐるに過ぎない。

しかも諸君はかゝるものを以てこれが詩だと、世をいつはつてゐることとなるのである」

「畢境するに生硬な概念の露出は「はい、左樣でございますか、よく解りました」と對者を一應理念的に承服させることはできても、それは標語の與へる感銘の程度を越えず、すこぶる生ぬるいものであつて、眞の詩がひたざまに人の心を打ち、理窟なく烈々の共感を喚びおこすやうな、しかく感動的なものではないからである」

「かりそめにも自ら詩人と呼ぶからには、眞の詩の名に價する作品を以て國家の要請に應へるのでなくては申譯があるまい」

この中の詩といふ言葉を文學に、詩人を作家に置き代へれば、私の意は盡されてゐる。

私は編輯者に翹望したい。

嘗つての大衆雜誌の編輯者にはその必要がなかつたかもしれないが、今日の編輯者は、文學の最もすぐれたる批評家であつて欲しい。文學の守護神であつて戴きたい。作家を先導する人であつて貰ひたい。そこにこそ編輯者の誇があり、我々も安じて、作品を委ね、その取捨に委せることができるのである。

國民文學の生長を助長し、或ひは歪曲する責任は、充分編輯者諸子にも持つて戴きたい。

まだ弱い苗の國民文學を大地を蔽ふ大木にまで身をもつて守るのは、作家と編輯者きりしかゐないのだ。

繰り返して云ひたい。――國民文學は、讀物ではない。文學である。優れた日本民族の生みだす魂の聲である。一時の宣傳文とはその基を一にしないのである。そしてこれを壓殺するものは、文學と呼稱しながら、讀物しか生産できないにせ作家どもである。……その意思はひどく單純素朴で悪意はなく、善良であるとしても。

我々はまづこの敵を追ひ退けて、國民の文學に對する迷夢を醒ますことを急務とする。

百尺竿頭更に一歩

村雨退二郎

一

朝日新聞の（神風賦）子は、朝日文化賞を獲得した岩田豊雄氏の小說「海軍」を、國民文學として推賞してゐる。私は「海軍」を飛び讀みにしか讀んでゐないので、果して國民文學の名にあたいするものかどうか知らないが、それは別の問題として、從來純文學の高さといふことについて、特別の信念をもち、その熱心な擁護者であると見られてゐた朝日から國民文學の聲を聞くやうになつたのは、我々多年國民文學の樹立を唱道して來た者には、まことに嬉しいことである。

「神風賦」の筆者は、國民文學といふことを、純文學と大衆文學の垣を踏み越えたもの、全國民の鑑賞にあたいする文學といふふうに規定してゐるが、この考へ方も、大まかではあるが、決して間ちがひではない。

國民文學は、常識として、さういふふうに考へられて差支へない。文學理論としては、いろいろむつかしいこともある。國民的、一般的といふ、鑑賞者の側に立つての、あるひは、作家と國民との接觸點での問題の外に、作家自身の、純粹に創作原理としての問題があつて、一般性のある作品、通俗平易であつて文學的香氣の高いもの、といふやうなことが、國民文學の條件のすべてゞはないが、一般常識としては、そこまで面倒に考へられなくてもよい。

純文學でもなく、大衆文學でもなく、二つのものを折衷したものでもなく、これらの舊文學を乘越えたところにのみ、國民文學が樹立されるのだといふことを、朝日のみならず一般の人が知り、それが國民常識になる日を、我々は待ち望んでゐるのである。

二

大衆雜誌の方では、かなり以前から、國民文學といふ言葉は採上げられてゐる。この言葉を援護的に採上げた早さからいふと、大衆雜誌が一番早かつた。島崎藤村氏等の雜誌「八雲」が、國民文學の樹立を叫んだのはつい最近のことだし、新聞では朝日が最初ではなからうか。綜合雜誌などは、まだまださういふ徴候も見せず、依然として純文學を護つてゐるし、大衆雜誌にも大衆文學乃至大衆文藝といふ言葉を死守してゐるものもあるが、とにかく勇敢に國民文學といふ言葉を早くから採上げたのは、すべて大衆雜誌の側だつた。

しかし、これは名義だけについてゞあつて、實質的に國民文學と呼ばれるやうなものが、採上げられたかどうかは、別の問題である。

「國民文學代表作選集」とかいふ本が出版されたのは、昭和十六年だと思ふ。その後、國民文學の叢書、全集といつたものが、相當出てゐるが、これを名義だけの問題で、實質は必ずしも名義に伴つてゐるとは云へない。もしさういふものに收められた作品から、國民文學の手本を求めようとする人があるなら、その人は失望しなければならないだらう。

大衆雜誌の國民文學もその通りである。さういふ肩書なり脚註なりの付いたものゝ中に、ほんたうに國民文學と呼んでいゝやうな作品はさう澤山無い。大部分は、舊態依然たる大衆文學大衆小説である。

この現象については、二つの説明が成立つ。一つは、編輯者は、非常に革新的な氣持をもつてゐて、大衆文學流の低級小説を誌上から退場させ、國民文學として立派な小説をのせたいと思つてゐるし、國民文學の何たるかも充分理解してはゐるが、作家の方がその資格を具備した作品を充分に供給してくれないので、いきほひ大衆文學的なもので、その空間を塡めるといふことになる。もう一つは、編輯者として、國民文學を研究してもゐないし、わかつてもゐない。たゞ大衆文學といふかびの生えた名稱より、國民文學の方が新鮮で、景氣がよくて、時世向でもありさうだから、舊態依然たる大衆文學に、勝手に國民文學の肩書をつけて賣出すといつた、ほんたうの營利主義である。

前者に對しては、我々は大いに責任を感じてゐる。早く純文學や大衆文學の殼を脱いで、多くの國民文學作家が出て來なければならない。立派な國民文學作品が多すぎて、編輯者が選擇に困るやうにならなければならぬと思つてゐる。だが後者のやうな大衆雜誌には困る。たゞ營利のために、國民文學といふ肩書だけ借用して、一向に國民文學らしいものをのせない。かういふのは實際困るのである。

三

大衆雜誌の編輯者の中には、國民文學といふのは、時局的な題材を扱つた小説のことだと、簡單に決めてゐる向もあるやうだ。國民文學が、國民主義の立場をとり、國民生活との結び付を主張する限り、自然さうした色彩を帶びて來るのは當然のことではあるが、時局的な題材が扱はれてゐるから、それがすべて國民文學の資格をそなへてゐると思ふのははなはだ早計である。

本質的に、大衆文學であるものが、どんなに時局的な題材を扱つても、それは國民文學にはならないのだ。純文學についても同樣のことが云へる。問題は、何を書いたかといふことではなくて、何をどう書いたかといふことで決まるのだ。眞珠灣攻擊を書いても、銅鐵回收を書いても、書き方によつて、純文學にもなれば、大衆文學にもなり、國民文學にもなる。わかり切つたことのやうで、案外それがわからないやうだ。

宣傳讀物の當面の、役割を、高く評價することは一向に差支へないが、時局的な價値を文學價値と混同したり、すり替へたりすることはまちがひである。國民文學は、最近の例で云へば、大木惇夫氏の現地詩集のやうな效果を擧げることもあるだらうが、大木氏の詩が宣傳を主眼とせず、文學の力をもつて一筆將兵の士氣を鼓舞したやうに、國民文學の價値は文學としての高さをもつて定められなければならないのである。

美作の山奥で、木炭增産に奮鬪してゐる私の舊友が、先日突然、十年ぶりに手紙をくれたが、その劈頭に書いてあつたのは、最近の大衆雜誌を埋めてゐる、低俗な宣傳小説には飽々してゐるといふ不滿の言葉であつた。

國民文學はとにかくとして、宣傳の讀物もこんなふうでは、本來の使命である宣傳の效果を擧げることができないだらう。宣傳の上手下手が分れるのは、宣傳を宣傳と覺られるか否かである。大衆雜誌に、唯一の慰安をもとめつゝ、默々として、深山に炭を燒いてゐるこの友達の、卒直な言葉を、私は現在の讀者を代表する聲として、大衆雜誌の編輯者たちに傳へよう。

四

純文學、大衆文學、國民文學の三つについて、新聞雜誌の編輯者たちは、もつと眞劍に考へてもらひたい。

純文學とは、文壇文學のことである。純文學が大衆文學と袂を別つたのは、決して同時に、國民大衆から遊離しようとしたわけではないが、私小說への遁入と、妙な文化的貴族主義のために、結局國民から忌避されてしまつた。純文學であれ何であれ、小說と名の付く物が、いつも少數の、固定した讀者にしか讀まれないといふことは、小說文學の本來の目的から見て、まことにおかしなことである。

文學二元論を唱へてゐる「大衆文藝」の論客たちは、純文學と大衆文學を、純粹科學と應用科學に譬へてゐるけれど、これは大變な誤解である。作家研究や作品研究は、主として專門家のためのものだから、純粹科學に比してもよいけれど、小說といふものは讀者を對照としたものだから、何と肩書をつけようと、一つのものでなければならない。區別のあるべきものではないと思ふ。

大衆文學とは、娛樂讀物のことである。高級低級、健全不健全の區別はあつても、娛樂性の本質には變りはない。大衆雜誌の編輯者には、作家に向つて、面白いものを面白いものをと、もつぱら要求する人が尠くない。その面白さといふものを分析して見ると、それはたいてい娛樂としての面白さのことである。さういふ編輯者の要求が、娛樂性であつて、文學性――文學としての高く深い、含蓄に富んだ面白さでないといふことは、筋の起伏ばかり氣にして、思索的內容を排斥することによつて知ることができる。

感動的とか、感激的とか、さういふ言葉は、娛樂讀物としての大衆文學に於ては、低い常識的な道德性の要求と理解する外はない。したがつて、一時讀者を泣かしたり笑はしたりすることはできても、人間の魂に深く沁み込み、その一生を支配するといふやうな、ほんたうの意味の感動や感激を與へることは不可能である。

娛樂といふものは、墮落し易いものである。大衆文學が、淫蕩、獵奇、虛無頹廢へと、際限もなく墮落して來たのは、娛樂といふものゝ本來の性質から來た必然の結果である。最近、大衆作家の間に、大衆文學が面白くなくなつたと云つて昔を戀しがる聲があるのは、この娛樂性の放恣が封じられたために外ならない。

要するに、純文學も大衆文學も、小說文學の大道を逸脫したものであつて、この道をいくら押して行つても、たゞ行詰りと滅亡があるだけである。

五

國民文學は、日本の文學は、かくあるべきだといふ自覺の上に立つてゐる。純文學も大衆文學も、曾てさういふ自覺をはつきり示したことはなかつた。そこに先づ根本的な相違がある。

次に、國民文學は、單に國民文學的性格といふことを、文學の內容する思想あるひは精神にとゞめないで、文學の形式の上にも規定してゐる。

現在、國民文學と呼んでいゝ作品は、單行本としても、雜誌の上にも、相當に出てゐるから實例を引いて說明したいけれど、長くなる惧れがあるので今は避けなければならない。

抽象的に云へば、國民文學は、純文學よりはもつと本來の小說らしい構成を備へたものである。純文學が面白くなかつたのは、この小說的構成を輕蔑し排斥したためだつたから、小說らしくなることによつて、國民文學は小說的な面白さを持つし、それによつて國民大衆を、文學の友として獲得することができる。この小說的な面白さは、文學としての面白さといふ意味であつて、大衆文學の面白さ――卽ち娛樂性とはまつたく別の物だといふことを、はつきり摑む必要がある。

また國民文學は、國民主義といふ根本理念にまで遡らないでも、思索的內容をもつてゐるといふ點だけでも、大衆文學と區別することができる。大衆文學は、作家が一般大衆の位置まで下りて、ただ彼等の常識を、彼等の言葉で語つてゐるだけのものである。デモクラシーの旺んな時代には、「我々大衆作家は、大衆の代辯者である」と云つて、この下落を合理化した者もあつたが、これは作家としては赤面せずに云へる言葉ではない。作家はつねに自ら一世の指導者たる自負と氣慨を有してゐなければならない。一世を指導するためには一應國民と膝つき合はせて、彼等に通用する、通俗平易な言葉をもつて語らなければならないが、語る內容は大衆文學のやうに、彼等の常識、旣成概念ではなくて、三寸でも五寸でも彼等な引上げるものでなくてはならない。彼等の人生に對する眼を開かせ、彼等に淸純豐富な情操を與へるものでなくてはならない。

最近、大衆文學に干からびたお說敎小說が多すぎるといふ非難があるが、これは大衆文學が、文學でないために、文學獨特の潤ひ、香氣を持たず、徒らに時局に便乘しようとするためである。かういふお說敎小說は、回覽板ほどの效果も擧げ得ないものであつて、むしろ小說らしい小說を求めてゐる國民には忌避される。炭を燒いてゐる舊友の、前記の不滿もさういふお說敎の氾濫から起つてゐるのだ。また、つい此頃何かで讀んだが、現在太平洋の廣大な戰線で、赫々たる偉勳を樹てゝゐる皇軍將兵の、信念と勇氣とは、決して事變以來の宣傳出版物や時局小說によつて、急拵へに出來上つたものではないといふ意見があつた。まつたくその通りだ、今日の勇將、猛卒は、歷史精神の所產である。彼等は、二十數年以上三十年四十年の長い間かかつて、國體に徹し、日本精神を把握し、今日の偉業を成し遂げ得たのである。

　國策として、今直ぐにやらなければならないこともあり、そのためには即效的な宣傳も必要である。打てば響くといふやうな所もなくてはならぬが、坐つても立つても、平和の世でも戰場に臨んでも、徹底した日本人として行動できる理想的な人間を作り上げることは更に大切なことである。しかもさういふ人間を作るには、相當の年月を覺悟してかゝらなければならない。速成的に作られた者より、長い年月をかけて鍛練された者が、ほんたうの偉大な仕事をするし、どんな艱難にも耐へ得るといふことは、くだくだしく說明するにも及ばないことである。

　以上のやうな仕事は、國民文學の役目である。大衆雑誌の編輯者は、このことをよく理解して欲しい。國策宣傳の、即效的な記事は、勿論必要だし、戰況を國民に傳へるやうな通俗讀物も必要であるが、一方では、小說欄を、深い思索的內容を有ち、藝術の力をもつて國民の魂を搖り動かし、彼等の精神を高め、彼等の情操を豊かにする國民文學をもつて充實してもらひたいと切望する次第である。

　綜合雑誌が、純文學を排して、國民文學を採上げる日もあるとは思ふが、今それを望んでも、まだとして實現しさうもない。それよりは、名義だけでも國民文學を採上げた大衆雑誌が、百尺竿頭一步を進めて、名實伴ふ作品を採上げ、小說欄の大革新を斷行し、眞の文學と國民との直接握手を實現して欲しいと思ふのである。小說欄の沈滯を救ふのはたゞこの方法があるだけである。

大衆雑誌と國民文學

鹿島孝二

　嘗ての大衆雑誌と今日のそれとの間には甚しい懸隔を認める。嘗ての大衆雑誌は賣らん哉主義で、讀者の低劣な嗜好に投ずるのに急であつて、編輯者は矜持を持たないのに等しかつたが、今日では大衆雑誌は營利の爲に存するのでなく、思想戰の彈丸として存在を許されてゐるので、讀者の意を迎へるよりは寧ろ讀者を指導すべき役割を負はされ、從つて編輯者は、本來の任務たる社會の木鐸としての矜持と責任とを持たざるを得なくなつた。

　このことは獨り編輯者のみでなく、それに執筆する作家の側に於ても同樣のことが言へる。所謂大衆作家は戲作者の域から脫しられなかつたが、今日の若い作家達は國民文學作家としての誇りを持ち、ある雜誌では作家と編輯者との同志的結合といふことが叫ばれ、國民をして高い日本民族精神を目ざめさせよう、と企圖する迄に到つてゐる。

この認識の下に、今日以後の大衆雜誌の小說を考へる時、昨日のまゝの小說の存在を許すことは斷じて出來ない。

作家の側では今日國民文學主唱の聲が多い。國民文學についての理解の仕方、意見は幾つかあるにせよ、溺れてゐた歐米的思惟の方法、生活態度から脫し、日本的な思考法、生活を確立し、日本の眞善美を表現するのがその文學の目標であることには何人も異存が無いことゝ思ふ。そして大衆雜誌の小說とてもこれから外れるものではあり得ないし、あつてはならない。

只、僕として、大衆雜誌の立場、使命からして相當の制約（良い制約だと僕は思ふが）のあることを認めるにやぶさかではない。或る作家批評家は文學に忠實である餘り大衆雜誌の負はされてゐる制約を理解し得ないでゐる。たとへば、「大衆文藝」一月號の「大衆文藝」といふ批評欄で月評子が、キング正月號所載の市橋一宏君の「鈑金の虫」といふ小說を評して「この作品は立派な主人公を書くよりも、不都合千萬な職工の根生骨を暴露した方がもつと面白いものになつたであらう。此の未曾有の國難下にあつてもまだ眼を醒ましてをらない馬鹿野郞どもが氾濫してゐることは、何としても情ない次第だ。作家はこの現實を見つめて行く勇氣を持つべきだ。これを素通りして話をメデタシメデタシで終ることは、通俗文學者に近い態度だと心得て置く必要がある」と言つてゐるの如きは、この例である。小說の技巧上から言つたこの評言の如く不都合な職工を暴露的に描いた方が「もつと面白いものになつたであらう」かも知れない。が、國民一般に讀ませる小說として、暴露小說を讀ませて面白がらせた方がいゝか、それとも立派な主人公を描いてたとへ一人の讀者にでも感激を與へてその主人公の如くならんと思はせた方がいゝか、考へなければならない。（實際問題としても、この評者の言ふやうな暴露小說は揭載を許されてゐない。市橋君のこの小說ですらその點で當局の檢閱に引つかゝつたと聞いてゐる）

即ち大衆雜誌にはかういふ制約がある。で大衆雜誌に載るべき小說には文學的考察以外に政治的考察も一應必要であることを認めなくてはならない。（それを知らないで、この評の如く「さういふ態度は通俗文學者に近い」の何のと敎へるやうに言ふのは笑止である。その位のことの分らない作家は一人もゐないのだ。）

かういふ制約を承知の上で大衆雜誌の小說は書かれなければならない。しかもこの制約を桎梏と感じるやうでは本當は大衆雜誌に執筆する資格は無いと思ふ。再び今の例をとれば制約があるので暴露が書けなくてつまらないと嘆くやうではならないのだ。立派な主人公をことさら書くことに熱情を持ち（古い文學觀からは暴露の方が面白いと見えたにせよ）それをこそ國民文學の一つの道だと信じるのでなければならないと思ふ。

かう言ふと必ず黄嘴兒は、では大衆雜誌の小說はポスターの如きものか、と反駁するに違ひない。テーマだけを抽出して言へば確かに似たものに違ひない。だからとて同じと見るのは文學者の眼ではない。ポスターはテーマを描くのが主であり、小說は人間を描くのが主でテーマを描く事は從なのだ。この位の差が分らなければ文學に口を挿む資格は微塵も無い。

健康な主人公の姿が立派に描かれ、今迄歐米的の流行に依つて覆はれ失はれたかの如く忘れてゐた、日本及日本人の傳統、日本獨特の眞善美をまざまざと再現し、讀者をして民族精神を喚起せしむべきやうな小說こそ、續々と登載さるべきだと思ふ。暴露小說の方が面白い、その方が通俗文學でないといふ古い文學觀を捨てよ！

願はくば、もつともつと規模雄大な、御稜威が世界に光被する有樣を描破した小說が出現し、國民の胸を明るく強く高らかに波立たせてくれないか。僕は死力を盡してさういふユーモア小說を書きたいと切に念じてゐる。

戰記と文學

——從軍作家論——

東野村章

1

大東亞戰爭の勃發と、その後につゞく輝やける戰果は、非常時といつたやうな生まやさしい覺悟から、もつと積極的な覺悟に全國民を駈りたてた。凡てが、その覺悟の視點から改め視直された。

この前古未曾有の戰ひに際して、一部の作家が、報道班員として大々的な一つの任務を擔つて從軍した。支那事變に於いても作家の從軍はあつた。しかし、遠く南方に派するといふ意味だけでなく、大東亞戰爭に於ける從軍には、また違つた意味のものがあつた。それは、作家が一つの任務をもつて從軍したことであつた。言ひかへれば、作家としての經驗や技術や立場を、戰爭の眞つただ中に於いて、一つの目的をもつて戰ひのために直接に生かしたことであつた。戰ふ一翼を擔つたことであつた。

支那事變における從軍が、唯從軍に過ぎなかつたが、大東亞戰爭に於いては、戰鬪員に變らぬ任務を帶びてゐたことは文學者にとつて新しい經驗であつた。この經驗が、經驗した作家達の創作行動にどう影響してゆくかは今後の問題であらう。が、經驗する、しないは別にして、作家にひとつの衝擊を與へたことは事實であらう。文學者は文學者として、作家は作家として書齋に閉ぢこもつてゐればいゝといつた消極的態度に一石を投じたばかりでなく、もつと、强い創作への直接的な面での衝擊であつた。最近になつて、歸還して來た作家もぼつぼつ增えた模樣である。が、まだ、經驗や衝擊によつて創作の上に影響した何らかの表れは見られてゐない。創作といふものゝ深さは、作家の經驗や思索がたゞちに形をもつて表れてくるものではないことは認められていゝことであらう。

作家の技術や經驗が、戰爭の一翼を擔ふといふことは、作家にとつて光榮なことである。戰ふために、作家としてその技術や經驗による力を驅使することは、國民の一人として當然なことである。作家たるもの、奮つてその武器をもつて戰ひに向ふべきであらう。だが、このことゝ國策小説を書くことゝは、同じ一つの眼でみていゝであらうか。これは作家にとつて六ツかしい問題なのだ。が、此處では、その問題には觸れないで置きたい。戰記も、國策的なものを含むものと言ふことが出來るだらうが、僕は國策小説とは別の見方で見たいと思つてゐる。

2

素材主義――といつた文學運動はなかつたかも知れないが石川達三、石坂洋次郎、丹羽文雄らが、文壇的に一勢力を得たあの時代を期して、慥に素材主義の傾向を生んだ。文學的な行き詰りが、素材の新しさによつて革新を心ざしたのがその出發であつた。そして、農民文學とか生産文學とかの肩書文學が唱へられだしたのも、その傾向から生れたものである。これら肩書文學に、戰爭文學といふものも含まれる譯だが、戰爭文學を、かうした肩書文學の一つとして見たくないものがある。それは、文學への良心の叫びである。

文學が、素材によつて形を變へるものではないからだ。讀者の便宜のためにさうした區別はあつていゝだらう。が、何處までも、それだけの意味でしか、區別の意味は見る必要はないのではなからうか。

かうしたことを言ひ出さねばならなかつたのは、從軍作家の戰記が、作家が書いたといふだけの理由で、文學的な價値をみようとする風が感じられるからである。

戰記が文學的價値をもち得る場合があることは認めるが、戰記が他の文學作品と同じ眼で見られるものではないと思ふ。少くとも、今日、眼に觸れるところの作家の從軍記としてのものでは。

火野葦平の「兵隊の地圖」は、バタアン半島總攻撃の從軍記である。日記體に記されてゐて、三月十四日（サンフエルナンド）から四月十一日（マリベレス港）まで一日もかゝさず記されたものである。部隊の行動、折々の見聞記が其處に展開されてゐる譯だが、これは、報告的目的をもつた戰記で、文章の上の作家的技術は、さすがに整つた形で表れてはゐるが、文學的價値を見ようとするのは、火野葦平にとつても困るものではあるまいか。戰ひの中に、かうして一日一日を記してゆくといふことは並大抵な努力ではないと思ふ。だが、讀後の感想として正直のところ、大きな感動は得られなかつた。バタアン半島攻撃の如何にすさまじく兵隊の努力の大きかつたことの感動は、深く胸を突くのであるが、その感動は純粋に（兵隊の地圖）によつて受けるものだけだらうか。ニユースから受けた、あらかじめ在る感動の中に溶け入るものではないだらうか。――尤も、この作品を（兵隊三部作）に比べようといふ氣はないが、一兵卒として全くの戰ひのさなか血で綴つたところの（兵隊三部作）のもつ感動との間に、餘りにもひらきがあり過ぎると思はないではゐられない。

兵卒と報道班員との立場の違ひ、それだけではなく、作家としての熱情の問題だと考へるのは無理であらうか。火野葦平の經驗による作家としての技術が、報告的手記の中に混然として躍動してゐるのを見るとき、文學となるならぬは、作家の執筆以前の態度や熱情の中に、既にあるものであることを感じる。

これを讀んだあと、（改造）十二月號の「コレヒドル島」を讀んだ。これは手記ではなく作品として書かれたものではあるが、「兵隊の地圖」よりは短いが、はるかに重量のあるものであつた。

「うつくしい白砂の渚にゆるやかな波が寄せたりかへしたりする。同じやうなしづかな運動がコレヒドル島の渚でもくりかへされてゐるであらう。その波につれてまさごのやうに小さな魚の群がきらきらと白い腹を光らせてはおよぎまはる。私の軍靴は波にあらはれて濡れる。瓜の赤い小蟹がいく匹も私の歩みにおどろいて砂の穴にかくれた。私の心の底にしんとしたものがあつた」

こゝらは獨特な上手さがあると思つた。この國が持つた長い隨筆文學の歴史を、同時にふと思つたのである。隨筆文學に對して、われわれは激しい反逆をもつた。それは、視界の狹さ、文學としての狹さを理由に。だが、その全部を否定しようとしたのではない。歐米輸入と模倣の一時期が、過去の文學の世界にあつたことに對して、今日、われわれは、眞に日本の文學を叫ばねばならぬ理由があるのだが、日本の文學を今日あらしめるまでの過程を考へるとき、無視出來ぬものゝあるのを感じるやうに、隨筆文學が、兎も角も、あれだけの歴史をもつたことに對して、一應は、考へてみなければならぬものがあるのではないか。この「コレヒドル島」が、激しい文字や言葉をもつて戰ひを描いてはゐないが、しかし、靜かに何時か胸の中に泌み込んでくるきかたは、隨筆文學のあの讀者に、沁みこむ流れかただと思ふのである。日本人の感じ方の中に。さうしたものがあるのではないかと考へる——。

3

兵隊三部作にみる火野葦平の逞ましさは、無論、戰ふ兵士としての經驗と魂の強さにあつたことは見逃せぬところであるが、その後の作家としてみられ、作家として生きてきた過程の中にあの逞ましさは別なものに變貌しつゝあるのを見るのである。それが、文學的に、また作家として、いゝか如何かはまだ言へるところまで時間と經驗が重ねられてゐないがあの逞しさに對して、一沫の名殘り惜しいものゝあることは否定出來ぬところであらう、比島派遣軍報道班員として、バタアン半島總攻擊に參加、火野葦平と共に上田廣、柴田賢次郎も、火野の「兵隊の地圖」のやうにそれぞれ手記を發表してゐる。

柴田賢次郎の「樹海」は本屋に足を運んだときに幾度か探してみたが相憎なくて入手することが出來なかつたのであるが、上田廣の「地熱」は讀んだ。

「或る報道班員の手記」としたこの「地熱」も、「兵隊の地圖」と同じく日記體で三月十日まで、殆ど缺かさずに記されてある。作品としてこれをみるかどうかは、矢張り「兵隊の地圖」に於いて同樣に考へさせられるのだ。

が、「作品として甚だ不十分のやうですが、何等かの意義も存するであらうと思ひ、發表することにした」といふ筆者の言葉にあるやうに「何等かの意義」に重點を置くべきであらう。

たとへ報告がその目的であつたとしても、作家が、ものを書く場合に於ける自らなる作家の態度といふもののあるべきが本當であると思ふ。

「いまこの稿を終りふと思ひあたつたのは、ときとして戰場にあるものの誰もがいだく、まだ生きてゐる、と云ふ感慨でありました。それはわれわれの皇軍が獲得した偉大なる戰果のかげに、多くの戰歿將兵、負傷者のあると云ふこと、それに通ずる感慨であるのです」と後記に述べてゐるが、その感慨が、かうした場合におけるありきたりの感慨でなく、ぢつと凝めてゐたものから自然に滲み出るある澄みきつたものを感じるのである。

それは「地熱」の中を流れてゐる作者の眼が浮かびあがつてゐるからだと思ふ。これは一篇の報告でもあらう。が、その中に作家としての心の眼があつた。戰ふ兵士らの上に、人間としての慈眼が被さつてゐるのだ。

この點で、あへて比較する譯ではないが、「兵隊の地圖」よりはすぐれたものを感じたのである。例へば、白旗をかゝげた「アメリカ兵と、擦れちがつた瞬間に、全員がわれにかへつたやうである。然しだれもしばらくは喋りだすものはなかつた。大きな感激のあとにくる、自己をみつめるやうな沈默が、激しい動搖の中にも訪れたのである。そして私たちは間もなく目的地だと云ふことをも忘れ甞てない深いもの思ひの中にゐた。」兵隊の顏をみ「何度か、正直な感想をきいてみようと思ひながら、實行することが出來なかつた。みなごろし、と云ふ言葉まで思ひだされ、それぞれが擔つてゐる銃に氣づくと、私は更にあやしげな衝動を受けなければならなかつた。」この「あやしげな衝動」を受けるまでの心の流れ、これは、人間の最後のぎりぎりのところまで押していつた「心」——「生」等の深いあるものではないだらうか。

戰ひの中に人間を瞶める。あへてそれを强ひるものもなければ、其處に作家としての何かゞあるなど、言ふのではない。が、作家は何處かでぎりぎりのところを瞶めようとしてゐるものなのだ。暴露的な、或は悲慘さの中にのみ眞理をみようとしたのは、第一次歐洲大戰後の個人主義的な眞理のみかただ。僕は、さうしたことを言はうと言ふのではない。たゞ、人間の複雜な心理を、作家として眞面目にとり組んでいゝことだと思へるし、さうした「落ちつき」が、作家の眼の中になければならないのではないかと考へたからに他ならない。火野の「兵隊の地圖」は、さうした作家の眼が、眺め渡す風景を如何に描寫するかといふだけに終つてゐたやうである。それが讀み比べた場合、遙かに「地熱」の方に重量を感じさせるものだと思ふ。

人間を瞶める——ことも、私小說的なみかたから當然拔け出なければならないところに來てゐる。私小說の是非の論もいろいろと聞いてきたが、此處ではそれに觸れ追究する心要はあるまい。たゞ、言ひたいことは、人間を遺めるみかたに私小說的なみかた、肉體の感情を表白する私小說の傾向の中にあつた人間追究の態度から、根本的に見直し、立直るべきところに來てゐるといふことである。

上田廣は「黃塵」に出發し、「鮑慶鄕」——「歸順」——「りんふん戰話集」——「建設戰記」等、大半は作品としてみるとき、十分な成功、完成されたものではないのを感じるのであるが、その初期から、兵隊、歸順兵は勿論、捕虜に對しても、人間としての愛情を通じてみようとしてゐる。その態度に對して火野葦平とは別にひとつの期待をもつことができるものをもつてゐる。いや、僕はそのところに期待をもつてゐる。

火野葦平の場合もさうだが、「黃塵」——「鮑慶鄕」を書いたときと「地熱」を書いたときとでは、作者の立場が變つてきてゐる。報道班といふ仕事が、戰鬪的な、つまり銃を握る兵士の立場と、戰爭といふ大きな貌からみてそんなに立場の違ふものではないとは思ふが、火野や上田の場合、作家としてあつたか兵士としてあつたかの違ひは、矢張り相當に作品行動の上にひらきがあると言へるのではないか。

だからと言つて、「黃塵」のときと「地熱」のときとに戰爭に對しての態度を言ふのではないが、結果として、「黃塵」と同じみかたで「地熱」を見ることは出來ないと思ふ。さうした作者のあり場所の違ひを一應知つて置いて、其處から言はねばならないだらう。

戰記は、無論支那事變中にもあつた。が、大々的に戰記としてのものがわれわれの前に廣げられたのは、大東亞戰爭後ではあるまいか。

そして、戰記と文學と、戰爭文學との問題が此處に改めて考へられはじめてゐると思ふのである。

4

戰記は戰記としてみようとするみかたがある。戰記は文學ではないといふのは、言ひ過ぎかも知れないが、戰記を戰爭文學だと思ひ込むのは早計である。これは、僕の國民文學への文學の誠實が言はせるのだが、作家が書いたと言ふだけの理由で、戰記を文學作品と同じ尺度でみることは出來ないと思ふのである。戰記のもつ第一の目的は、文學であるといふことではないからである。

戰記は、報告的目的が先づ第一に在ることだ。文學的であることよりも報告的である。報告文學（ルポルタージュ文學）といふことが支那事變中に一度問題になつたことがある。それがどういふところに落ちついたか、いま分明と記憶してゐないが、戰記を報告文學と名づけたに過ぎなかつたのではあるまいか。××文學○○文學といふ肩書文學が流行した時代があつたことも考へられる。從つて、報告文學といふことにそれほど深い思索があつたとは思へない。

戰記は文學ではない。戰記は戰記なのだ。が、戰記の中に文學としてのよきもの〻ある場合の考へられるのは言ふまでもない。それは丁度、文學的經驗のない素人の手記の中にも偶々文學的價値のあるものを發見する。その場合と變らない。戰爭文學と戰記は、さう言ふ意味から區別して考へたいのである。

大東亞戰爭に於いて、作家が報道班員として經驗し、身に體してきたことは、作家にとつて兎も角も大きな經驗であつたのは事實であらう。戰記として現れた、それら經驗の報告に、しかし、その期待の全部をかけられるものではなからう。作家のそれらの經驗が消化し、彼等の作品に現れてくるとき、はじめて注視するものがあるのではあるまいか。

此處で思ひ出されるのは、棟田博である。棟田博は、支那事變中に於ける經驗を土臺に、「分隊長の手記」を書き、その後ずつと、その經驗から生みだした作品を書き續けてゐる作家である。

最近の作として「祖國の顏」を讀んだ。これは、長篇の一部で、從軍に於ける經驗を、戰記ではなく、小說に生かさうとこ〻ろみられた作品なのだ。——昭和十三年、初夏、徐州陷ち、今や、漢口攻略の戰機熟しつ〻あるとき、傷を受けて內地送還される一兵士を通して、その時代の空氣と、負傷兵の內省をあつかつたものである。作者が後記に「もつとも留意したものは「時代」の反映なのである。」と言つてゐる。

相當の意氣込みをもつて作品に向つてゐる作者を窺ふことが出來るのであるが、まだ「時代の反映」が、充分に作者の心の中で消化しきれてゐないのを感じる。昭和十二年七月七日の一發の銃聲から、事變の進行を新聞のニュース的に作中に織り込むことによつて描かうとしてゐることに、紙芝居的な説明をしか感じさせないものがある。經驗が作品として表れる表れかたとしてこれもそのひとつには違ひないが、これでいゝだらうか、と思はれもする。

小説は、文學としての目的以外に何の目的が必要であらう。

近頃の小説が、文學として以外に何等かの目的をもつことによつて、今日の小説としての意義をみようとする傾向は、作家を單なる技術師に追ひやらうとしてゐる。無論、何等かの目的あるものゝ存在を、無理にも否定しようとするのではない。

むしろ、今日決戰下に於ける作家のなすべき一つだとは思ふが、それが作家の全部となつていゝであらうか。將來に於ける文學者の位置を考へるとき、文學を離れて作家が存在することは、作家自身の問題ではなく、この國の文化の問題となることを思はねばならない。

文學至上主義を唱へる譯ではないが、國民文學があらためて考へられる今日、文學について作家は、もう少し良心的であつてもいゝと痛感するのである。

それなくして、國民文學は樹立されるものではあるまい。

（了）

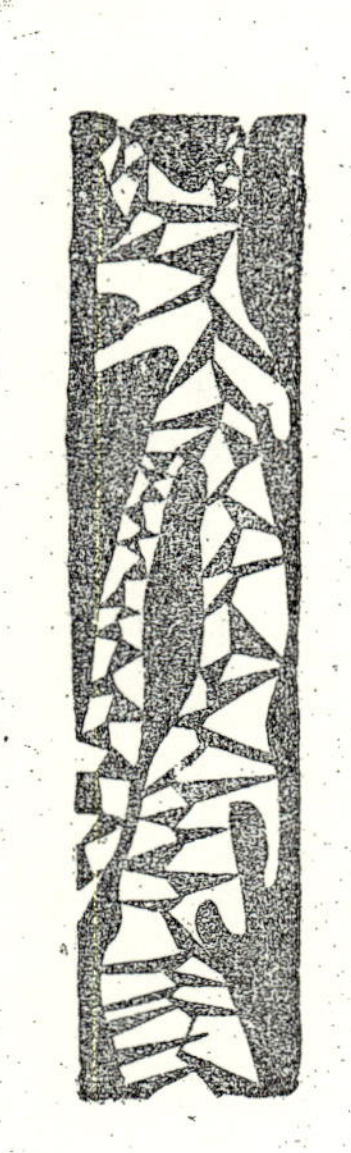

隱れた作者

福田清人

私と同じ年代の人々は、少年時代おそらく「立川文庫」の讀者であつたにちがひない。定價十錢かの小型のポケットに入るほどの本であつた。そして六號位の細かい活字がいつぱいつまつてゐて、一冊讀み終ると、一錢か二錢で貸本屋は交換してくれた。

あの本は二百頁もあつたらうか、息づまるやうな興味で讀み終るのが常であつた。

私の小學校の先生にも、非常な愛讀者がゐて、教室でそれを讀んでくれたりした。少年期の私は今でもその文庫と、それから新聞の連載講談で讀んだ「水戸黄門」の面白さを思ひだすことができる。

それにしても「立川文庫」の筆者は誰であらう。その思ひから私はこの頃書きつゞけてゐる、一つの長篇に、假空な筆者を考へだして登場させてゐる。三雲劍嶺といふ老人である。彼は今、裏町で小さい塾を開き、時々子供たちのために、自作自演出の紙芝居を持つて見せて歩いてゐるのである。

彼を登場させるに際して、私は次のやうないさゝか永嘆的な筆を弄した。

「あの細かい活字にみつる本はなんといふ多くの夢を少年期の我々に與へてくれた事であらう。霧隱才藏、三好清海入道といつたやうな武勇すぐれた人物を、その文庫の作者は創造してくれた。我々はその影響によつて夢の中に九字を切つて忍術をつかひ空中に消えることもあつたが、弱い者をいぢめる同級の暴君に對してはむかつて行つたこともある。

我々はあの日から、幾百千冊の物語の本を讀んだ。だがあの「立川文庫」に讀みふけつたほど夢中にその物語の世界に全我をとけいらせて讀んだ物がその後あつたであらうか。

少くとも自らが、その篇中の主人公と化し夢にまで見るといつた事はなかつたのである。

だが兩親たちは勉强をおろそかにするとか、眼を惡くするといふ理由でそれを禁止した。また一方、時代の思想は、あんな「殺伐」なそして忍術などいふ「非科學的」なものは害があるといふので斥けるやうになつて、「藝術的」なお上品な少國民文學の時代となつてしまつた。冒險と勇敢と夢とを愛するのが少年の世界である。その三つのものは、かくして我々の世界からうばはれてしまつた。」

かくてわが三雲劍嶺翁は次第に、その風潮と共に裏町へ退陣の餘儀なきに到つたのである。最近木村小舟氏によつて明治の少年文學史は詳しい資料を集めて上下二卷のものが上粹されたが、誰か將來大正期のさうした本を書く場合は、その主流をなしたと思へる鈴木三重吉氏の「赤い鳥」のほか、「藝術的」な、そして、筆者不明の「立川文庫」について必ず書いてほしいものだと思ふ。そして、その時代は、まだ三十年ばかりしかたつてゐないので、その頃その筆者が三十歳か四十歳としても、まだ六、七十歳位の年配の人であるから、筆者を御存知の人もあると思ふので、はつきりさせておいてもらひたいとも思ふ。

一體の文學史といふものも、時代の文學思潮を受けてそれが公式化してしまつてゐる。私なども、明治の一時期についての文學史的著書を持つてゐるが、やはりその弊にとらはれてゐて、書き直したい位である。

明治時代の作家でも、押川春浪の如き三雲劍嶺的存在があることを思ふ。

評論家でも、田岡嶺雲など、改めて考察されていゝし、アジャは一つなりの合言葉さへうんだ岡倉天心については、在來の文學史には一行も書かれてゐない。僅かに最近、一、二の著書に書かれだしたのである。

それにしても文學の方は、書かれたものが殘つてゐる限り、いつかはその價値が昭明しだされるのである。しかしほかの世界はさうではない。

この頃、明治時代に興亞の大業に思ひを走らせた人々の傳記を少し調べてゐるのであるが、實におびたゞしい人が大陸で行方不明になつたり死んだりしてゐる。本當の捨石である。今日の大東亞建設の事業もその隱れた人々の屍の上にあることを考へて、深い感動を感ずるものである。

私はこの頃、いはゆる小說らしい小說を書くより、その人たちのことを書くことに何かの私の生存意義の一つを思ふやうになつた。

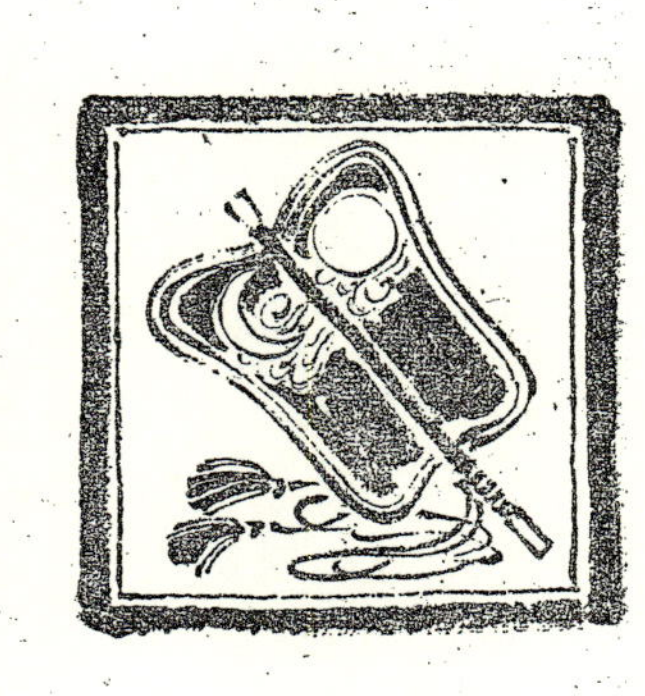

藤田小四郎の書翰と容貌

中澤巠夫

藤田東湖の書牘は、實によく保存されてゐるが、東湖の子小四郎信の書翰は、はなはだすくない。小四郎は、繪を菊池容齋に學び、書風は、おそらく父東湖の字を眞似たのであらうが、實によく似た書體であり仲々雄大な風がある。

小四郎が、湊を敗退し、列幣使街道から下仁田へ出て、それから、岩村田へ越え、中山道を、美濃へ出て、雪のはいぼし峠を越えて越前の新保宿で、加賀藩に降るまでの旅日記を繪入りで書いたものがあるさうだが、之も今は誰に秘藏されてゐるか判らない。そんな風で、相當世間には、散らばつてゐるのかも知れない。先だつても、偶然の機會から、小四郎の手紙に觸れた。仙臺の小野寺某が、現所有者の伊藤家へ贈與したものであるが、小野寺某に宛てたものではないから、小野寺某も又他から入手したものであらうが、この系路は不明である。

手紙は、半切で、例の父讓りの角の多い達筆で書かれてある。

拜誦　愈御安靜扨野州樓迄御到着成候由於小弟家雀躍之至花川頻も居候處欣喜此事に有之野生も竹内失樂一條に付昨日より橋本樓迄出向居候處種々つまらぬ事のみ有之一向只どたどた致居候事有之則早速筑山居士方へも一書を飛し且御大小御着物等は後刻天野兄を以御屆け可申上候何もおめもじのおりとあらあらかしこ

二月十八日

小弟も少々用事有之間多分ひる迄には罷出候（一字缺）

橋本より　小六

府中にて　震齋樣　要用手報

元治元年二月十八日の手紙である。即ち天狗黨筑波擧兵の一ケ月程前のものである。橋本より小六とあるは、潮來の橋本樓であることは、文面中に「一昨日より橋本樓まで出向き云々」の言葉で知れる。

藤田小四郎が、小六と變名してゐたことは初見である。然し、當時、小四郎は、既に脱藩し、藩の評定所のものや、目附達から睨まれてゐて、お探ね者の一人であつたから、いゝ加減な變名を使つてゐたのであらう。相手の震齋は誰なのか。恐らくは、波山勢の一方の旗頭となつた山田一郎（陸中山田の人。本名横田學一郎）ではないだらうか。山田は、嘗つて師矢田義一と共に長く仙臺にあり、且仙臺人櫻田良介と交を結ぶ。この手紙が仙臺關係なのも、それを匂はせる。文中天野兄とあるものは、山田一郎の部下、舊新徴組隊士天野順治であらう。竹内は、竹内百太郎延秀、小川村の郷校文武館長、豪農で、烈公齊昭の國防整備に際し、二千五百兩を献金して郷士になつた家柄。筑山居士は、後に天狗黨西上軍の龍勇隊長となつた小栗彌平こと畑彌平以美。櫻田門事件の觀戰通報の任を受けた米つき上りの目附同心。花川某は、不明である。

この一通の手紙でも、一擧直前の、潮來簡小川館のざわめきが、判るやうな氣がする。

一通の手紙も、歴史の秘密をひらく鍵になる。しかし、世間に散つてゐる史料といふものは、仲々見出されないものだ。

×

小四郎は、その筆蹟は、父の東湖にそつくりであつたが、顔は、東湖と違つて、仲々美男であつた。東湖は、自から語つてゐるやうに「眼のぎよろつとした色のまつくろな」男で、美男とは申されないが、小四郎は、髪の毛は、漆黑で色白の美男であつた。

水戸家の彰考館文庫に、烈公が、自分の側近に仕へる侍たちの肖像を畫家に描して常に坐右に置いたと傳へる着色の肖像畫集がある。

戸田忠太夫、藤田虎之助、跡部彦右衞門（武田耕雲齋）、結城寅壽、其他、三四十人の肖像がある。この中の藤田東湖像は、三十五才のときのもので、非常に精悍な感じがする。眼の大きな立派な顔である。

元治元年十月二十三日、藤田小四郎等の筑波勢は、武田耕雲齋等の大發勢、朝倉彈正などの潮來勢と共に、幕軍の重圍を脱して、西上の途に上つた。幕府では、越後の方へ逃げたといふ情報によつて、新潟奉行に征討追捕を命じた。その時の人相書によると、藤田小四郎は「一、年二十三。一、年齢より若き方。一、色白き方。一、髪の毛濃き方。一、鼻目口常體。一、言舌早き方……」であるとされてゐる。

高瀬眞卿は、少年の折、小四郎の首を見た印象を「小四郎は、長髪にて、首の臺より毛一尺許りたれ面長の立派な面體なり」と語つてゐる。小四郎は、勅書返還問題に際し、長岡に屯集し、遂に烈公の諭旨によつて、解散するに當つて、長岡宿の往來の中央に楠公頌德表を建て、屯集した同志と共に、髻を斬つて、髪毛塚を築いたのである。それ以來、頭髪は伸しばなしでゐたらしい。彼の自畫肖像自贊の畫は、熊の皮の尻鞘かけた陣太刀を腰にしたじやんぎり頭の若侍が、黑紋付に太縞の袴をはき、朴歯の足駄をうがち、劍道着にひやめし草履の若侍をひきつれてゐるところを描き、「斷髪蓬頭如夜叉不言可識是藤田」と書いてゐるが、この畫によると、顔は面長といふより凡顔であつたやうだ。小四郎の繪は本格に修業したものであるから、この戲畫に類するものでも、稍眞に近いものではあるまいか。

小四郎は、東湖の妾腹の子である。

年よりも若く見えるといふのだから、二十才か二十一にしか見えなかつたのであらう。髪の毛の黑い、色白の美青年が、金の鍬形打つた兜を背負ひ、紺糸威しの鎧に、紺びろうどの陣羽織を着た姿は、男でも惚れ惚れする武者振りであつたらう。

「お」の字辯

岡戸武平

名古屋から東京へ移住した當時、女房の一番苦勞したのは言葉だつたらしい。だいたい名古屋といふ所は餘り言葉のよいところではない。と云つて京都辯のやうにあたりの柔い一種の情緒を持つ訛りでもない。ことに現今は「あのなも」「おきやアせ」「さうきやアも」などの純名古屋辯が、妙なアクセントを持つた標準語となつて、益々聞き辛くなつた。まだしも「さうきやアも、昔の方がえゝわなも」の方が風土的味もあつて聞き辛くない。

さういふ強い訛り言葉の土地から、東京へ來てみると誰しも東京の言葉は美しいといふ感じと丁寧だといふ感じを持つ。私自身もさすが東京は、その言葉が標準になるだけにきれいだなと思つた。

美しいといふ感じは發音が齒切れがよくつて、語尾がはつきりしてゐて、いさゝか鼻音であるなど、いろ〳〵條件が備つてゐるらしいが、丁寧だといふ感じはすべての物におをつけることである。「おなす」「お大根」「おねぎ」「おいも」等々。勿論これは敬稱の意味であらうが、田舍から來たものは、まづこれを模倣する。ところで野菜物だつて「お」のつけられないものが澤山ある。「おほうれん草」とは云はないし「おごぼう」「おにんじん」「おトマト」なども聞いたことはない。

さうしてみると、この「お」はあながち敬稱の意味ではなく、ゴロの上から習慣となつたものであらう。もつともわれわれの血となり肉となる食物に對して敬稱を以てするのは至極當然だと思ふが、さうならば何も野菜物に限つたことはなく魚類にも冠して然るべきだと思ふ。ところが「お魚」とは云ふが「お鯛」とも「お鮭」とも「お鰯」とも云はない。その他、東京人はやたらにこの「お」の字をつけたがることは、こゝに例を上げるまでもなく御存じの筈である。そして「お」さへつければいゝ言葉、上品な言葉であると考へてゐるのではないかと思ふ。

今後南方へ婦女子が進出するのも時間の問題であると思ふが、この標準語らしく考へられてゐる「お」付言葉を整理する必要がありはしないか。特に殖民地へ行かれる奥さん達は、言葉を丁寧にするために矢鱈に「お」付言葉を使用されさうな豫感が私にはある。

またあまり「お」の字を使つては、折角の「御」の字の有難味もなくなる。「言海」には「お」について次のやうな解釋を下してゐる。

お（接頭）御（御ノ約）（一）通俗ニ天子、神、佛、尊長ノ上ナド萬ヅノ物事ニ被ラセテ尊ビイフ語、同輩ニモ他ヲ敬ヒテ用ヰル。（二）中世以後、婦人ノ名ニ被ラセテ敬ヒ呼ブ語。

轉業者の心理
（炭礦勞務者に就いて）

大慈宗一郎

轉業の途は種々あるが、此の炭礦勞務者に商賣換をするくらひ仕難いものはない。仕事が一般人に向かないといふ譯ではなく、勞務者になる決心が仲々つかないのである。大體鑛山勞務者といふ概念が、全く誤つた姿で、彼等の頭の中に寫つてゐるからである。次に示す、或る勞務者からの手紙の中に、その心理がよく出てゐる。

（前略）今後の生活上に大變不安を感じ、どうしたら一家の生計を維持して行けるかといふ一大決心をなさねばならぬ時が來ました。祖父傳來の商賣（註乾物雜貨商）を廢止し四月生活の第一歩を踏み出したのは市內勞務者でありました。夏中は相當の賃金も得られて、生活も樂でしたが、冬になつて困りました。仕事がないので少しの仕事を多數の勞働者が爭ひ、每日〳〵仕事を取り合ふので、此れでは駄目だ。コンナ事をして每日を過してゐては、住は出來ても衣食の方はその日の糊を凌ぐに事をかくと思ひ乍らも、每日〳〵心配と不安の日を送つてゐました。その時〇〇さんが、炭山の生活を詳しくして下さいました。その頃は私は炭山の認識が全く無く、炭山に住む人は皆恐ろしい人間ばかりと思つてゐたので、炭山にはどんなに困つても行かないと頑張つたものです(中略)〇〇さんも度〻推めるのですが、都會生活の虛榮心も手傳つて、坑內などに入つては危いだらう、仕事が出來るかしらん、每日勤まるか、町の樣子はどうだらう。人情はどうか、とそれからそれへと迷つたのですが、暫らくの間決心がつかずに空しい日を暮して居りましたが、日每に加はる生活難に遂に斷の一時、行つて見やうと決心を致しました。來て見て驚きました。社宅の立派、何から何まで行屆いた氣分がよい。住んでゐる人の皆親切な人ばかりで、函館に居つて妄想してゐたことは一つもありませんでした。（下略以上原文の儘）

此の手紙を讀んで見ると大體勞務者に轉業する人々の姿も、氣持も御想像が出來ると思ふ。炭礦へ轉業する者の氣持は殆ど此の樣であつて、此の手紙の主は北海道育ちでありながらも炭山へ行くのを恐れてゐる。それが北海道を全然知らない東京での志望者は、更に遠い外國へでも移民になつて行く樣な氣になるのだから、容易に決心が着かないのは無理からぬことである。甚しいのは、所謂る監獄部屋を想像したり、年中熊が出て來る樣な氣で居るのだから、返事に困るくらいの奇問がある。

都會に生活してゐた連中は、どうも都市に對する執着心が强い。いよいよ喰へなくなるどたん場まで市から離れたくないらしい事は此の荒物屋さんの例でも解る。私が炭山まで一緒に行つた或る男は、列車が炭礦の市街地へ入ると、窓から首を出して『此れなら住める』とニヤリとした。私は此處から僅々二時間で北海道の大都會札幌へ行けるのだと話をすると、「そいつあ有難い」とすつかり張切つてしまつた。全く都會の魅力は恐ろしいものだ。

何故にその氣持が捨て切れないで、此の山中へ職場を求めて來るかといふ理由は、第一に收入の點である。普通の勞務時間で月收百圓以上も稼げる上に、生活費の低廉である事が彼等の決心に拍車をかけるのである。事實入山した者は此の點では滿足してゐる。

志望者の持つ炭礦に對する不安は、前の手紙の中に書れてゐる如く種々あるが、第一に心配することは、坑內の危險性である。此れは各自の注意一つで全く不安がなく、瓦斯爆發などあつたら、國家的にも損害甚大であるから、保安係が晝夜を別かたず、災害未然防止に奔命してゐるのだから今日に於ては殆どその心配が無い。むしろ炭礦より〇〇〇の方が事故發生率が統計上多いのだと說明すると、そうですかねと安心する。昔新聞が事故を餘り大きく報告したせいでもあらう。

炭礦勞務者に對する彼等の認識不足は、全く採炭戰士に對して申譯ない程である。呑んだくれで、氣の荒い連中としか考へないらしい。炭礦勞務者になるものは全然落ぶれた者であるとのみしか思へない事實は否めない。最近に於て、ジャーナリズムに採炭戰士としての正しい姿が取り上げられて報道される樣になつて、そうした誤つた觀念が一掃されつゝある事は、事局柄とはいへ誠に喜ばしい事である。要するに、炭礦勞務者に轉業しやうとする人々の、不安な氣持は、彼等の誤つた想像から生れるものであつて、勞務者にならうと決心する氣持は、生活の安定を求める點である。

天神講

大隈三好

一里半ばかり山奥の部落から、天神講の使が來た。これは今年に限らぬ毎年の事だが、僕は此の部落の係でもなかつたし、それに何を申し一里半の山道が荷になつて、一度も顏を出した事もなかつたが、近頃、天神樣にある興味を持出して、資料漁りなどやつてゐた矢先だつたので、つい氣が動いて、出かけて見た。

平家の落人が作つた部落だとか、武田の殘黨が潜んでゐた處だとか傳ふる處だけに、道はなか〳〵容易でなく、汗びつしよりになつて漸く部落の入口まで行くと、其處に子供達がわい〳〵騷いで出迎へてゐる。初等科一二年のチビ達ばかりなので、他の者はときくと、宿（やど）で御馳走を作つてゐると嬉しさうな顏である。

宿は天神樣近くの家屋で、なるほど上級の子供達は盛んに何か拵へてゐる。天神講には大人の手は一切借りぬのである。馳走が出來上ると外で遊んでゐる無役のチビ達も呼入れられて、並べられたおはぎ餠の前に目を丸くしてずらりと席に就く。僕達も客分で上座に坐らされて、よく手に入れたものだとふんだんに使つた材料に感心してゐると、高等二年の子供が立上つて開會の辭を述べはじめた。僕は此の席に出る前、出れば何か話さねばなるまいと思つて、資料などひつくり返して、天神講の由來など調べて來たが、それを此の子供が全部しやべつてしまつたのである。僕は驚いて、今の話は何處で敎はつたときいたら、天神講の開會の辭は毎年から言ふことにきまつてゐますとけろりとしてゐた。

馳走が凡そ濟むと、神靈を慰める學藝會になつたが、終始上級生の指導による自治的なやり方で、それが不思議な程うまく運ぶのである。

敎室で本を讀ませようとしても、愚圖々々してゐる連中までが、此處ではどうして、兄分達の指名で、朗らかなもので、唱歌を唄つたり、遊戯をしたり、下手は下手なりに堂々と演じて喜んでゐるのである。僕もその空氣につい嬉しくなつて、最後まで、一緒に興じて歸つたが、道々、我が國本來の敎育法は、我等が敎育の牙城の樣に思込んで立籠つてゐる敎室ではなく、かうしたものゝ中に傳つてゐるのではないかとしみ〴〵考へさせられた。兄弟子、弟々子、さうした關係は今日の初等教育から影をひそめて、昔の面影を全然失つてゐるが、こんな時勢には、いろ〳〵の方面から見て今一度取上げられてよい問題である。

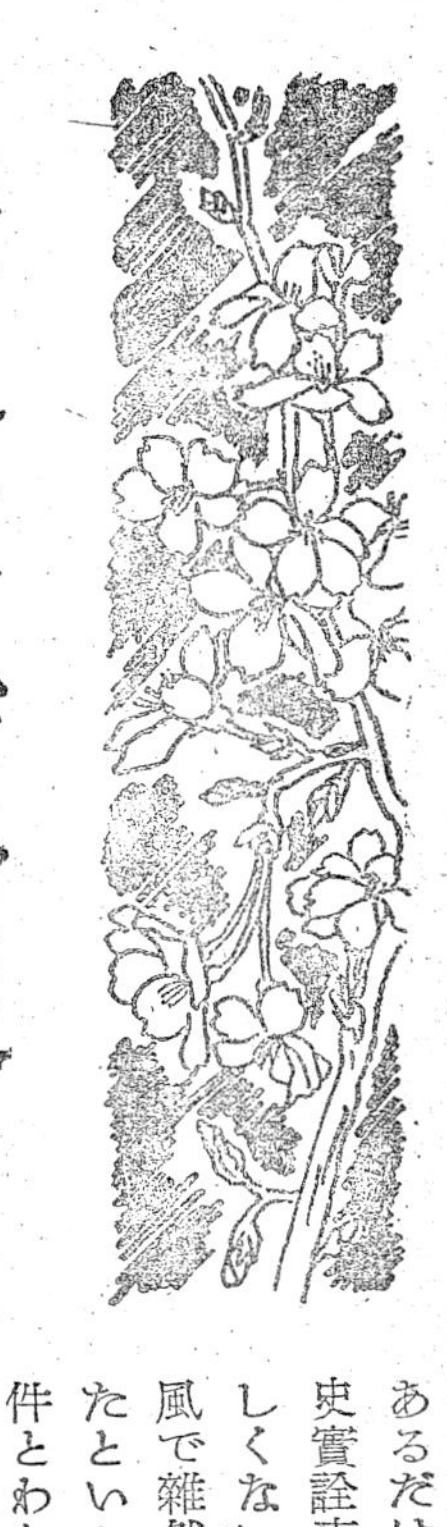

歴史文學略史（二）

—明治から大正へ—

柳田泉

四　明治後期、澁柿・美妙・天外

以上のほか、渡邊霞亭、半井桃水、三品蘭溪、武田仰天子などの名も、新聞派の歴史小説家として記憶さるべきであらうが、何としても、明治廿年代から卅年代にかけて活動した歴史小説の代表的作家は塚原澁柿である。

澁柿は新聞記者の古豪の一人で、櫻痴と表裏一體の間柄であるが、櫻痴が政治に意を絶つて小説をやるやうになつて、澁柿も小説に轉じ、いろいろの試みがあつた末に、歴史小説家として終止することになつた。彼に幕府旗下の武士の出であるだけ、天成の武士氣分をもつてをり、歴史精神もつよく史實詮索もよくやり史實の新解釋も心がける、想像の力も乏しくない上に、これを補ふ道義的氣魄をもつてゐる。や丶古風で雜然としたところはあるが、明治の歴史小説を集大成したといふ趣きがある。性格描寫が興味の中心だが、それが事件とわりによく絡んで有機的な進み方をする、その點でも明治歴史小説の一つの頂點をなすものといつてよい。

澁柿の作物は、非常に澤山あるが、晩年彼自身が選んだ、「時代小説・澁柿叢書」十二巻十四冊は代表的なものである。その中で、「由井正雪」、「大鳥逸平」、「水戸光圀」、「俠足袋」などが殊に面白い。この叢書に收まる筈で未刊に終つた「別木騷動」（明治卅五年、日々）などもよいものである。この叢書に入らぬものでは、「大石良雄」（卅九年刊）「天草一揆」（四〇年刊）、「淀殿」（四〇年刊）などが面白い。「江戸三百年」といふ十五卷の大歴史小説が、家康公一卷で終つたのは殘念なことであつた。

澁柿の最も活動したのは、廿年代から卅年代へかけてであるが、明治卅年代の初めは、歴史小説としてはや丶下火となつた一時期である。その原因はいろいろと考へ得るが、要するに此の時代は、日本の世界進出期で、歴史的な氣持ちが人々の心に少なくなつてゐたといつた方がよい。然し歴史の學問は次第に整備して來て、廿年代以來の研究で實を結びかけて來たものが多くなつた。それがやがて次の時代に何かと役立つことにならう。

卅年代の歷史小說を語るには、澁柿のほかに復活せる山田美妙に及ばなくてはなるまい。美妙は日淸戰役前後、寫實作家として復活したのであるが、次第に歷史小說にもどつて、手堅い新しい作風となつたが、興味の中心は歷史的人物の心理と環境の交錯から來る運命觀といつたところにあらう。長篇では「平重衡」(明治四三年)、「平淸盛」(同年)、短篇では佐々木兄弟を書いた數篇が特にすぐれてゐる。

明治時代の晩期は自然主義の時代であるが、この時代にそろそろ第二の歷史文學全盛期の氣運が動き出してゐた。寫實作家小杉天外の「伊豆の賴朝」(明治四五年)の試みはこの分岐點を記念すべき佳作だといつてよい。逍遙が十年も二十年も前からいつてゐた寫實風の歷史小說が、この作でまづ實現された形になる。と共に、人間的同情もあり、心理描寫、個性描寫もはつきりし、背景も空氣もよく出てゐる上、全體の構成も漸層的に心を配られてゐる。舊新歷史小說の特色を一つにもつた作品である。

五　大正時代、露伴

大正時代の歷史文學は、もちろん明治時代の歷史文學に基礎した自然の發展になるが、全體としては、明治時代のそれが事件と性格と興味を集中し、史實の新解釋もその興味を目的としてなされたのに對し、大正のそれは、ひろく人間的同情に主點を置き、それによる史實の新解釋を中心としたものになつた。歷史を現代のつながりに於て見、歷史的人物をひろい人間的同情に立たせてその言行を自然に見直す、そこに自然な歷史の見直しがある、といふのが大正時代の歷史文學の行き方の大體であるが、史實に人事の自然をそのまゝつかまうとする心と、新解釋につよい興味をもつて、そこに想像の自由作用を試みるのと、主とするところにおのづから二つの方向があることを忘れてはならない。

露伴が歷史文學に移つて來たのは、「ひげ男」(明治廿九年)を別とせば、明治の末に「賴朝」(明治四一年)以來のことであるが、主としてこれに筆を染めることになつたのは、大正時代もやゝ後半に入りかけたころからである。これ以後露伴の公けにした歷史文學は可成り多いが、凡そ三つの分類がつく。第一は支那の歷史、支那の人物に關するもので、「幽情記」(大正八年)中の諸篇、「運命」(同年)、「龍姿蛇姿」(昭和二年一月)の諸篇がそれである。第二は同じ支那關係のものでも、主として神仙に關するもので、「仙人の話」(大正十一年)、「活の人(王害風)」(大正十五年)などはこれに屬する。第三は專ら日本の歷史的人物に關するもので、「日本武尊」、「平將門」、「爲朝」、「蒲生氏鄕」、「武田信玄」、「今川義元」などがこれに屬する。

　露伴は非常に個性のつよい人であり、人間的鍛へも尋常でない人であるから、それだけにまづ自分の語るべき歴史的人物なり事件なりの選擇に於いて自家の好みといふ特殊な標準があると見てよい。その點で、日本人物の史傳文學も、面白い點に於いて實に面白いものではあるが、やゝ畫面が狹いといふ感じを與へる。支那關係の「運命」のやうな大幅ものが、「仙人の話」のやうな全心的なものに至つて始めて露伴の豪快な眞面目が發揮されるので、文藝の巨筆といふものが成るほど世にはあるなといふ感じを抱かされるのは、かういふ作品に接したときこそさうだといひたい。この點で、露伴の歴史文學は、史實尊重はもちろん、資料の吟味とか、新資料の博捜とか、いろいろ手をつくしてはゐるが、興味の中心は、露伴自身のつよい個性と、その露伴の人間觀、運命觀といつた、主觀的なところにあるらしい。露伴の歴史文學が、小説といひきれぬものがいろいろあるに拘らず讀後の感じがいづれも佳い歴史小説を讀んだときのやうな印象を與へるのは、そこから來る。

六　鷗外の歴史文學・そのほか

　鷗外の歴史文學は露伴に比較して客觀的といひ得よう。對象の歴史的事件なり、歴史的人物なりに對する同情はひろく深いものがあるが、その同情に對象をひたして、自然の結果をまち、その自然の結果の動かないものをそのまゝすなほに表現しようとする。それが鷗外の行き方である。

　鷗外が見た歴史の世界は、現代の過去であり、その點で十分現代とつながりをもつものであり、そこでの事件もそこの人物も、十分生きてゐたものであつた。歴史そのまゝを寫さうといふ鷗外の主張は、さういふ歴史觀に立つてゐたのである。

　鷗外の歴史文學は、大正前半期を蔽ふものであり、歴史小説のほかに長い史傳考證ものを入れると、驚くべき量に達する。歴史小説として見るべきものは、「阿部一族」（大正二年）「大鹽平八郎」（大正三年）「堺事件」（同）、「安井夫人」（同）「山椒太夫」（大正四年）、「津下四郎左衞門」（同）、「魚玄機」（同）、「ぢいさんばあさん」（同）、「高瀬舟」（大正五年）「寒山拾得」（同）などであるが、もし歴史といふことをやかましくいつたなら「山椒太夫」などは傳説小説にでもなつてしまはう。歴史考證物としては、「澁江抽齋」（大正五年）、「伊澤蘭軒」、「北條霞亭」（大正五年）を代表とするが、それは正しくいへば小説に入れるべきではなく、新しい型の傳記文學とすべきであらう。鷗外が書いたからといつて無やみとジャンルを混淆するのはよろしくあるまい。想像によつて相手の心理を忖度することは、鷗外の避けてゐるところだからである。

それはそれとして、鷗外の歴史小說によつて、從來一二の人をのぞいては大衆文學に近い道を歩いて來た歴史小說といふものが、立派に藝術小說の域に入り、當時の文壇の代表的文學である自然主義小說と比肩するに至つたといふことは、後の歴史小說の運命に大きな意味をもつて來る。

露伴、鷗外のやうに、晩年歴史文學に向つた人に田山花袋がある。その「源義朝」（大正十三年）その他も、「伊豆の頼朝」まではゆかぬが、讀むべきものたるにちがひない。

なほ明治から大正へかけての過渡期に、特異な風格ある歴史小說を書いたのは、大倉桃郎である。彼は悲劇「琵琶歌」の作者としてのみ知られてゐるが、その歴史小說も一顧にも再顧にも値してゐる。「江戸城」（明治四五年）、「萬石浪人」（大正三年刊）はやゝ長篇、「戰國武士」（大正六年）、「慶長武士」（大正十三年）は短篇を集めたものである。

こゝで一言したいのは、硬派の歴史文學者についてゞあるが、われわれ歴史文學に關心をもつ者が、その歴史趣味の普及の點で深い尊敬をもつのが、山路愛山及び福本日南の二人である。或は、古く明治時代に逆のぼつて、「日本歴史譚」の大和田建樹、「歴史家庭讀本」の落合直文、小中村義象などの名も忘れるべきでない。だが愛山と日南の二人は、いはゆる歴史文學に極めて接近せる歴史家として、特に親しみを覺えるし、その著も皆今でも讀むべきものばかりである。

七　龍之介・寛・その他

歴史文學が大正時代に入つて、前半鷗外によつて新生面をひらいたとせば、後半の發展は芥川龍之介、菊池寛、二人の舞臺であつた。

芥川の歴史小說も大體は、前述の大正時代の特色につゝまれてゐるのであるが、そのうちにも芥川流の持味があり、歴史的なものを背景にして知巧的に特殊な心理の滿足を求める耽奇嗜異の心、幻怪幽秘の趣きを求めんとかゝる。それが時として現代への諷刺となり皮肉ともなることがある。

歴史的なものはかゝる心理の刺戟をつよめんが爲めにつかはれてゐるわけである。いはゞ歴史小說の形式をとつた新しいロマンスともよぶべきものであらう。「ありさうな美しい歴史」をかく、そこにその歴史小說の生命がある。芥川のこの種の小說をよむ度に、その師夏目漱石の初期のロマンチツクな諸作――ロンドン塔以下――を思ひ出さゞるを得ない。然し才藻の點では、芥川に幾分分がありはしないか。「羅生門」（大正四年）、「尾形了齋覺え書」（同）「芋粥」（大正五年）、「偸盜」（大正六年）、「或る日の大石內藏之助」（同年）、（袈裟と盛遠」（大正七年）、「地獄變」（同）「奉敎人の死」（同）、「きりしとほろ上人傳」（大正八年）等々でそのいはゆる歴史小說の味ひをさとられやう。

菊池寛は、芥川に比較すると、正統派といふべき歴史小説を書いた。その持ち味は、一般の大正歴史小説のもつものと同じであるが、菊池の作を際立つて有利な地歩に置くものはその構成である。知的な運びと、あらゆる興味を集中したクライマツクスをもつたその構成である。この構成が彼の作の成功の大半を決定したものといつてよい。けだし彼は、かゝる構成をその造詣のある戯曲から學んだものであらう。眞の意味で芥川の作ほど理知的ではないが、機智と技巧は、菊池の方がまさつてゐやう。菊池の出世作は「忠直卿行狀記」（大正七年）であるが、これにつゞく「恩讐の彼方に」（大正八年）も、「蘭學事始」（大正十年）、「入れ札」（大正十二年）、「義民甚兵衞」（大正十二年）、なども好評を博したものであつた。

正直にいふと、私は、谷崎潤一郎の歴史小説を芥川や菊池やのそれと同列に買ふものである。「麒麟」の如き、「信西」の如き、歴史小説として立派なものといへる。又白樺派にも一種の歴史的興味がなくはなかつた。武者小路の歴史小説は、昭和時代が主になるにせよ、長與善郎などがゐた筈である。だが、本稿は歴史文學の大筋を見るのを主として來たので、善郎だけでなく、筆をふれずに終つた人々が可成り多い。また史劇史詩をも語るべきであつたが、これも小説を中心にしたので、止めてしまつた。その邊は然るべく讀者の諒恕をあふぎたい。

「チャハヤ・マタハリ」（承前）

——インドネシャ人と芝居——

北町一郎

或る夜の劇場のこと

第一景、ある工場主の應接間。夫婦に娘、養子の四人が話してゐる。娘が散歩に出てゆく。娘を戀してゐる養子が養父母にそれとなく娘への結婚を申込む。

エキストラの一。女優四人のコロンチョン。伴奏の音樂はすべてピアノ、ギター、ヴァイオリンその他の管絃樂器で樂師は八名。ガラメシ樂器は用ひない。女たちは簡單な手振りと足で拍子をとりながら一人づつ歌ひ、時に齊唱する。歌の題は Assalam Alaikoem.

第二景、前景と同じ部屋。工場主夫婦が話してゐると下男が娘が自動車事故で負傷したと知らせる。そこへ娘を助けて病院で手當をさせた親切な青年が、娘をつれてくる。娘は右手に繃帶してゐる。夫婦は厚く禮を述べる。青年は目下失業してゐる事を述べ、就職を賴み、付添つてきた醫者も青年が立派な人間であることを賞めるので、工場主も採用する氣になる。妻を殘して一同が去つた後へ、蔭で聞いてゐた養子が現はれ、あの青年はとんでもない惡者だとしきりに就職を妨害する。

エキストラの二。これは寸劇である。ジャワの映畫會社の監督が、映畫俳優を探しにパレンバンに來たといふ觸れこみに、自薦候補者が四名現はれ、滑稽な扮裝と所作で歌を唄つたり踊つたりする。彼等は遂に採用となる。場内は笑ひがまき起り、お金や南京豆が舞臺へ飛ぶ。

エキストラの三。少女歌手マリアムのコロンチョン。題は Badila Rumba. 拍手と若干のお金が投げられる。

第三景。工場内の事務室。新しく採用された青年が執務してゐると、養子が字が下手だの間違があるだのとうるさく批評する。しかし青年は相手の身分を考へ口を出さない。そこへ負傷の治つた娘が來て青年の多忙な仕事ぶりを慰める。氣にくはぬ養子は娘の態度をなじるが、娘から逆に「養子のくせに」といためつけられる。母が來て二人をとりなす。

エキストラの四。『國民進軍歌』の歌と踊。日の丸の旗を持つた女優六人が、同じく國旗を捧げた男性歌手の歌につれて、レビュー式の動作を繰返す。湧くやうな拍手の中に幕が下りるが、日劇や寶塚の振付專門家を二三日でも借りたいとの慾望をまたも覺えるのである。

第四景、養子の部屋。養子は娘の愛情が新入社の青年にうつりつつあることを知り煩悶してゐる。友人の不良青年三人が訪ねて來て奸策を相談する。

エキストラの五。子供歌手（少女）二人が少々覺付かない調子でクロンチョン Mamie Nez を歌ふ。聲は遠くまで聞えないが、これはこれでも相應の人氣がある。

第五景、夜の森。養子とその仲間の不良たちが青年の來るのを待ちぶせてゐる。手筈をきめた所へ、青年が通りかかる。不良が襲ひかかるが青年は意外に強い。養子は短刀を拔いて青年へ斬りかかり、青年も短刀で渡りあふが、かなはぬと見た養子は逃げる。この亂鬪の中に青年は短刀を落すが暗くて拾へない。青年が去つた後に養子や不良が現はれ、青年の短刀を拾ふ。この一景の演出時間は約三分二十秒。

エキストラの六。ミス・ウォーの日本の歌の獨唱。彼女は今夜の芝居では工場主の娘に扮してゐるのだが、青い水玉模樣のバジュー（上衣）に褐色の地色へ粋な斜め縞のカイン・パンジャン（サロンの一種）に扮裝をかへて出場。歌手の中では一番上手なのだが、今夜の歌はまだ練習中と見えて日本語がまだはつきりしない。私の耳に日本語として聞えたのは「私十六……娘」と「一眼だけでも」と「會ひたい」と「日暮の窓」の程度である。しかし猛烈な拍手が起る。

第六景、再び養子の部屋。不良たちが集まつて賭博をしてゐると、高利貸が二人やつてくる。養子は彼等から金を借りてゐる。高利貸はしきりに返金を求め、養父たる工場主に訴へると脅かす。養子はあと三日待てば必ず返金すると誓ふがもとより返すあてはないのである。

エキストラの七。ミス・テナーの獨唱。彼女は座長の妻君で、人形のやうな女の子の母親であるが、藝名にはミスがついてゐる。子供は愛嬌たつぷりの表情でコロンチョンや童謠を歌ふ子供歌手の一人である。テナーはウォーと竝んで人氣歌手であるが、芝居は一座の中でも一番うまい。さて彼女の種目は「ソロの流れ」と云ふ意味の所謂流行歌謠 BengawanSolo である。ソロは中部ジャワにあり、ジョクヂャと共に王國の一つで、昔から詩によく歌はれたが、この歌謠もその國を流れるソロ河を主題にしたもので、悠久なる河の姿、河水と農業、農夫の作物への祈りと期待などを扱ひ漫然たる戀愛や愛情の歌ではない。レコードやラヂオなどで昨昭和十六年の十月頃から廣く歌はれ所謂流行歌になつたもの。盛大な反響がある。

エキストラの八。子供歌手三人（一人は座長の娘、一人はマリアム、一人は樂長の娘）が「白地に赤く日の丸染めて」を日本語で歌ふ。たどたどしくはあるが、この熱帶地で聞く日本の歌は何としても嬉しい。

第七景、工場主の寢室。工場主が眠つてゐる。金に窮した養子が忍びこんで養父を刺し殺し金を奪ふ。後で母や娘が發見し大騷ぎとなり、青年も駈けつけてくる。兇器の短刀に青年の名前が記してあるので（實は養子に拾はれて惡用されたもの）青年は重大な嫌疑者として刑事に連行されて行く。後を見送つた養子は「あの男はやつぱり惡黨だつた」と養母へ見榮を切るが、娘は信じない。

エキストラの九。ある女優の獨唱。題名は Inten Terpilih といふのださうだが、私などにはどのコロンチヨンも同じ調子に聞える。これは余り反響がない。幕つなぎの程度。

第八景、刑事の家。工場主の娘がひそかに刑事の自宅を訪ねてくる、父親殺しの犯人は青年でなく養子らしいと訴へる。證據はないが第六感であることを告げる。

エキストラの十。男のコロンチヨン。彼は今日の芝居で惡役を演じてゐるアンボン人である。歌は上手であるが、芝居の役割の上で觀客の心證を害してゐると見えて、さつぱり拍手も起らず、お祝儀もない。

第九景、不良青年たちの家。不良青年たちが、がやがやロ論をはじめてゐる。原因は過日の青年襲撃事件に對して貰つた報酬の分配問題からである。刑事が忍びこみ彼等の行動を知り、警察へ連行する。

エキストラの十一。喜劇の小品。出演俳優は主役が二人、端役が二人の程度で、動作も決して滑稽なものではないが觀客がわけもなく笑ひくづれるのは、これが漫才の掛合みたいなものであり、巧みにパレンバンの方言や、インドネシア人以外の住民のマレイ語（例へば支那人や日本人の發音には必ず共通した癖がある。外人に就いても同樣である）の癖も利用したり、盛に洒落を連發してゐるからである。喜劇俳優のアグースが一寸動いても笑聲があがり、相手役のブラヒムもまたよく演つて、場内は割れるやうな人氣である。從つてお祝儀の金がバラバラと投げられ、アグースなどは三回も四回も蜜柑や何やら紙包が顏にあたつて、それがまたその時の芝居の一つの要素にならうといふから心難い。私は微妙な言葉が分らないので少々退屈して時計を見てゐたら、このエキストラ一つに二十五分たつぷりかかつた。

エキストラの十二。ここで本筋の芝居へ戻るかと思つたら、男の子が出て來てコロンチヨンを歌ひだした。子供歌手の一人である。少年が「カッチヤン・ゴーレン」（南京豆）などと始めたら、それに合せて立見席から合唱が始まつた。「カツチヤン・コツソン」（南京豆はなくなつた）などと相の手を入れるのでる。「カツチヤン・コツソン、サツテイ・カンビン」（南京豆はなくなつた、燒肉もなくなつた）と語呂を合せたにぎやかな合唱で、いつか他の客席へまで傳染してゐる。

この子供はいつもそれほど人氣がないのだが、今は前の喜劇で氣分を出した觀客が浮かれてゐるからであらう。從つて珍しくお祝儀があり、少年歌手はステーヂに落ちた贈り物に注意を奪はれがちで、それもまた愛嬌を添へるのである。

第十景、娘の家。娘を中心に母と養子が工場經營の話をしてゐると、刑事が來て養子の同行を求める。養子はそんな不名譽なことをされる覺えはないと見榮を切るが、警察力の前には敵し得ない。

エキストラの十三。コロンチョン Sajang kane で、流行歌の一つ。女優六人がずらりと舞臺にならんで、獨唱、齊唱合唱と、簡單な手振りを加へつつ中々なごやかな愛の歌である。小聲で口ずさむ觀客もあり、輕く靴で調子を合せるものもある。所謂フィナーレに屬するもので、終幕の前にはよくこの形式がとられる。これが濟んで女優たちが引つこむと、男優の中の口上係が颯爽と現はれて、今日の觀劇の謝禮を述べ、明晩もまた是非御來場願ひたくそれからそれへと御吹聽の上賑々しく御越し下されと、この宣傳法はやつぱり內地と變らない。口上の半分は日本語で說明する。これは兵隊さんの見物も多いからである。さて明晩の演し物は千古悠遠の流れそのまゝの大河ムシ河に秘められたロマンス「ムシ河の悲劇」 Tjerita Kali Moesi、淚あり仁俠あり笑ひあり戀のさゝやきもあり、これを見ずしてムシ河を語ること勿れなどといふ。口上だけ聞いてゐると、明晩もまた來たくなる。

第十一景、娘の家。（前景に同じ）相續く不吉なことばかりに工場主の妻がしほれてゐるが、胸に成算のある娘は母を慰める。刑事が嫌疑者の青年を連れて來て、晴天白日の身になつたことを告げる。犯人は猫かぶりの養子である。一家は急に喜びに包まれる。親戚や知人のハジ達が訪ねて來て挨拶する。工場主なき工場の經營にこの青年こそ適任者であり娘と結婚させてはとの相談がまとまる。母も賛成し、青年を愛する娘にも勿論異議はない。ここらで幕になるかと思ふと、中々幕は下りない。青年は娘を愛してゐるが一應は結婚を拒絕する。理由は結婚費用がないからだといふ。それでは結婚に幾何の費用がかかるかと母を中心に計算がはじまる。假計算が濟みそれ位の金額ならば母の寄附と青年の貯金などで間に合ふことに相談がまとまる。ここらあたりは、まことにインドネシア的な風景だと微笑させられるのである。

青年と娘が恥かしさうに手を握り合された時、突如ガランガランと終幕の鐘（田舍の學校で小使さんが振るやうな鐘である）が鳴りわたり、幕がゴソゴソと下り、同時に音樂席からは「愛國行進曲」の奏樂が起り、觀客は起立する。退場後は南京豆の皮や煙草の吸殼などが何處にも轉がつてゐる。時にこの日の時間は十時二分前（日本時間十二時二分前）であつた。外へ出ると、南十字星はもう大分傾いてゐた。（終）

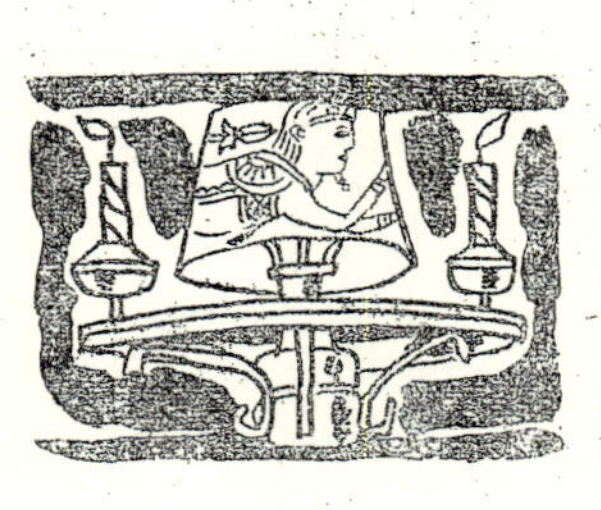

バルザックの方法

村雨退二郎

バルザックは惡文家だ。自分では「現在フランスで本當にフランス語を知つてゐるのはユーゴーとゴォチエと僕の三人だけだ」と云つてゐたさうだが、これは途方もない話である。たゞわれわれとして看過できないことは、彼の、まるで塵芥箱をひつくり返したやうな文章が、事物に對する彼の觀察方法と密接不離の關係をもつてゐるといふことだ。

──バルザックは、初めから藝術家らしい描寫をする代りに、まづ學者らしく解剖してかゝるのである。彼はシエクスピーアやサン・シモンの樣に、最初の一節から荒々しく人物の中心にはいり込むことなく、解剖學者の樣に、辛抱づよくゆると人物の周圍を廻り、先づ筋肉をとり、それから骨、血管、神經をとり、かくて諸器官と諸器能の全部をしらべてから、漸く腦髓と心臟とに達するのである──

テーヌはかう云つた末に「バルザックは人間風俗の總目錄を作らうとし、而も實現したのである」と結んでゐるが、實にこの解剖學者的な、あるひは風俗研究家的な煩鎖主義が、バルザックを稀代の惡文家にしてしまつたのだ。

彼は、藝術的主題に取りつくまでに、非常に長い道草を食ふ。「現代史の裏面」などは書起しから四五十枚殆んど讀むに堪へないほど退屈な道草の連續である。「木菟黨」のくだくだしさは、あの主題に對する興味を半ば以上削減する。

環境、あるひは雰圍氣を、仔細に分析解剖するといふ科學的な方法と、藝術的主題の進行に伴つて、いつとなくその環境あるひは雰圍氣を說明し、且つ盛上げて行く藝術的方法との差を、彼ははつきり區別することができなかつた。「ピエール・グラスウ」のやうに、比較的道草を食はないで早く主題に取付いてゐる作品もあるので、「現代史の裏面」のやうな拙い方法を殊更に良しとし「ピエール・グラスウ」のやうな方法を排斥してゐたとは思はれない。要するに彼は、イン・メディアス・レスといふこと、別な云ひ方をすれば、迅速に藝術的主題へ取付くといふことが、小說構成の重要な條件であることを意識してゐなかつたのだ。

　バルザックの性格描寫は、たしかに敬服にあたいする。殊に一つの性格の成立、及び變化、ならびに心理の發展々開について、その必然性を證明するための努力には頭が下る。しかし彼はあまりに饒舌である。必要以上に描きすぎる。讀者の想像力を輕蔑しすぎる。色彩だけ描けばいゝ場合に、音響や觸感を描き、更にその物の由來からその物の在る場所の歷史まで語り、その上、それらのことに一々形容を付し、更に又形容に形容を付して、類型から分離し、獨自性を附與しようとする。概念的描寫への嫌惡も、こゝまで來ると、その本來の目的を失つて一種の病的現象を呈して來る。殊に彼は事物の具體的描寫といふことについて、科學的な方法と、藝術的な方法とには區別があることを無視してゐる。無視しないとしても輕視はしてゐる。そのため、描寫が緻密なくせに文章が荒々しくなり、統一された情感に乏しく、屢々讀者を主題から突離し、藝術觀賞者の特權である高尙な感動を剝奪してしまふのである。

　バルザックの精神と方法が、日本的な藝術精神及方法と鋭く對立するものであることを、既に指摘した人があらうか。

　バルザック研究が旺んになることは結構なことだ。しかしバルザックから多くのものを學ばうと思つてはいけない。われわれがバルザックから學ぶべきものは、ほんの少ししかない。勿論、少しであつても、學ぶべきことは學ばなければならないが、同時に、日本的な藝術精神及方法と一致せず、しかも彼自身の文學の缺陷となつたものが何であるかを、われわれはとくと見究めなければならない。

§§ 新刊紹介 §§

別格官幣社物語　　新妻伊都子著

別格官幣二十七社の參拜手引と云つたもので、祭神の事蹟から例祭日、寶物、最近の交通案内にわたり詳細の說明を加へ、著者の史論も加味され、その上愛國百人一首を各項に分載して一つの愛國讀本として巧みに編輯されてゐる。青少年向圖書として推奬すべきものである。（二圓五十錢、東京芝區新橋四家庭新聞社出版部）

月例評壇

文學論の方向

東野村章

文學の史的考察の傾向が目立つ。これは今日、國民文學樹立に眞摯な努力をつゞけてゐる作家のある一方、まだ方向を持たぬ混沌たる世界を彷徨するものゝある文壇の、一つの模索の現れとみることが出來よう。しかし、新しい日本の文學としての國民文學樹立を前に、過去の文學者の歩むできた路に、新しい視點から考察を企てることは決して無意味なことではない。

「現代文學思潮」窪川鶴次郎著——文藝時評家としての窪川鶴次郎の位置は、動かぬ慥かなものがある。これは、昭和九年から文藝雜誌から何時か影をひそめた最近までの、文藝時評を集錄したものに、今次戰下に於ける文學者の使命といつた、批評家側からの見解を述べた長篇論文を添へたものである。文藝時評は、單に作品批評だけでなく、文壇に於けるそのときどきのトピツク、或は主なる思潮、傾向、論議への批判であつた。從つて集錄された文藝時評によつて、昭和九年以後の文壇的な問題を、此處にみることが出來るのである。

卷頭の「紀元二千六百二年への言葉」並びに、「新たなる展望に就いての覺書」と、「文藝時評」との隔たりは、無論、時代の隔たりではあるが、其處に少しの連がりもなく述べられてゐることに、一種の不思議な感動を受けるのである。

彼は「今日最も必要とされてゐることは單に自己への凝視においてゞはなく、作品への凝視において、その形式の中に自己の眞實の姿を見出さねばならぬ」といつてゐる。此處では「國民文學」と、新しい文學に對して分明とした目標を置いてはゐないが、新しい文學への要望には眞摯に取り組んでゐるのをみることが出來る。

「文藝五十年史」杉山平助著——明治から今日までの社會の流れの中に文學の動きを文學者、作品、傾向を解說しようとした杉山平助の努力は買ふべきだと思ふ。

たゞ、國民文學を、日本人によつて築かれた文學といつた範圍の中にみようとするみかたに飽き足りぬものがある。今日の文學のあるのは、過去の文學者の努力にあることに異議はないが、國民文學樹立のためにもう少し積極的研討があつてもよかつたと思ふ。

「現代の文藝評論」板垣直子著——滿洲事

變前後から最近に至るまでの文藝評論の傾向並びに評論家を注視してゐる。評論を通して近年の文學動行を史的に見、新らしい文學の樹立の礎石をその中に探らうとする。評論家に就いては、比較的批判のない折柄、かうした努力は一部の要望に答へるものと言へよう。

これにも「國民文學論」の一章がある。國民文學論は、「豫想されたる長期戰下に、國民思想を統一して戰爭の完遂を助けるため、また、國民の自らなる愛國的純情と發奮から自然發生的に」生れたとみてゐる。淺野晃の「國民文學論」に對しては、その主張は「ごく狹義の國民文學をさしてゐる。國民的感情をとくに强調した文學である」と言つてゐる。政治性をもつた文學、例へばハンス・グリムの「土地なき民」のやうな文學が、國民文學であるといふ確信から發せられた言葉にうづめられてゐるが、これは、平凡な常識的な見方に過ぎぬのではあるまいか。この程度にしか國民文學をみようとしないところに、どうして新しい文學の熱情をみることが出來るであらう。

過去十數年の流れの中に評論及び評論家を直視した努力に敬意を表するが、國民文學に關して、板垣の作家對評論家に於ける評論家の立場を一歩も出てゐるものではない。

「國民文學の構想」船山信一、日比野士朗、岩倉政治、村雨退二郎、福田清人、加藤武雄共著——國民文學論は一時的な流行に終つた。其處には、確固たる信念がなかつたからである。しかし、國民文學が將來の日本文學たる信念をもち續けるわれわれの前に、國民文學は嚴然として光り輝いてゐるのである。大勢は、過去の論を一擲して國民文學樹立に進んでゐる。その國民文學に就いての論文を集めたものとして最初のものであらう。

船山信一は、日本文化の面からみようとし、岩倉政治は、農民文學の中から國民文學の指針を摑まふとし、福田清人は、大陸開拓文學の面から、日比野士朗は戰爭文學の中から同じく具體的な方向を探らうとしてゐる。

それぞれの經驗を通しての眞摯な追究である。それらを全體的な視野から、過去の純文學の流れを一應檢討し、强固な信念の發露するところを理論づけ、追究する村雨退二郎の「日本小說文學の原理」は、正に、新らしい國民文學論であり、抽象的世界から作家の手に導く最初の力强い論文である。

加藤武雄の「國民文學小說論」は、やゝ語り盡されたことの繰返しの感がないでもない。が、此處に「國民文學論」が、具體的な新しい一歩を踏みだしたと言ふことが出來よう。結局、作品によつて實踐されねばならぬものだが、こゝまで追究してきたこれらの人々の努力を、更に意義あるものとするべく、より深い視點に注視の眼を向けねばならないことを痛感する。

「小說を書きながらの感想」上林曉——「文藝と共に」中島健藏——「現代の文學者」福田清人——「文藝隨感」高見順——を讀んだが、これらに就いては、また後に述べることゝする。

戸伏太兵の近作 「天誅組……」三篇

由布川祝

生鮮な切口をみせた一塊の寒鰤の切肉が

ぞつくり俎の上に載つかつてゐると、その斷面をのぞいたゞけで咽喉がグウーと鳴る。さしみに拵へて舌に上せると、口中で躍るやうな滋味を感ずる。あつさりしてゐてこくがあり、サラツとした脂肪が、齒觸りよく走つて、そのまゝ一片々々が自分の血肉と化するのでないかと思ふ。とても加工によつては作り出せぬ素地そのものゝ持味のすぐれである。

戸伏氏の小説に接すると、私はそんな快味を覺える。小説だけでなく、劇に飜譯に爲せば必ず一家の力量を示すのだ。稀しく多角的な性能をもつたエラ物が顯はれたものだ。こないだは、「ことばの民俗學」なる立派な本を出した。文學や言葉の吟味され始めた今日、言語文化史上貴重な資料となる權威書である。氏は、博覽强記、眞面目一方の學究者で、小説家以上の常識を身につけてゐる。

鰤の配給はさう多くなく、榮養價は高い。戸伏氏も今まではさうふんだんに小説を書かぬが、書けばきまつて旋風を起す。

氏の小説には、氏獨りだけのもつ體臭が强く染みてゐる。曾て直木三十五氏は〃直木の前に直木なく、直木の後に直木なし〃といはれる破格の技法をみせたが、戸伏氏の行く境地が、〃戸伏の前に戸伏なく、戸伏の後に戸伏なし〃の型を編み出してをる。勿論直木氏とはひどく異つた傾向だが非常に筆觸が躍動的で、大膽で、それから直木にない詩と、うるほひと、あたゝかさをもつてをる。

それに、音樂的である。音樂的といふ奇妙ないひ分には大分に説明が要ると思ふが今は、「リズム」がある——と、いふ程度に略しておかう。リズムといつても、某女流のやる變にたくんだ七五調風な、卑俗な表現をいふのでなく、高貴で、快適で、藝術になりきつた自然發生的なリズムである。これはしかし作者自身さへ意識してなからう。この音樂故に文章の調子が高まり柔軟性と彈力性とが添ひ、或る時は激湍のやう、或る時は沼のやう、或る時は春の野のやう、自然な變化抑揚が盛られるのである。

近ごろ、規格化し、硬化し、水分の涸れたやうな小説ばかり流行する中に、氏はこの惡い面の流行の外側に立つて洒蛙々々としてゐる。無論時局への反撥でなしに、それが正道なのだ。一つの魔力的存在だ。豐かな教養と知識の壺の中に千年ぐらゐ沈潛し、それから脱け出してきて藝術使ひになつたものゝやうである。

だから、氏の小説では考證、史實、教養の要素が、氏の技倆に屈服し、頭を下げてゐる形である。すなはちよくこれらの要素をリードし、自家の藥籠中に藏めて、變幻無礙の妙境に讀者を魅し去るのだ。

私は、本文では氏の近作中、天誅組を主題とする、

一、「天誅組乾十郎」講談俱樂部新年號
二、「十津川權八猿」文學建設十一月號
三、「だんびら祭」文學建設新年號

の三作についてものをいふつもりであつたが、前置だけに豫定のスペースをとつてしまつた。しかし上述の前置は、實はやはり右三作の批判に的中させたのである。

「天誅組乾十郎」パタリ、パタリ、と鮮やかな場面轉換で、天誅組行動の意義と、犧牲の姿を追求してゐるが、悲劇的な行き方でなしに、廣橋の椋十といふ御愛嬌な行者や、キザリ勝五郎といふ助勢志望の一途な

博徒を出して漫畫にし、一向肩を凝させない。而かもとるべきはとり、否定すべきは否定してゐる。「十津川權八猿」これは「天誅組乾十郎」よりもつと彫琢が爲され、攻める側と、守り退く側と、兩面から觀、權八猿といふエテ公を出して、動物小說として優れた型をみせると同時に、紅緒の銚で探偵小說的な山を盛りながら、主題の天誅組をヂリヂリ推し進めてゐる。

「だんぴら祭」作者と老人の對話で天誅組を側面描寫してゐるのだが、文久三年の過去の出來事を、慶應三年生れの老人と明治三十七八年生れの作者とが語る事によつてあゝも現實感を出させるものか、茲に解剖してみたい作者の頭腦の不思議がある。

以上三作とも、時代色、地方色、方言の使ひ分け、作者と素材との親近さ——名人の而かも十八番もの——いふべきである。

『オール讀物』『講談倶樂部』二月號

土屋光司

『オール讀物』二月號は『貝子』(丹羽文雄)で卷頭を飾つてゐる。——續報道班員の手記——といふ傍題に示されるやうに、ソロモン海戰に參加した主人公が歸還命令を受けてから、歸國するまでの途中の體驗を描いたものである。現地の人々の、たとへば若竹のやうな氣持が、よく描かれてゐて、正に銃後におくる報告書として佳篇であらう。戰爭といふ大きな機構のなかで、立派に任務を果してゐる方々に頭をさげる。

それから卷末の『彩色石器』(多田裕計)を讀むと、蒙古人を父とし、日本人を母とする青年が考古學者の令孃に對する戀心を清算して、蒙古のために起上る決意を固めるまでの話を、比喩や形容詞の多い文章で書いてゐる。これは北京といふ街を浮彫りさせるためであるやうにも思はれるが、その效果は擧つてゐるだらうか。作者は非常に苦心されてゐるやうだが、讀者の胸に殘るものが少いとあつては、その苦心は他に向けるべきであつたと思はなければならない。

私は一週間程前から、生死の問題をじつくりと考へた作品を書きたいと思ひながらそれに失敗した直後であつたから、『ある生涯』(芹澤光治良)は興味深く讀んだ。ここでは鄕愁に結びつけられてゐる。日本人の生命力の强さの一面がよく描かれてゐる。この山邊先生シリーズはみんな讀んではゐないが、この一篇は佳作に入るべきものと思ふ。しかし、この作者の筆致から感じられる弱々しさは、この作品でも邪魔になつてゐるのではあるまいか。

その後で『家』(和田傳)を讀む。この作者のものとしては、もつと優れた作品があるであらう。また、この作品のうちにも難點はあるかも知れない。しかし、これは立派な作品である。今の日本の都會にはなくなつた傳統的なものをじつと見つめて、そこから日本的なものを取上げるこの作者に私は敬服してゐる。この作者を單なる農民作家と決めてしまつてはならない。農民文學と國民文學との關係については既に述べられてもゐるし、ここではいはないことにするが、その問題を考へさせられる作品である。冒頭の落葉の描寫など實にうまく、農村の結婚問題によくマッチしてゐる。

それと並べて考へてみるべきものが『風——ある現場員の話——』(立上秀二)で

あらう。これは炭坑を見學したジャナリストに向つて、現場員が話をした形式を用ひて、十二月八日を機として、心理的に一大飛躍をとげた坑夫が描かれてゐる。前の『家』が内から見つめて書かれたものであるのに對して、これは外から見つめて書かれたものであるといへよう。坑内通風を題にしたために、いくらかの難を救つてはゐるが、調べた小說につきまとふ弱點がそこここに頭をもたげてゐることは否めない。

『講談倶樂部』の現代小說『理想の新婚』(鹿島孝二)と『千代の結婚』(寄谷あい)の二篇が共に親孝行で結婚を成立させてゐるのは、もちろん偶然ではあるが面白い取合はせである。前者には鹿島調が遺憾なく發揮され、懸賞當選作たる後者には稍々たどたどしさがある。從來の結婚觀が是正さるべきものであることはいふまでもない。結婚にも新しい理想が揭げられてゐる。が、その理想は地についてゐなくてはならない。結婚は理想と現實とから生れる。これは理想から生れて微笑に終る結婚小說である。

本誌の呼物は『女大作』(村雨退二郎)と『孤雁默霖記』(小山寛二)である。前者は『火術深秘錄』の後日譚ともいふべき相馬大作の妻綾の生活記錄である。作者は、運命に弄ばされる綾の苦難の生活にぢつと暖い眼を注ぎながら、人生の眞實を語らうとする。その淡々たる筆致のうちにも、稚氣をもつた秋山要助のやうな人物を交へて、興味ある一面をも見せてゐる。『火術深秘錄』の終りに近く書添へられた七行(二八三—四頁)がこの一篇の力作となつたことを喜びたい。

『孤雁默霖記』は幕末の奇僧默霖を描いたものである。この默霖については、寡聞な私なども屢々耳にし、小說的な人物であると思ふが、この一篇では作者の狙ひが一點に集中されず、それが却つて散漫な印象を與へてしまふことになつた點が、惜しまれる。たとへば、冒頭の(世にそむく者)では、作者は主人公の數奇な生れを描きながら、ピントは餘所に向けてゐる。假りにこの最初の四頁はなくても、作者が描かうとしたものは描かれてゐると思ふ。といふよりも寧ろ、それが却つて邪魔をしてゐる部分さへもあるのではないか。その他にもさうした所が見受けられて、それらがこの力作に瑕を殘してゐると思ふ。尙讀んでゐて必要以上に、漢語が多いことに氣がつくが、特に理由があるならば格別、さもなかつたら御一考を煩はしたく思ふ。

最後に、これはここでいふべきことではないかも知れないが、牧野吉晴『靑山白雲』には大きな期待がかけられる。まだ第二回だが、作者の氣魄は充分に感じられるし、その上思はず吹出さずにはゐられないユーモアはあるし、これは作者の一大力作たり得ると思ふ。一層の御精進を祈る。

棟田博氏
『俘虜』

戸伏太兵

十個の短篇を集めた作品集で、長篇戰記『臺兒莊』以外の氏の近業の大觀がこれで得られる。

氏の文業のユニークな要素をなすものが何であるかは、むしろこの短篇集の方に求められると思ふ。そしておなじ兵隊物の中でも、氏の文學的天分の、より多くうかゞはれるのもこの集であらう。

むしろ小説的構想よりも、洒脫と文學的香氣に於て獨特の味を持つ氏の作品の魅力は、遺憾なくこの集のどの作品にもあらはれてゐる。

就中、『記念日』は嘗ての『短髪器』と同程度の傑作だと思ふ。主人公從軍僧と善兵衞の偶會を中心に、殊に『分隊長の手記』以來の故鄕の方言を自由に使驅しての個々の性格描寫や、支那人、印度人の隣組の點出によつて、上海のローカル・カラーを出すことにも成功してをり、主人公偶會までの手順も自然で、ほゝえましい作である。

『剃光頭』は『短髪器』の續篇だが、これは前作には及ばず、やゝ索漠の感がせぬでもない。『突撃の心理』と『乳母車について』、この二作は殊に小説的構想がなく、純隨筆風なものだが、その心理分解の迫眞性に胸をうたれる。殊に僕は『突撃の心理』には色々と考へさゝれた。

『俘虜』は卷頭にある中編で、これまた隨筆風に、そして調べた作である。コクメイな記錄風なもので、小説的な盛りあがりはないが、これまた一の讀物たるを失はない。

『鷄をめぐりて』『女の日記』『十二月八日』『馬來便り』の四作は書翰體である。そのうち『女の日記』は、少々アマイが、明るい樂しい作だと思ふ。

『鷄をめぐりて』は功果上らず、漠々淡々たるものである。他の二作は先づ通信にとゞまつてゐる。

わが文學道

中澤巠夫

世のすがた人のすがたをうちまもりふみかくものはひたこゝろなり

敬ふをゐやまひまつり正しきは正しといひてふみかゝむとす

美しく清く明しきふみあけておほみたからのかてとなさむも

國のため大君のためふみ書きておのが心にうちかたむかな

國こぞり大御戰をたゝかふをふみかくもののわるれざらめや

小説家の制服

鹿島孝二

1

青年學校、青少年團は勿論のこと、民間のいろいろの團體に近頃は軍隊式の規律が行き亘つたやうだ。

僕の從姉なぞ、未亡人だが、先日訪ねたら黄色い聲を擧げて、併し小聲でしきりに練習してゐた。

「氣をつけ——右へならへ！」

婦人會の副班長になつたので號令をかける必要が出來て來たのださうだ。子供が傍で笑つてゐる。

「お母さんたら厭んなつちやふ。右へならへをかけて置いて、直れと言はないで、休め！　と言ふんだもの、皆な手を腰にあてたまゝまごまごしてゐた。僕極りが惡くなつちやつた」

「面白いね」

僕はユーモア作家といふ職業柄、いつかはこの微笑ましい風景を材料に使はうと思つた。町の商業組合といふやうなものにもこの規律は浸潤してゐるやうで、つひ昨日その光景を目撃した。

ある町で雜貨商をやつてゐる知人が亡くなつたので告別式に行つた。燒香の後、棺の出るのを送らうと思つて表に立つて待つてゐた。そこはさういふ人で一杯だつた。近所の人が多い。商店街だから酒屋の主人、煙草屋のおかみさん、小間物屋の娘、といふやうにそれぞれの商賣が身に表はれてゐるやうな人ばかりである。

時間になつて、靈柩車に棺が載せられると、それらの人々は、「□□通商業聯合會」と染め拔いた旗の下に整列した。中々秩序的だと感心した僕は、靈柩車が彼等の前を通る時に彼等の指揮者がかけた號令に、多少そぐはないものを感じ乍らも一層感心した。その指揮者は肉屋ださうだが、軍隊式の聲で號令したのである。

「頭――右つ！」

男は頭を右し、女は頭を下げた。

2

僕はこの規律の流行的現象を嗤はうとする者では斷じてない。それどころか、こゝに大きな意義を見出だす者である。

規律の流行化は、上からの命令もあらうが、それ以上に、國民自身が規律に服したい氣持になつてゐることの表れだと僕は理解してゐる。號令をかけられたい氣持が國民の胸の中にあるのだと言つてもよいだらう。單に行事の時だけでなく生活全般に、生活の信念に對しても。よい指導者から氣魄のこもる號令をかけられることを、無意識的に望んでゐるのではないだらうか？

この流行がまだ及んでゐない層はまだ幾らでもある。僕の屬する小説家仲間もその一つである。大きな會合の時は國民儀禮をすることもあるが、後はいさゝかもこの流行に染まない。

僕はこれをいゝことゝ思はない。僕は文士の規律制定から猶一歩を進めて、小説家の制服制定まで行きたいと考へてゐる。その意見を或る會で開陳した。

「僕は、上下と大小をとつちやつたら武士は無くなると思ふんだ。袈裟を着てゐる間は坊主は坊主でゐると思ふんだ。悪いことをしても袈裟に羞ぢながらするんだね。前垂れを捨てたらもう商人道は無い。さういふ風に、何も僕は形式論者ではないが、形と心とは伴ふものだと思ふんだな。で作家も日本的世界觀を今日確立すると同時に、その記念に新しい制服を制定し、規律を作り、その制服を規律のある限り、搖ぎなき世界觀を次代の作家に殘して行くといゝと思ふんだ。どうだらう？」

僕は語をついだ。

「一と目で小說家と分るやうな制服がいゝな。今迄の小說家といふと、映畫でやると必ず長髮で、だらしなく和服を着、ふところへ原稿をねぢこむのが常識だつたが、あんなのでは駄目だ。もつとキチンとしたもので、實用と美觀とをかねたものでなくつちや」

僕はもつと考へてゐたのだが言はなかつた。たとへば胸ポケツトに必ず素晴らしい萬年筆を、小說家は萬年筆をはさむことなので、武士が刀を魂とした如く、小說家は萬年筆を尊重するのは當然で、いゝ萬年筆を持つことが必要で、人の萬年筆を鑑定して、「これはプラトンだね、軸は合成樹脂、ペンはステーンレス、イリヂウムの工合も見事だね」

と褒めたりすればユーモアだと思つてゐたのだ。

「どうかね？」

友人の意見を訊くと

「僕は厭だなあ」

と藤澤が反對した。

「制服なんか着ちやつたら小說家はお仕舞ひだと思ふがな。小說家はてんでんばらばらでこそいゝんだらう。そこに個性があるんだと思ふんだ」

藤澤はマドロスパイプから煙を出した。藤澤は僕等のグループでは一番兄貴分で、小說に精進の度合も最も激しい男なのである。僕は平生彼を尊敬してゐるが、この點では尊敬出來なかつた。彼の自由主義的の色彩の濃いのを認めざるを得ないのである。彼も、僕にさう思はれるのを知つて、言つた

「かう言ふと君は僕を自由主義的だと言ふかも知れないが、さういふもんではないと思ふな」

それに對して僕は應じた。

「君こそ僕を便乘的と思ふかも知れないが、さういふもんではないと思ふな。猶よく考へて見よう」

3

僕は歸宅して、試みに愚妻らしい意見を叩いて見た。

「おい、小説家の制服を作つたらどうだらう？」

「可笑しいわ」

愚妻は常識的な頭しか持たないから常識的な答しかしない。その常識を以てすると作家の制服化は可笑しいのである。言ひ換へると、作家はだらしが無いといふのが世間の常識だつたのである。

愚妻は氣がついたやうに言つた。

「あゝ、小説にするんですか？」

滑稽に扱ふんですかといふ意味である。

「さうぢやないよ。眞面目な話だよ」

「會でそんな話が出たんですか」

「いや、僕が考へたんだよ」

女房を相手に辯じたところで仕樣が無いが、少しばかりしやべつた。

「國民服といふものが出來てるんだから、あれを着ればいゝやうなものだが、あれは實用的でないと僕は思ふんだな。僕等は大部分家にゐて疊の上に坐つて仕事をしてゐるのだらう。その時國民服のヅボンぢや坐り辛いよ。國民服は外出用にだけ出來てゐて、家庭着には不適當なんだな。それを何とか工夫して、家で着てよし、外出に良し、しかも外觀もスマートといふものが作れるといゝんだな」

「服飾の研究をしてゐる人に相談するといゝのね」

「さういふ人居るかな？」

「眞山さんなんかどうかしら？」

「眞山さんて何だい？」

「女學校時代のお友達。洋裁學校の先生で服飾の研究をしてゐるんです」

「どこにゐるんだいその人」

「××町よ」

「旦那は何をしてる人だい？」

「まだ獨身なのよ。アパートにゐるんですつて」

「へえ。何故結婚しないんだらう？」

「何故ですか」

「まづいのかい？」

「さうでもないわ。一生獨身で研究するんですつて」

「勿體ないなあ」

僕はその女性のアパートへ訪れることを空想した。僕の空想は悪い方へ走つた。僕の嘗て讀んだ小説は、讀者をしてさういふ惡い空想ばかりをさせるやうに書かれてゐたのだ。妻――僕――妻の友達、さういふ三角關係が直ぐ空想される。

僕は顏色にも出さずその空想を消し去つた。光榮ある國民文學作家が、汚れた生活をしてゐゝ筈は無い！　かゝる惡心が起るのも、自由主義的な環境そのまゝの中に生活してゐるからだ。

國民全般が新しい服、新しい規律の下に服すべき時だ。小説家も亦制服を着よう！　獨自の規律を作つて從はう。

「バッヂでもつけたらどうですか？」

と愚妻は言ふ。平凡な考へである。

「駄目だ。そんな程度で作家の魂まで浸みこんだ自由主義が拂拭出來るもんか！」

4

僕は制服制定論を日本文學報國會に提言しようと考へた。小さなグループの中だけで論議してゐる問題ではない。事は日本の全小説家に關することなのだ。

どうどうの反對論が捲き起ることを僕は豫想してゐる。中には、純文藝作家と大衆作家と同じ制服では厭だと言出す者があるかも知れない。さういふ人間を説伏するには國民文學論を以てしようと思ふ。國民文學こそこれから來るべき文學で、純文藝の大衆文藝のといふのは制服無き時代の文藝であると知らせねばならない。

制服のことゝ關聯して規律のこと、その中の號令のことも僕は考へてをる。武の軍隊式とは全然趣きを異にした文の吾々の規律、號令を確定しなければならない。

「氣をつけ！」

といふ代りに、昔の警蹕の聲のごとく

「シーッ」

とやつてもいゝではないか。或ひはもつと意義明瞭に、

「威儀を正して」

と言つてもよからう。

とにかく特殊の、確たる規律を作る必要がある。老人連には之を敎へても中々呑込めまいから、文科大學で必ず敎へる。或ひは「文藝塾」といふやうなものを作つて、そこで新人を

養成する。

その結果、小說家と言へば世にも禮儀正しい人々となり、昔武士が仰ぎ見られたやうに、流石は「文士」だといふことになり、天下の儀表とされ、制服を見たゞけで敬意を拂はれ、汽車電車へ乘つては席を讓られる――ところまで行きたいものだと思ふ。文士の地位向上の爲に思ふのでなく、さういふ階級が出來て、それに率ゐられて日本の精神文化が高くなるのを願ふのである。

で切なるこの念願を論文の形式でなく、得意の小說體を以てこゝに記した次第である。（をわり）

白衣の歸還（三）

岩崎榮

せッちゃん

2

唐澤兵長と、ウー・サニョン氏、並びにせッちやん一家との交渉を、根掘り、葉掘りといふ訊き方で訊いてゐると、高光君が、ようそんな突つ込づね方をするもんやな、わしら、なんぼうにもようせんと、多少の反感を含めた感心のしかたをする。

これが小說家氣質でね。職業が身についちやつたんだと、自から非難する口調で辯解すると、急に唐澤兵長が乘り出すやうな身構えになり、話してあげませう。僕とせッちやん一家との關係をね、事實は小說よりも奇なりですよと、陳腐な形容詞を前置きに、だいたい次のやうな事情を物語る。

唐澤の姉は、東京で看護婦になつてゐた。だから唐澤も高等小學を卒業すると、郷里から出て來て、姉の下宿に同居し夜學の工業學校に行つてゐたが、樋口上等兵とは正反對の性格をもつ彼は、秀才青年のやうな風貌をして、よく神田から銀座あたりの、喫茶店や、レストラントなぞを泳いで廻つた。そのうちに、或る高級な食堂で、行くたびに見かける夫婦ものがゐた。唐澤のことだから、すぐ懇意になり、二三度會へば十年の知己であるかの如くに振る舞ふ。郷里は、その夫人と同鄕。姉は看護婦——その奥さんも、もとは看護婦——ぢやア一度、宅の方へ、姉さんと一緒にいらつしやいなといふことになる。早速姉をつれて訪問する。主人は、ウー・サニヨンと云つて、ビルマ人なのよと、奥さんが紹介すれば、唐澤はすぐに英語で話しかける。英語と云つたところで、全然ものになつてはゐないのだが、一を識れば十を推し、十を知らずと雖も、百を辯ずる彼だからなんとか彼とか推し捲る。ウー・サニヨンは早稲田大學の理工科を卒業した男だから、田舍出の唐澤などよりはよほど正しい標準の日本語を話す。しかも、これがまた多辯の士らしい。自分に弟があつて、これも早稲田の採鑛冶金をおさめ、日本婦人と結婚したが、それが死に、やがてその弟も死んだ。遺兒は貞夫と云つて、荒木貞夫大將と同じ名前で、いま自分の家に引き取つてゐることだの、この自分の妻は、さる醫者の妻君になつてゐたけれど、その人に死なれ、獨身で、一人の男兒を育てゝゐたところを、自分と戀戀結婚したことだのを說明する。そこへ國民學校の三年生くらひな女の兒が歸つてくる。色が淺黑く、すこし反ッ齒だけれど、可愛い顏をしてゐて、おそろしく早口に喋る。

あらさうオ、お母アさんと同鄕なの？　同鄕つて、おくにが同じことなんでしよ。お國は中部地方？　關東地方？　あらさうオ。泊つて行くの？　歸るの？　泊つてゐらつしやいよ。お母アさんにビルマ料理つくつて貰つて食べませうよ。それアおいしいわよ。このお父うさんビルマ人なのよ、お母アさんと國際結婚したのよ、愛に國境なしつてどういふこと、知らない？　おバカさんね——父親のウー・サニヨンはおよそ可愛くつて堪らないといふ表情でにこ〳〵するが、母親は冷然として、うるさいから外へ行つて遊びなさいと叱る。叱られても、これがまた平氣で、ゆつくりしてゐらつしやいなと挨拶し、勝つてえくるぞと勇ましく……を唄ひながら、どこかへ駈け出して行つた。

その女の兒が、せツちやんなのだが――さて、唐澤はその冬徴兵檢査に合格入營し、やがて出征、南支那に轉戰、大東亞戰爭とともに泰國に渡り、泰――緬國境の山脈を踏み越え、サルウイン河の渡河戰を皮切りに、ビリン河、シツタン河の激戰を闘ひ、ペグウでは敵陣の後方迂回に成功し、隨所に敵を追ひまくり、勝に乘じ、一氣にラングーンへ殺到した。そのときは、夜もすがらの戰闘と行軍をつゞけた早朝であつた。ラングーン郊外の、林の中の、廣いアスフアルト道路に、ミルクのやうな霧が流れ、青々とした熱帶樹の梢から、旭光をうけて金のやうにきら〳〵する露が降つてゐた。月餘の汗と戰塵に泥塗れのやうな日本軍隊が、負傷者や、戰死者を牛車に乘せ、默々として、並樹の霧を泳いで行く。その行くての、廣い道路から、ちよつと右の方へ三〇メートルばかり折れ込んだところに、青い竹藪を背にした、木造西洋風の、あまり大きくない一軒家があり、そこの門前で、霧の中に一本の、日の丸の旗が浮かび上下にゆるく振られてゐる。振つてゐる人の姿は、霧の中に、たゞ朦朧と見透かされるだけで、男女は判然しない。

何か呼びかけ、頻りに叫んでゐる。女の肉聲だつた。唐澤兵長が、足を停め、ぢつと耳を聳てるやうに聞いてみると、それは、日本語で、お早う……ばんざい。お早う……ばんざい――と繰り返してゐるのだつた。

二三人、前列の方から、兵隊が、その女のところへ走つて行き、すぐ何か食ふ物を貰つたらしく、頬張りながら歸つてくる。また四、五人五、六人と駈け出して行く。唐澤も樋口も、重傷者を乘せてゐる牛車を、そこに置いて駈けつけた。

お早う……ばんざい――を叫びつゝ、大童になり、二三人の女を督勵しながら、湯茶や、パンなぞの接待をしてゐる女は三十から四十までの年配らしいビルマ婦人だつた。

「お紅茶もありますよ」

鮮やかな日本語の、しかも少女らしい冴えた聲が、初音に聞く鶯のやうに兵隊たちの胸をときめかした。唐澤が、ふとその聲の主をみると、これは、東京で識つてゐたあの、せツちやんによく似てゐる。あまりだしぬけの奇遇だから、まさかとは思つたか、唐澤は默つてはゐられなかつた。おい、せツちやんぢやないか。僕、東京でよく、キミの家へ行つた唐澤だよ。と云つて、その少女の肩に兩手をうちかけた。

「あら」

　と眼を丸く、瞳を据ゑて、ぱち〳〵とまたゝいた少女は、

「うん、知つてるわ。カラサワさん」と云ひながら飛びついて來た。いつからこつちへ來てゐたの？　去年よ。お母アさんも一緒？　えゝ一緒に來てたんだけど、英國人につれてかれちやつたの。そいつア！　と唐澤は傷ましい眼つきをしたが、せツちやんは平氣で、サアヴイスに駈け廻りだした。それをまた取り押さへて、お早う……ばんざい女史を紹介して貰ふ。この女史は、せツちやんの叔母さんで、お父うさん、ウー・サニヨンの妹。そのほか二三人そこにゐて、お茶やなにか配給してゐる婦人も、皆ウー氏の姉や妹たちだつた。

　ウー・サニヨンは、こゝにゐるのかと訊いてみた。この家にはゐない。彼の家はあそこだと、五六間先きの一戸を指さす。その家から一臺の自動車が動き出し、廣い街道の方へ辷つて行く。あれは兄が運轉してゐるのだと、その女史が云ふので、追つかけ、呼びかけてみたが、聞えずに行つてしまつた。

　その日は、そんなことで、そのまゝラングーンへ進入し、二三日經つてから、また唐澤兵長は、ウー・サニヨンを、その村に訪ね、舊交を溫め、彼を軍の世話役、兼通譯にして貰つてやつた。

　と、まづさう云つた、唐澤とウー・サニヨン一家との關係だつた。

　高光君も食慾が無くなつたし、自分は、印度人のコックが煮るものは、匂ひだけでもう胸が惡くなり、何一つ口に入れる氣がしなかつた。唐澤兵長が、コックを呼んで來て、變な英語で、お粥を煮ろと交渉したが、お粥といふ言葉が、どうしても通じない。お粥といふ英語はどういふですかと訊く。そんなこと知つてるくらひなら、自分で、とつくに命じるんだがと云へば、畜生め、あほうだなユウは、と云ひながら、ソフトライスだとか、メニーウオタア、エンド、リツトルライスだとか、苦心慘膽しても、てんで通じない。唐澤兵長の妖しい英語と、遜色のない程度に、印度人の英語も怪しいのだから、どこまで行つても、その會話はクロスしなかつた。印度人のコックと、部屋受持の給仕パルデスとは、共に善良さうな顔を、當惑に曇らし、ベリイソウリイとばかり繰り返す。ついに業を煮やした唐澤兵長は、樋口上等兵を殘し、獨で自動車を運轉してどこかへ出かけた。

宿舎と宣傳隊本部との間を連絡し、われわれを朝夕乘せて運搬するトラック運轉手の岡村が、まッ黑な印度人の少年をつれて來た。岡村は、この少年を、こいつア私の唯一の乾兒で、ガンモドキといふ名ですと紹介した。ガンモドキとは、妙な名だと思つたが、その少年も平氣で、おい、ガンモドキと呼ばれ、イエスと答へてゐる。

「おいガンモよ、お前はなア、この旦那のなア、この脚を、かうやつて按摩してあげてくれんか」

岡村は、そんな云ひ方で、ガンモドキを自分のベッドにつれて來て、痩せた足に捉まらした。

「さう〳〵、さうやつてなア、三十分揉むんやぞ、えゝか！この時計が、いま、これ見いや、一ルーピイと四十アンナやろ。そやさかいに、この針が、こゝへ、この二ルーピイと十アンナのとこへ來るまで揉むんやぞ、えゝなア、判つたやろ」

岡村は、時間をビルマ通貨の名稱で指示してゐる。しかも大阪あたりの言葉を、そのまゝ强引に直通させようとしてゐるのだがガンモドキ少年がまた、心得たもので、大眞面目にイエス！　オーライ！　と頷く。偉いものだなアと、高光君が感心する。尤も岡村は、いかにも大阪あたりの人間らしい押しの强さを多分に持つてゐて、ビルマ人にでも、泰人にでも、印度人にでも、同じように「你！來、來」で呼びかけ、そのあとは、日本語で飽くまでも推し通してゐる。

三十分揉んだら十錢ばかり遣つとくんなはれ、こいつ、コック頭の子倅やさかい、また、いつでも役に立ちまつせ。と云つて、部屋を出て行つた。ガンモドキは、地面を歩き廻つて來た裸足をそのまゝ、ベッドの端に上り込み、熱心にマッサージを始めた。

足音が入り亂れ、開けつぱなしの扉口から、唐澤兵長が、子供を三人引きつれて現はれる。その中に十二——三くらひな可愛い女の兒が一人交つてゐた。何か風呂敷に包んだものを提げてゐる。あゝ、これが例の、せッちゃんだなと、すぐに感じた。

唐澤兵長は、ビルマ人がよく持つてゐる布の袋を肩にかけてゐた。その中から、飯盒で煮た粥と、バナナを一房取りだし、こいつをつくつて來たですよと、額の汗を拭く。せッちやんも、風呂敷包みから、カットグラスの丼に容れた胡瓜揉を出して、卓の上に置き、これあたしが拵えて來てあげたのよと、自分の方へ、既に、女の艶を湛へた流し眼をくれる。

新鮮な胡瓜の香りが、飢えて久しい胃の底を、強く刺戟して、しみじみとした人情がつい、不覺の泪となつて、鼻の奥をつき上げてくる。それをごまかしながら、

「せツちやんの御親切は、一生忘れないよ」

と、本氣で、心の底から禮を云つた。

「あら、あたしの名前知つてんの、おぢさん。なぜ？　唐澤さんに聞いた？　だつて、このあたしの顔が、せツちやんの顔だかどうかつてこと知るわけがないぢやないの」

なるほど早口だ。何か物に躓くやうに、あとから、突つかけて出るやうな言葉使ひをする。

二人の男の兒の大きい方は、貞夫さんといふ兒で、せツちやんの從兄だつた。これも色が淺黑く、すらりと細長い體質の、十六か七くらひの少年だつた。上唇が、心もち反つくりかへつてゐるところがせツちやんとの血筋を示してゐる。

も一人の少年は、親類の兒だと、せツちやんが說明し、この人は純ビルマ人よと附け足し、その語尾をすぐ、自分の脚を揉んでゐるガンモドキに持つて行き、なにか印度語で話しかけた。


（續く）

悲境

厚い灰色の雪雲の、僅かな隙間から漏れる薄ら陽が、すゝけた障子を明るく染めた。

裏の水車場から、がらがらがらがらと、ガラ紡機が動いてゐる音が、聞えて來る。辰致は、うつとりと、その音を聞きながら、手にした鹿島紡績所の發行した木版畫「綛絲(よりいと)器械圖」を眺めてゐた。

内國勸業博覽會の鳳紋賞受賞は、全國に喧傳され、臥雲式綿紡機は、開會中に、賣約が豫約され、連綿社へも、相當注文があつた。然し、辰致の生活は、決して樂にはならなかつた。辰致は、東京から歸つてから、又新らしい情熱をもつて、改良機の製作にかゝり、新らしく作つては、氣に入らずに、こわし、又新らしい工夫を加へては作る。こんな事を操りかへしてゐるのだから、少しばかり、金が入つても、それを生活の方へまわす餘裕はなかつた。

おかねは、せつせつとガラ紡機をつかつて絲をとり、それでやつと生活の方は細々とやつてゐるのだつた。

けれども、家の中は、幸福だつた。ちようど、今日の空のやうに、暗い雲の切れ目から陽の光を見るやうな、幸福であつた。

一時は、相當よかつた連綿社の器械も、この頃は、ばつたり賣れ行きがとまつてしまつたので、辰致は、少し不安を感じ、一日も早く改良機を賣り出したいと、少しあせり氣味なところがあつた。

「臥雲さん――」

障子の外の聲に、

「なんだね。鈴木さん――」

と、辰致が障子をあけると、頭から綿屑をかぶつた男が、緣外に立つてゐた。

愛知縣幡豆郡横須賀村の鈴木六三郎だ。六三郎は、博覧會で、臥雲式綿紡機を見て、感心した一人であつた。いろいろ考へた末、機械を購入することを決心し、又その技術を學ぶ爲に、はるばる辰致を訪ねて來たのだつた。そしてもう、二三ケ月も松本に滯在してゐた。

辰致は、この熱心家の出現を非常に喜んで、機械の運轉や綿絲製法を傳へた。

「どうです。もう使へるやうになりましたらう」

「お蔭さまで、すつかりのみこめました。國からも、早く歸つて來いといつて來ましたから、實は明日にでも歸らうと思ふのです」

「さうですか――一つ大いにやつて下さい」

「ついては、機械を二臺、後から送つて下さい」

「ようしうございます。連綿社からすぐ送らせませう。あんたの國は三河木綿の本場だから、がんばつて下さいよ」

「やります。臥雲さんの機械をひろめますよ」

六三郎は、約束して、肩の屑綿を拂ひのけながら、歸つていつた。

辰致は、羽織をひつかけて、すぐに連綿社へ出掛けた。

連綿社は、がらんとしてゐた。土間に三臺ばかりの器械が埃にまみれて置いてある。一時は、注文が、殺倒して、器械の製作が間に合はぬ位で、いつも荷造りでごつたかへしてゐたが、こゝ半年程、ぱつたり賣れなくなつたので、事務所は閑散をきわめてゐた。

奥の事務室に、開産社の杉浦が、股火鉢をして、ぼんやりと、窓硝子に羽を縮めてゐる蠅をみてゐた。

「杉浦さん——三河の横須賀村へ二臺、五十錘のを送つて下さいよ」

「おつ……。臥雲さん——」

杉浦は、こゞんで、火鉢の火をかきおこして、

「すぐに送らせやう。これで、手持ちは、まあ捌けたが……」

と、低く呟いた。

「また新らしい販路が開けましたよ。私のとこにゐた鈴木といふ男が、郷里へ賣り弘めるといつてゐますから」

「臥雲さん——さうなれば、結構だが——でも、駄目だよ。實は、この連綿社も解散しやうといふ話が出てゐるのだ」

「えつ——そりやどうしてです。折角、博覽會以來少し調子が出て來たところじやないですか、商賣ですから、少しは波がありますが、又、景氣がでますよ」

「臥雲さん。それがどうも我々の見通しでは駄目なのだ。河合君が、どうもかう早く賣れ行きがとまるのは變だといふので、實は、販賣先へ出張して調査して來たのさ。所が先へ行つて見ると、何處でもがらがらがらと大層な景氣なのだ。よくよく調べて見ると、臥雲式は臥雲式だが、連綿社製ではなくみんなその邊の大工、ブリキ屋連の作つた模造品なのだ。だから、一臺賣れば、後は、誰でも眞似して作つてしまふわけさ。臥雲式はどうも、あんまり簡單で、いけないのだ。大工やブリキ屋は儲けるが、我々は、みんなに儲けさせる爲に、見本を賣つてゐるといふつまらん役割なのだよ……。辰さんも、もう少し秘密なところをこしらへておけばよかつたんだが……」

「…………」

辰致は、じつとうなだれて、火鉢の中の赤い炭火の光をみつめて、しばらくは、何もいはなかつた。機械が賣れるやうになれば、いくらか樂になるだらう。機械を買つて下さる人々には、いくらかでもよい機械を賣つてあげたいと、そればかりが、念願であつた辰致は、まさか、他人の苦心した發明がどんどんと眞似されやうとは思はなかつた。

その頃、日本には專賣特許條令はなかつたので、發明を保護することは出來なかつた。明治初年に一時、それに類する

ものが出來たが、殖産興業を急ぐ政府の政策は、發明の個人の利益を擁護するよりも、新らしいもの、國家有用の發明は、どしどし眞似をして、大勢でそれを改良して、日本の産業に役立せる方が先だつたからである。

辰致は、やつと顔を上げて、

「仕方がありません、私は、臥雲式綿紡器が、世間の人の役に立つてゐるといふことだけで滿足です。しかし、まだまだ、不完全なものですから、もつと立派なものを作ります。もつと能率があがり、もつと立派な絲が出來るやうになれば、きつと又、私の機械を買ふでせう」

さういつて、辰致は、腰を上げた。

「届先は横須賀村の鈴木六三郎です。代金は爲替取組みでおくるさうですから……」

辰致は、念を入れて、届先を紙へ書きのこして、連綿社を出た。

杉浦は、冬のうすら陽の中に、しよんぼりと歸つて行く、辰致の後姿を窓硝子越しに眺めてゐたが、瞳が、次第に涙に曇つて、辰致の辛苦にやつれた姿がぼうとにじんだやうに見えた。

（氣の毒な……。）

杉浦は、さう呟くだけで、辰致をどうしたら、樂にしてやれるかは、考へ及ばなかつた。

不屈の闘魂

もうあきらめてしまふだらうと、誰も考へたのであるが、辰致は、絶對に、ガラ紡改良をあきらめなかつた。

赤貧洗ふやうな生活をつゞけながら、がんばつてゐた。

子供には惠まれて、辰致は三人目の父になつた。

明治十三年、畏くも　明治天皇は、地方民情御視察の爲、車駕を中仙道にすゝめ給ふた。

六月二十三日龍駕は、信濃路にいらせられ、二十四日鹽尻峠を經、桔梗ケ原を通御、松本の行在所に御着輦あらせられた。そして翌日、開智學校に臨御あそばされ、校内に陳列した古器物、物産等を叡覽あらせられたのであつた。

近郷近在の人々は、光榮の行幸を拜さうと、二三日前から松本に群れ集つてゐた。

辰致の發明した綿紡機は、天覽の光榮を浴することとなり、校内の一部に陳列されてある。この光榮に戰きながら、開智學校の門前の附近で、土下座して、陛下の御臨幸を奉迎した辰致は、御馬車の車の音が聞え始めてから、それが聞えなくなるまで、地にひれふしたまゝ顏をあげなかつた。

還御の折も同じであつた。

沿道を埋めてゐた人々が立去つた後も、辰致は、土下座したまゝ、ぼんやりとしてゐた。校内から、出て來た杉浦が、辰致のその姿を見付けた。

「臥雲さん――臥雲さん……」

呼ばれて、我に返つた辰致は、やつと立上つて、裾の泥をはたきおとした。

「臥雲さん。光榮ですぞ、名譽なことですぞ」

杉浦は、我が事のやうに、昂奮した口調で、臥雲式綿紡器に、特に御目をとゞめさせられたと語つた。殖產興業に注がせたまふ大御心のいや深きに、辰致は、身內のおのゝくのを禁じ得なかつた。

（陛下の御目にとまつた。なんといふ譽であらう――この光榮に酬ひ奉るだけの事を、自分はしてゐたであらうか）

杉浦と別れた辰致は、自らの心を責めながら、北深志の自宅へむかつて步いてゐた。

全久院の前の石橋の所まで來て、ぼんやりと、小溝にあふれる水の流を見つめた。

ふつと何氣なく、眼を石橋に移した辰致は、溝に架けられた橋の横に。彫りの深い文字を見付けた。はつきりとは讀めないが何々居士といふ文字であることは確かである。墓石が橋材に用ひられてゐるのだ。明治四年の松本藩知事の廢佛棄釋はこのやうな石塔破壞にまで及ぶ徹底したものであつた。

あれから、丁度十年たつた。

辰致は、無限の感慨に耽つて、橋際に佇んでゐた。

すると、石礫のやうな勢で五つになる長男が、走つて來て

「お父ちやん」と、どしんと體をぶつつけた。

「おつ……。坊や。危い――危い」

いそいで抱き上げる辰致の傍へ、赤ん坊を背負ひ、右手に三つになる長女の手をひき、左手に重さうな風呂敷包みを提げたおかねが近寄つて來た。

「大變だつたね。どうだつたい。駄目だつたか」

妻の瞳の色で、それを察した辰致は、つとめて明るい聲でいつた。

「えゝ……」

おかねは、俯眼になつて頷いた。

「無理な頼みだからな……」

辰致は、來年の第二回内國勸業博覽會に、是非改良を加へた機械を出品し、その價値を、世に問うて見たいと思つたが、その機械を作る資力がなかつた。開産社には、相當義理を重ねてゐるので、さうさう迷惑はかけられないと思つて、最後の頼みの綱と、妻を實家の川澄へやつて、資金の融通方を頼んだのである。

然し、西南戰爭以來の世間の不景氣は、さうでなくとも、現金の少ない農村を、いよいよつまらせてゐた。

「まあ――なんとかなるさ。まだ心當りがあるから――坊やはお母ちゃんと一緒に、先へおうちへお歸り……」

辰致は、抱いてゐた長男をおろして、開産社の方へ戻つた。

自分の作つた機械をつかつて、相當手廣くやつてゐるものも、二三人あつたので、それを順にたづねて、頼みまわつたが、決局は無駄足で、夕方になつて、重い足を我が家へ向けた辰致は、杉浦の家の前を通つたので、ちよつと挨拶に寄つた。

辰致の冴えない顏色を見て、杉浦は、親切に、いろいろきいた。辰致も、杉浦には、心安く話せた。

「さういふわけなら、出品用の機械だけは開産社で作らせやう。博覽會で、その機械が賣れゝば、開産社に損はかけずにすむし、賣れなかつたら、會社で引受ければいゝから……」

杉浦は、さういふ條件で、引受けてくれた。

ほつとした辰致は、妻にこの吉報を早くしらせたいと思つて、夕飯でもといふのを斷つて急いで家に歸つた。

第二回内國勸業博覽會は、明治十四年三月一日に、前回に倍する規模で開催された。

五月になると、博覽會事務局から、審査の結果、受賞されることになつたから、六月十日の褒賞授與式に出席するやうに通知が來た。機械は賣約されたので、杉浦には迷惑をかけずに濟んだが、辰致は、窮乏のどん底にゐた。

「おかね――こんどは進步二等賞だよ」

と、博覽會からの通知書をおかねに見せたが、おかねは、四角い文字は不得手なので、ちよつと見ただけで、

「二等では殘念ですね……。折角苦心して」

「うん――私も、さう思ふ。もう一息といふ所だつたが……。それで相談があるのだよ。私は、もう少し研究したい。しか

し、もう松本では、私に資金を貸して呉れる人はない」

辰致はちよつと苦笑に顔を歪めた。

「臥雲辰致は、商賣にならない事で夢中になつてゐるといふ評判だからね。それで、私は、決心したのだよ。草深い所で研究してゐても仕方がないので、褒賞式を機會に、東京に行つて見やうと思ふのさ。東京なら廣いし、私のやうなものに研究費を出して呉れるものがゐるかも知れないから……」

「大變結構です。けれども東京へ住むとなると――」

「先立つものは金だ。今、家で使つてゐる機械が二臺ある。一臺を賣り、一臺は私の研究用に東京へもつて行きたいと思ふ……。實は川澄のお父つさんにも相談したのだが、やつて見ろといふことなので、お前と子供達を預かつて貰ふことにしたのだ。すこしの間の辛抱だが……」

「…………」

おかねは、うなだれて、膝の上へ眼を落してゐた。

「辛抱して呉れぬか――子供を三人も連れて實家の厄介になるのは心苦しいだらうが……」

「いゝえ。妾の苦勞なんか……。さういふことにいたしませう……」

おかねは、強くうなづいて、涙にうるんだ瞳に、きつと夫を見まもつた。

救ひの手

身にしみる夜寒に、辰致は、はつと夢が破れた。そして、前面華やかな會場の中央には、彼一人だけゐた。そして、前面に玉座が設けられてあつて、天皇陛下の神々しいお姿が、まぢかに拜された。總裁北白川宮能久親王殿下が、直々に進一等賞の賞狀を賜はるのであつたが、それがどうしても身がすくんで頂くことが出來ない。體内中は、冷い汗にじつとりと濡れ、ぶるぶるとふるへる。副總裁の席には内務卿松方正義、大藏卿佐野常民が、じつと、彼を睨んでゐるのだ。六月十日の褒賞授與式そのまゝの式場の夢なのである。

博覽會が終つた後、辰致は、九尺二間の裏店に住んで、郷里から持つて來た機械を、幾度か改良を重ねて、研究してゐたのだつた。

寒くて睡られないので、その儘起きた辰致は、七輪に炭火を起して、土鍋で粥をたき初めた。

熱い粥をすゝり込むと、身體がやつと暖まつた。

すぐに、試驗用の篠巻をつくり初めた。

しかし、この改良試驗をする綿を買ふ金もなくなつてゐた。辰致は、今まで使つてゐた掛蒲團をほごして、綿を引き出して、篠巻をつくるのである。もうとうに敷布團の綿は、綛に化け、その綛は、粥にかわつてゐるのである。

蒲團の綿をむしりとつては、柔かくほごして、筒につめてゐると、洋服を着た若い見知らぬ男が、辰致を訪ねて來た。あまりの貧窮さに、その男は、びつくりして、名刺を出すのさへ忘れてゐた。

「私は臥雲辰致ですが、何か御用でせうか」

といふと、男は、あわてゝ、大藏省六等出仕と肩書のついた名刺を出した。

「實は、僕は、博覽會報告書の編纂をやつてゐるのです。それで、いろいろお話がうけたまはりたいと思つて、お訪ねしたのです」

さういつて、じろじろと、辰致の手許を見て、

「それが、原料ですか」

と、訊ねた。

辰致は、照れ臭くなつたが、今更隱すことも出來ず、試驗用の綿が買へないので、蒲團の綿を使つてゐるのだと、あけすけにいつて、はつはつはつはと笑つた。

この編纂係員は、なんとも云へない顏色で、しばらくの間、默つて、辰致を見てゐた。

「あなたの御熱意は、これで充分判りました。僕は義憤を感ずる。あなたの發明のおかげでどれ位の人がうるほつてゐるか判らないのだ。それなのに、あなたを、こんな所へ投げ込んでおいて知らぬ顏をしてゐる。今東京府下だけでも、このガラ紡を使つてゐるのは、百五十軒位あるのだ。それがみな相當に成績を擧げてゐるのに……」

その男は、年は若いが、正義派だと見えて、後に編纂された第二回內國勸業博覽會報告には、この悲境を、はつきりと書いた。

「槖資全く竭きて餘なし、衣服敝垢復た用ふ可らず。天又寒に向ふて綿衣なし、乃ち竊に臥被の胎綿を抽出して綛となし自ら織りて衣となすに至る——天道是か非か」

(あゝ、天道是か非か)

若い男が、訪問してから、四五日經つて、立派な紳士が、この裏長屋の路次口へ、人力車の梶棒をおろした。

裏長屋のおかみさん達が、眼を丸くして、紳士をじろじろながめた。紳士は、辰致の家の、戸を叩いた。

戸を開けた辰致は、入口に立つてゐる立派な紳士の姿に驚き、その紳士が今廟堂に時めく、大藏卿佐野常民と氣づいて二度びつくりした。

佐野大藏卿は、部下のものから、辰致の窮乏の報告を受けて、すつかり同情し、辰致を迎へに來たのだつた。

全く思ひもかけない救ひの手であつた。

佐野は、辰致に助手をつけ、資金を出し、いろいろと激勵した。

この天の與へた幸運の惠みに、辰致は溺れるやうなことはなかつた。

生命がよみがへつたやうな氣持で、殆ど寢食を忘れて、改良に改良を重ね、その度に佐野の批評を仰いだ。しかし、もう一息といふ所までは來たが、もうそれ以上は、どうにもならなかつた。

既に十年の博覽會の折、鹿島萬平が指摘したやうに、ガラ紡の缺點は、永久に缺點であり、美點は、又永久に美點であつた。應用家は、その美點を助長して、之を有利に利用するのであるが、發明家は、缺點の克復を理想とする。辰致の行詰りは、この點にあつた。もうガラ紡器としては、實は、窮極の點へ來てゐるのである。これ以上は、この簡單な構造の機械では不可能なのである。然し、不可能を可能としやうとする所が、發明家の夢であり、悲劇でもあつた。

三ケ月といふものは、すつかり停頓狀態で、呻つてゐた。

氣の小さい、人間のおとなしい辰致は、いよいよ行詰まつたと氣付いた時から、佐野常民の顏を見るのが心苦しくなつた。

自分の力では、到底早急には打開出來ないと知つて、尙、佐野の世話になつてゐるのが、良心の惱みになつた。

或る日、國許の妻からの金釘流の手紙が舞ひ込んで來た。

筆をもつことを知らない妻は、こちらの事情をくわしくいつてやつても、丈夫でゐるから安心して、一生けん命にやつて下さいといふ判でもおしたやうなきまり文句の葉書をよこすだけであつたが、封を開けて見ると、よみにくい假名字で細かく近況がかゝれてあつた。

實家の厄介になつてゐるが、今は仲々實家も苦しいので、厄介者を抱いてゐるわけにも行かない。それで、おかねは、附近のガラ紡工場へ通つて、僅かな賃仕事をして、子供達と暮してゐるのであつた。

──先だつての手紙を拜見しました。發明の方も行きつまつたとのこと。若しさうなら心を苦しめて、他人樣のお世話になつてゐないで、こちらへ歸つて下さい。どうせ苦勞するならば、親子四人共々で、一ぜんの御飯も分けあつて苦勞する方がいゝと思ひます──

おかねは、たどたどしい文字で、心のたけをかきつゞつてゐるのであるが、書かれてゐない文字と文字との行間に、おかねの血のにじむやうな苦勞と、一家が睦じく苦勞を分けあつて行きたいといふ愛情とが、ひしひし感じられた。

辰致は、佐野に、その手紙を見せて、國へ歸つて研究をつゞけたい。御恩の萬分にも酬ゆる事も出來ず勝手なことを申上げて申譯ない次第だがと、いふと佐野常民も、無理もない氣持だと頷いて、餞別の金を與へ、研究の成果である機械も助手に手傳はせて解體し、國許へ送るやうに荷造をさせた。

辰致は、佐野の厚意に泣きながら、孤影悄然と信濃路の旅をつゞけた。

衆生濟度

水車小屋の半分が工場で、半分が住居になつてゐる。それが落迫した辰致の住居だ。

長男も長女も小學校へ通つてゐた。

小屋の外の日當りのよい場所にむしろを敷いて、天氣さへよければ、そこが、子供達の勉强部室であり、遊び場でもある。

貧しいが、樂しい團欒の晝食が終つて、辰致は、蓆に坐つて、明るい空をまぶしさうに見上げた。

水車のまわるきしみだけが、のんびりと聞える。ガラガラといふ音がきこえないと、ひどく間がぬけた感じがするのであつた。

騷音の中の生活に、自然に高聲になれたおかねは、小屋の横の流れに、洗ひものを浸しながら、大きな聲で、咄しかけた。

「こんど深志の全久院に來た若い坊さんは、智光さんといふんですつてね」

「ほう──似た名もあるものだな──」

「ひよつとすると、昔手傳つてゐたあの智光さんかも知れませんよ。仲々ハイカラの坊さんで、眼鏡なんか掛けてゐるけど、どこか幼顏があるんですもの。お說敎も、自由民權だとか、國民の權利だとか、漢語まじりにやるさうで、若い人のうけがいゝんですつて」

「さうかい。お前は見たことがあるのか」

「えゝ。この間も、往來で遇つたんですよ。氣のせいか、何か似てゐるやうな氣がするのでね……」

「あれは、仲々はつこい子だつたから、ひよつとするとさうかも知れない」

「あなたも、ずつとお坊さんの方がよかつたかも知れない。こんな苦勞はせずにすんだかも知れない……」

「さうだな。松本藩が廢されて、寺が、又もとに戻つたときに、戾つてゐればよかつたかも知れないが、どうも魔物にとりつかれたやうなものだよ……」

「きつと火吹竹にとりつかれたのでせう」

おかねは、洗ひ物の笊をかゝへて川岸に立ち上つた。

「おや——郵便屋さんだよ。うちかしら」

「うちらしいな。こゝは一本道だから。珍らしいな。しばらく郵便屋さんの世話にもならなかつたが……」

辰致は、わざわざ、途中まで郵便配達を迎へに行つた。

「郡役所ともう一つどこかの役所からですよ」

郵便配達も、可成り遠くから、大きな聲でどなつた。

「へえ——」

辰致は、二通の封書を受けとつて、封を切つて、にこりとした。

「何かうれしいことかね」

郵便配達も、自分が運んで來た手紙に、何かうれしい事が隱れてゐたと思ふと惡い氣持はしないらしく、にこにこして辰致の手許をのぞきこんだ。

「私の發明した器械が、專賣特許を許されたんだよ……」

「へえ——それはよかつた」

郵便屋は、專賣特許の何たるかは知らないのだが、この熱心な發明家をよろこばせることには違ひないと思つて、うれしさうに笑ひながら歸つていつた。

「おかね。專賣特許が許されたよ」

「さうですか——それはようございました。いつもの話のやうに、それが許されると、もう眞似をすることは出來ないのですね」

「まあ、さういふことだ。これからはもう、私の考案を眞似してこしらへることは出來なくなるのだ」

さういひながら、次の封筒をあけた辰致は、

「おかね、困つたことが出來たよ。今日、郡役所へ、羽織袴で出頭しろといつて來たよ」

「羽織袴……。紋付ですか」

おかねも、いかにも困つたといふ表情だつた。

「何でせうね……。紋付じやなければいけないのでせうね……」

「仕方がないから、村長さんにでも借りていかう……」

「さうですね。專賣特許のことでせうか」

「なんだか判らない。まあ、借着していつてこよう」

辰致は、村長の所へ行つて事情を話して、借着の紋服を着て、松本の郡役所へいつた。

辰致を待つてゐたものは、思ひもかけぬことであつた。

綿紡器の發明改良に身を捧げ社會公益に資した大なる功績を嘉みされ、褒章條令によつて、特に名譽の藍綬褒章を下賜されたのであつた、長い間の苦心が國家に認められ、その功勞が、國家から表彰されたのである。

なんといふよい日なのであらう。からつと晴れた大空のやうな氣持で、辰致は、松本の町の中を、胸を張つて歩いてゐた。

家へ歸つて妻をよろこばせやうか。杉浦を訪ねやうか。心の中は、うれしく迷つてゐた。

「臥雲先生――臥雲先生じやありませんか」

不意に呼び止められた辰致は、きよとつとして、その男を見た。三十位の僧侶で、眼鏡をかけて、山高帽をかぶつてゐた。

「どなたでございましたかな」

辰致は、どこかで逢つたやうなと思つたが、はつきりと思ひ出せない。

「北澤智光です。孤峰院で御世話になつた小坊主ですよ」

「おつ智光さんかい。いやあ――どうも立派になつたなあ。これはお見それする私の方があたりまへだ。全く立派になつたなあ――全久院の智光さんといふのは、やつぱりお前さんだつたかね」

「和尚さんは、餘り變りませんね」

「さうさな十年一日の如く、紡績いぢりだからな……」

「お噂はうけたまはつておりました。久し振りでお逢ひしたのですから、一つそこらで晝食でも……」

「十四五年振りだ――全く立派におなりになつた……」

辰致は、眼頭に涙をうかべてゐた。

智光は、先に立つて鰻屋ののれんをくぐつた。

「いらつしやい。今日は、いかだのうまい所がございます」

料理場から顔を出した主が、智光に聲をかけた。

「いそいで燒いておくれ。それから酒もいゝ方をつけておくれ」

智光は、いつも出入りしてゐるらしく、主とすつかり馴染みのやうだ。辰致は、意外な氣持がした。自分が佛道に精進してゐるときは、葷酒山門に入るを許さず式で、酒は般若湯と稱へ、鰻は長物などといつて、養生の爲に隱し食ひすることとはあつたが、堂々と白晝うなぎやの店ののれんをくぐるやうなことはなかつた。大分時世も變つたものだと、しみじみと考へた。

明治四年、廢佛棄釋を徹底的に勵行し、僧侶の世界に大波亂をまきおこした松本藩は、廢藩置縣となり、藩知事戸田光則は、東京に移住、五年五月筑摩縣が置かれると、流石に暴威をきわめた廢佛運動もうやむやとなり、やがて、佛道は再び盛んになり、廢寺も、ほとんど復興を見るやうになつたのだ。

「あれから、すぐに佛道にもどられたのか」

綿操、綿打のつらさに堪えかねて、師をすてゝから、智光はどういふ道をたどつたのか。

「私は、和尚さんの手傳ひがつらくて逃げてから、東京へ行きました。そして、あちらこちらの樣子を見ると、佛寺をこわしてゐるところもあり、又、大切にしてゐるところもあるので、私も疑問に思つていろいろと聞いて見ますと、政府の思召と藩知事の考へとがちがつてゐることがわかり、私は、實に、口惜しかつたので、東京のある寺で、修業をつゞけると同時に、法律を勉強しました」

「法律を……」

「さうです。御一新以來四民平等に權利を與へられてゐるのです。信仰は、神も佛も基督も、各人の好むに委せてゐるのです。いかに藩知事と云ひ、縣令といつても、この個人の權利を犯すことは出來ないはずです。私は國民の權利といふことを學びました。この權利こそ、人間の生活にとつて大切なことであると學びました。我々は他人の權利を侵すことが出來ないと同時に自己の權利も侵されない。それを國家の力で守るのが法律です。權力を濫用して、故人の墓を破壞するやうなことは犯罪です。私は、よつぽど、戸田侯を告發してやらうと思つたのですよ。あの頃の坊主は全く意氣地がなさすぎましたよ。これからは愈々自由民權の時代です。僧侶と雖も、之を知ることが絶對に必要です」

「なるほど……」

辰致には、どうも、智光の自由民權論に、共感を感じなかつた。

智光は得意になつて、全國に湧き起つてゐる自由民權運動がいかに熾烈なものであるか。加波山の事件がどうだとか、大阪では自由黨大會がどうしたとか、口角泡をとばさんばかりに演説する。

成程、時代は變つたものだ、坊主の説教も、地獄極樂では通らなくなつたらしい。自分のやうな馬鹿正直のものは、若し今まで佛門に生活してゐたら、廢佛棄釋で、眼をまはしたやうに、今度は、自由民權で、あはてるであらう。社會の變轉や時代の推移でそれからそれへと追ひかけられてゐるより、僅か綿紡器一つの發明であるが、只一つの道に精進して來た自分は、偶然とは云へ、幸福な道を撰んだものだと思つた。

「いや――どうも私のことばかり喋つてゐてすみません。和尙さんは、今日はうれしさうぢやありませんか」

「今日は、うれしい事がつゞくのだよ。かうして十四年ぶりで、立派になつた智光さんにあへるのも一つ。實は私の發明を政府が認めて、專賣特許の許可が下りたのも一つ……」

「それは素晴しいですな。これから大儲けです。今まで、和尙さんの發明を、眞似してゐた奴を片端から告訴し、特許權侵害の損害を償はせるのですな」

「えつ……。それでは、專賣特許といふのは、昔へまで遡れるのかね……」

「法律は、過去に遡及しないのが原則です。然し、やりやうはいくらでもあります。大體政府が人民の權利を無視してゐたから、人民も、權利に對する觀念がないのです。貴方の特許になつた器械を、必ず眞似する奴がゐるに違ひない。だから、臥雲式の綿紡器を使つてゐる奴は、片端から調べて、告許すれば、その内一割か二割は、侵害してゐる奴が出て來ますから、これからは、當分、改良の方はやめて、裁判を商賣にされゝばいゝですよ」

「うーむ……。それでは、私は、特許を取消して貰はう」

「なんですつて……」

「私は、私の發明といふことを政府に認められゝばよいので、私としては、むしろ、大いに世間の人に利用して貰ひたいのだ。しかし不完全なものを、眞似されて、不完全な器械が普及するのが困るのだ。器械といふものは、一度作れば相當の壽命があるので、一度不完全なものを据ゑつけて、それを事業に使ひ初めると、もう改良することはむづかしくなる。私は自分の利益の爲に、特許を願ひ出たのではない。專賣特許といふものが、さういふ誤解を生むなら、これは、私として喜ぶことではなかつた」

「冗談じやありませんよ。政府が、特許條令を設けた趣旨は、發明家の權利を擁護するためで、この特許の權利は、個人の權利です。權利の上に眠るものは罪惡であるといふのは、外國の法律學の中の諺です。若し、あなたが、その權利の行使はいやだといふならば、私を代理人にして下さいよ。私がやります。あなたは、今まであなたを苦しめた世間の奴等に復讐してやるつもりはありませんか――」

「復讐――とんでもない。私は、自分勝手に苦勞したので、世間の人は、いろ〳〵と私の爲に心配して下さつてゐる。恩にこそなつておれ、仇だなどと考へたこともない」

「しかし、あなたの發明を……」

「世間の人が、利用して下すつたからこそ、臥雲辰致の發明が、國家のお役に立つたので、どんなに立派な發明や發見も、世間の人が利用しなければなんにもなるものではない。私はさう考へてゐるのだ。智光さんが心配してくれる氣持はありがたいが、私は、もつて生れた運命で、金とは緣のない男なのだよ。けれども、私のさゝやかな研究と努力とが、畏きあたりの上聞にも達し、又このやうに有難い御沙汰をも拜したのだから、私は、これ以上慾を出しては、神佛に申譯ないと思ふ」

辰致は、うやうやしく、懷中から、藍綬褒章の漆塗の小函を取り出した。

「和尚さんも慾はなすぎる。だから、お金に困るんですよ――さ。冷えますからやりませう……」

「ありがたう。遠慮なく御馳走になりますよ。この頃は、坊さんも樂になつた。肉喰、妻帶が自由で俗人とちつとも變らぬからなあ――」

「坊主だつて人間です。肉喰妻帶は人間の當然の權利ですからね」

「人間の權利か――なか〳〵面白いことをいふ。世の中の事は、權利で片のつかない事はないね……」

「あらゆる事が權利と義務で出來てゐるのです……」

「さうかね……」

辰致は、久し振りで喰ふ鰻を、ゆつくりと味ひながら、

「鰻は人間に喰はれる義務があり、人間は鰻を喰ふ天賦の權利があるといふわけか」

「さうですよ。正しい權利を正しく行使するのは、又一面人間の義務です。どうです。特許侵害の告訴をやらうじやありませんか」

智光は、まだ惜しさうな口吻で、しつこくいつた。

「うん――まあ、考へさして頂かう。私は古臭いかも知れないが、佛の衆生濟度を、發明でやらうと思つてゐるので、どうも權利を振まはして、世間をいぢめるといふ氣にはなれない」

「いぢめるのじやありません。他人の權利を侵害することは正しくないといふことを敎へるのです」

「まあ――もう少し考へて見やう。それが陛下の思召にかなふかどうか――」

「法律をお定め下すつた思召は、國民の權利義務の觀念をはつきりさせて下さるところにあるに違ひありません。法治國の國民は、法律を守り、法律を利用しなければなりません」

智光は、手酌で呑んだ酒が、次第にまはつて來るにつれていよ〳〵くどくなつて、なんとかして、特許利用の金儲けをさせようと說きつけた。

辰致は、はなはだ有難迷惑なことであつたが、御馳走になつてゐる手前、立つことも出來ず、もぢ〳〵してゐると、鰻やの女中でない小綺麗な女が、銚子をもつて來て、

「きいさん。ひどいわね。こゝの家へ來て、妾をよんでくれないなんて――」

馴染の藝妓らしい。辰致も、ちよつと眉をひそめた。全久院を復興した達淳和尙は、志操堅固な高僧と聞えてゐたが、その弟子僧にしては、智光の行動は、いかに御一新とは云へ、

少しひどすぎる。

智光は、藝妓に詰めよられると、すつかり、相格を崩して嘗つての師の前もはゞからず、でれ〳〵といちやつき初めた。

辰致は、潮時だと思つて、立上ると、「さう、もうお歸りになりますか。一つよく考へてごらんなさい」と、横柄にいつて、腰を上げやうともしない無禮な態度だ。辰致は、不快なといふよりも、あはれなといふ思ひの方がつよかつた。

船紡績

「お父さん。何がうれしいの……」

長男と長女が、左右から、辰致の顏をのぞきこんだ。

「お父さんはね。久し振りで旅をしやうと思つてゐるのだよ。留守中は、お母さんの手傳ひをするのだよ」

「どこへ行くの」

「岡崎のそばまで……」

「本當においでになりますの――」

おかねも、にこ〳〵して、夫のうれしさうな顏をながめた。

「六三郎さんの折角のお誘ひだから、半年程三河のガラ紡を見て來るよ」

「ごゆつくり見ていらつしやいませ。家の事は、御心配ありませんから」

臥雲は、器械の改良を忘れたわけではないが、臥雲式綿紡器、卽ちガラ紡の缺點は、必ずしも缺點とはいはれないのではないか。今まで、いろ〳〵と工夫をして見たが、小部分の改良は出來たが、器械の根本は、火吹竹の偶然によつて發見したものから一歩も出てはゐない。然も、ガラ紡器械は、今では全國に普及し、多勢の人々によつて改良されてゐるが結局、ガラ紡の缺點――廻轉速度の緩漫、仕上製品の太いことは、西洋器械に比して、大きな缺點であるが、しかし、廻轉速度が遲いかはりには、西洋の器械が、いくつもの器械操作を經なければ、絲にならないのに、ガラ紡は、綿から一足とびに絲になるといふ美點で救はれてゐる筈だ。全國の人に利便を與へてゐるといふ事實を肯定しなければならないと考へ、今では、ガラ紡の改良より、新樣式の紡績機械への構想を初めてゐた。

生活の方も落着いて來た。もつとも、生活の方は、主としておかねの献身的努力による所であるが、水車小屋も擴張し、自作の器械を十臺程据ゑ、錘數も七八百錘あつたから、貧しいながらも喰ふに困ることはなくなつた。

　昔、辰致の家へわざ〳〵來て、器械の操作や製絲技術を傳習した三河の横須賀村の鈴木六三郎から、一度是非、三河へ出掛けて欲しい。臥雲辰致こそ、三河木綿再興の大恩人、みんなも、先生にお逢ひしたいといつてゐるし、今日の盛大振りを親しく見て頂きたいとも願つてゐるからといふ手紙を受取つたのであつた。

　秋の木曾路のわびしい旅をつゞけ、三河の岡崎に着いた辰致は、一時も早く横須賀村の鈴木に逢ひたくなり、曉闇の中に、岡崎の宿をたつて、矢作川の堤づたいに、川下の村へいそいだ。夜は、次第に明け放れて、川面を重く這ふ朝霧が、乳白色に明るんで來る。

　辰致はふつと立どまつて、菅笠をかたむけ耳をすませた。川面を傳つて、なつかしいがら〳〵〳〵といふガラ紡の響が、霧の底にきこえるのであつた。

　立止まつては、聞き惚れ、少し歩いては立どまる辰致の顔は法悦に似た喜びがうかんでゐた。

　ガラ紡の音は、次第に近づいた來る。村からも、そして川からも。

　霧ははれて、朝日が、眞紅に燃えながら、ひろ〴〵とした平野の涯にのぼり初めた。矢作川のゆるやかな流れに、車輪をもつた屋形船が、いくつも浮んでゐた。船は船であつたが水上を運航する船ではなく、水に浮かぶだけの船である。川筋に浮んだ船は、陸上から、棧橋が取りつけてあるものもある。どの船も太い杭に、しつかりともやつてあるのだ。

　がら〳〵〳〵といふ音は、船の中から流れて來る。

　鈴木六三郎が、落差の少ない平野の水力を利用する爲、水車に代る動力として考案した船紡績工場であつた。

　船にとりつけられた車輪が、流水の力によつて廻るのだ。ゆるやかにまはる車輪の廻轉でも、ガラ紡の運轉にはこまらなかつた。

　辰致は、いつまでもたゝずんで、この奇妙な工場を、じつとみつめてゐた。

　自分の生みだした器械が、陸上はおろか、水上にまでも發展してゐる姿を、眼前に見て、云ひ知れぬ感激にふるへた。

　すつかり明け放れた矢作川の堤を、ガラ紡の音に耳をかたむけながら、辰致は、ゆつくりしたあしどりで、横須賀村の方へあるいて行つた。


―終―

編輯後記

◇用紙割當の統制强化は、それが當然の成行きであつたゞけに、單に雜誌編輯企畫の重大な變改を豫想せしむるに止まらず、我々作家にとつても考慮すべき幾多の問題を孕んでゐる。編輯の變改が必至であればあるだけ、それが、折角力强く前進し初めてゐる國民文學運動の鼻先を折るやうなコースをとつて、商業主義復歸のキツカケにでもなつたら大變である。本號の特輯記事は、この問題について、作家側の忌憚なき進言を徵した。牧野、山田、村雨、鹿島四氏それ〴〵の立場から、卒直に今後のコースについて有力な示唆が與へられてゐる筈である。

◇創作陣は中澤、岩崎兩氏の續篇に今月は久しぶりに鹿島氏特異の一作が加はつた。同氏かねての主張を小說化した、味の變つた快篇である。中澤氏の長大作は力强く終了した。來月からは創作五本建ての强力陣を張つて、作品行動に於ても『量を通しての質』——本誌も愈々增强體制で行くことになつてゐる。

◇柳田泉氏の歷史文學略史と、北町氏の現地報告も本號で終つた。紙面の都合で少しづゝ連載したが、この種の研究は尙ほ今後も機會があれば取扱ひたいと思ふ。

◇東野村氏の作家研究は、前月の丹羽文雄論につゞいて、今月は戰記作家一般を扱つてもらつた。時局下興味の深い題目であらう。

◇福田清人氏の隨筆、村雨氏のバルザツク感と共に、淸新な頁の增えたことを喜びとしたい。

　信念を以て行進する我々は、いたづらに視野を狹く限局してはならないと思ふ。東西の古典——作家、作品を、あらゆるアンゲルから廣く檢討することは、文學者の自顧自省の良法である。

◇報道班員として戰地に御奉公した海音寺、岩崎、北町三氏も愈々歸還、本誌も手揃ひになつたから、これからは益々活潑な動きを見せることだらう。

◇北町氏現地報告の附記を落したから、こゝで補つておく。

　附記。本文を稿するに當り芝居の梗概解說等に就いては秋山與三郎氏の援助によるところ大であつた。氏は長くジヤワにゐて、現在私たちと同じ仕事に從事してゐる。附記して感謝の意を表する次第である。

文學建設　三月號　（定價三十錢　送料一錢）
昭和十五年五月六日第三種郵便物認可
昭和十八年二月二十五日印刷納本
昭和十八年三月一日發行（毎月一回一日發行）
東京市小石川區白山御殿町一一四
編輯兼發行人　岡戸武平
東京市赤坂區青山南町二丁目一六番地
印刷人（東東一八）　岩本米次郎
東京市赤坂區青山南町二丁目一六番地
印刷所　愛光堂印刷社
東京市麴町區平河町二ノ一
發行所　文學建設社
文協會員番號（會員番號一二八五二五）
電話九段(33)三四一〇
振替東京一五六五九八
事務分室　東京市神田神保町一ノ二二　聖紀書房内
東京市神田區神保町一ノ二二
發賣所　聖紀書房
電話神田(25)二〇六八
振替東京一二五八八
東京市神田區淡路町二丁目九番地
配給元　日本出版配給株式會社

昭和十五年五月六日 第三種郵便物認可
昭和十八年二月二十五日印刷納本 昭和十八年三月一日發行
（第五卷第三號通卷五十册）
㊫三十錢

國民文學の旗の下に

文學建設

四月作品號

特輯・古典の回顧

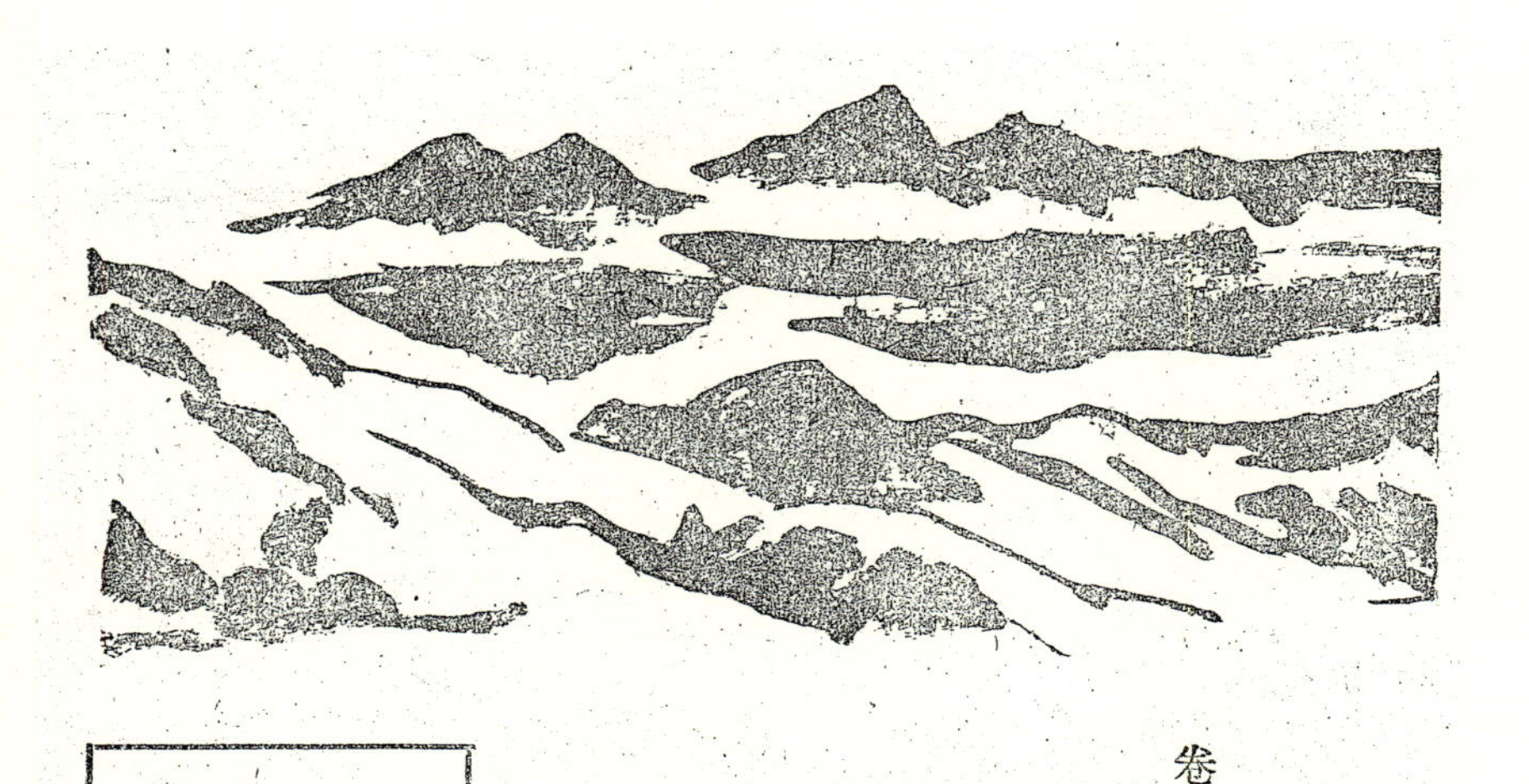

文學建設 四月號 目次

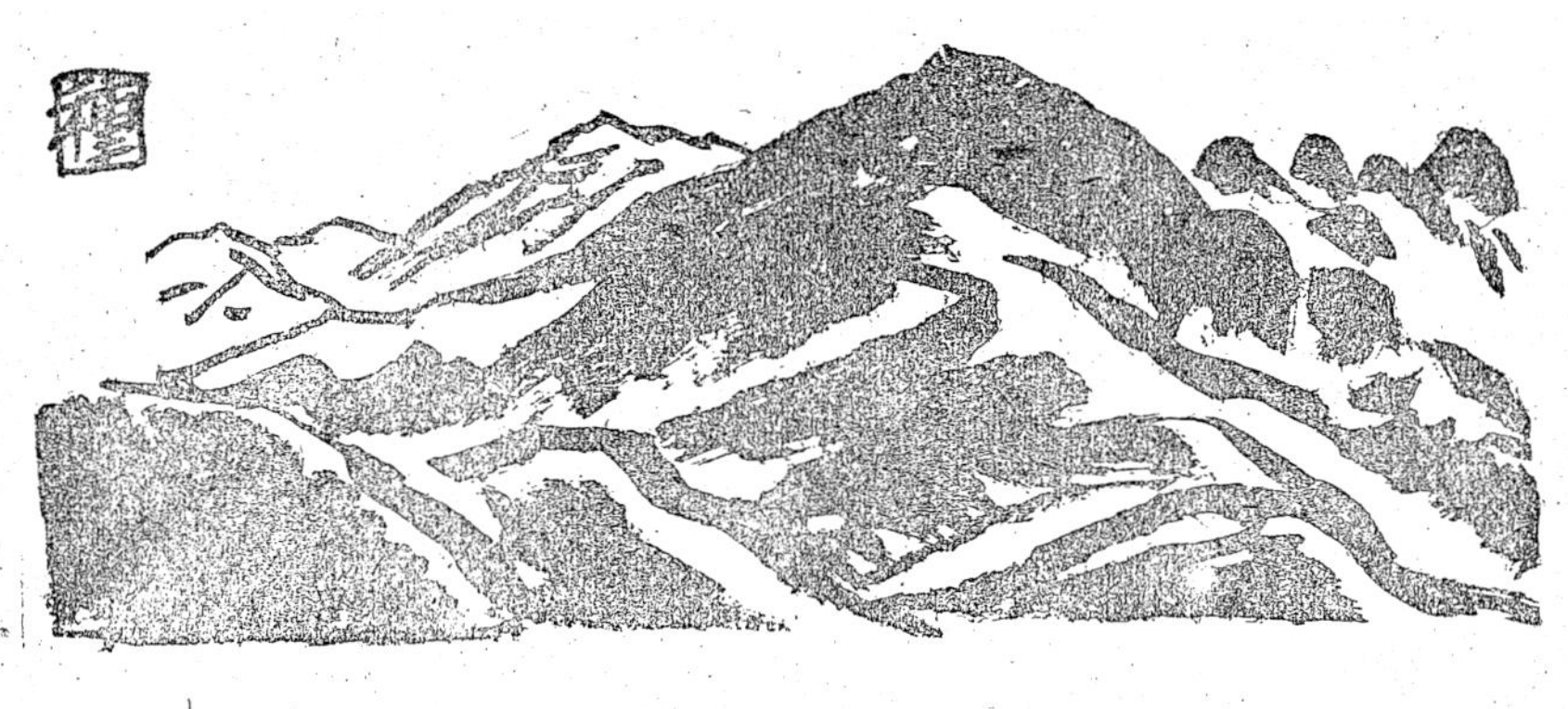

文學建設

第五巻　第四號

われわれ日本人が、今日ほど日本人である
ことに誇を感じてゐる時代があつたらうか。
朝、輝ける太陽を仰いで
悠久の歴史を流れてきた日本人の血を
いま、ふつふつと滾りたつのを感じる。
夢を、美を、眞を、善を、
一切を通して日本人の血を感じる。
どうして、こゝに、
日本の文學が世界の上に
燦として輝くものでないと言ふことが出來
よう――。

（東野村　章）

猿飛佐助の死

村雨退二郎

一

上羽作右衛門入道玄信は、寛永十五年二月十一日の朝八時頃に、丹後國宮津の彼の隱居所で突然亡くなつた。

何しろ八旬になんなんとする高齢ではあるし、特に二三年前から、急に衰へが目立つて來てゐたので、家族も内々もう長くはあるまいと思つてゐたものの、まさかこんなにあはただしく、しかも何の苦しみもない大往生を遂げやうとは誰も豫想してゐなかつた。

近所に住んで、裕福な大百姓としてのんきに暮してゐる倅の新十郎が、昔からのしきたりを忘れず、いつもの通り朝の挨拶に來た時には、玄信の樣子には、平常と別に變つたところも見えなかつた。島原の戰爭について、昨夜あらたに耳にした消息を話して聞かせると、玄信はまるで血管に新鮮な血液でも注込まれたやうに俄に元氣づいた。

そして、例によつて昔の戰爭の思ひ出を語り出した。

『いかに激しいと云うても、昔の合戰に比ぶれば物の數でもないわ。わしがの、猿飛佐助と別れたのは、元和元年五月七日のことぢやつたが、六日、七日、この二日間の合戰の激しさと云うたら、それはそれは……』

（この元氣なら——）と新十郎は安心しかけたが、どうしたのか玄信の話はそこでぷつンと切れてしまつた。

『いかがなされました？』

玄信はけだるさうに欠伸した。つい今の、あの活々した樣子は、もう跡形もなく消え失せてゐた。

『障子を開けてくれ。』

求めるままに、緣側の障子を左右へ開けてやると、彼は邪魔者でも追拂ふやうに顏を動かして、

『もう去ね。』

と命じた。新十郎はすこし氣がかりになつて來たので、しばらく樣子を見てから歸らうと、次の部屋にさがつて、下男夫婦と一緒に控へてゐた。玄信は、手製の粗末な松材の古脇息に兩肘をのせて、きらきら輝いてゐる明るい春の海を眺めてゐた。海草のにほひを含んだつめたい風が、時々部屋の中へ闖入して來て、その度に「本來無一物」と書いた床の茶掛が、からんからんと音を立てた。

三十分も經つた頃、突然襖越しに、玄信の聲が聞えた。

『おい、わしは、死ぬるぞ——』

三人は、びつくりして飛んで行つた。玄信は脇息に胸を凭せかけたまゝ目を瞑つてゐた。伜が耳に口をつけて呼んだり、背をさすつたりしてみたが、もう正氣がなかつた。永祿三年の生れだから、この時七十九歲。若年の頃から矢玉の中を駈け廻はつて、全身に二十八ケ所の傷を負ひながら命を全うし、天壽を保つてこのやうな安樂往生を遂げたのは、まことに羨むべき幸運兒である。

玄信は、別な意味でも幸運な男だつた。それは、彼が永祿、元龜、天正、文祿、慶長、元和、寬永と年號を擧げただけでも明瞭な、日本の歷史にとつて重大な意味のある時代を生きて來たことである。混亂から統一への全經過——群雄割據、織田氏の霸業とその挫折、豐太閤の全國統一、大陸遠征、死、關ケ原合戰と家康の實權掌握、大阪陣の悲劇、そして以後二十一年の平和を破つた去年十月からの島原天草の亂——をつ

ぶさに見聞した。そして彼はこの激烈な時代の空氣を呼吸したばかりでなく、歴史に殘るべき幾つかの戰爭を、自ら體驗した。要するに彼は、一世紀に近いこの偉大な時代の經驗者であると云ふより、歴史の一部分であり、歴史そのものであつた。もし彼にとつて、心殘りがあつたとすれば、それはただ一つ、彼が死んだ同じ日に、天草の亂が終つたといふことを、知らずに死んだことであらう。

平和が長く續き、戰爭の經驗者がだんだんすくなるに從つて、玄信のやうな生殘り武士の昔語りが、敎訓的な價値を生じて來る。近鄕の若い當世武士たちは、彼の經驗談の中から、戰爭の仕方や、戰場の心得や、武道の精神といふやうなものを學ばうとして、近年さかんにこの隱居所へ話を聞きに通つて來た。

元來が話好きだし、「殊に生きてゐる歴史」として、また戰爭によつて鍛へられた古武士の典型として、特別の尊敬をはらはれることは、勿論彼にとつて不愉快なことではなかつた。彼は土地住居の者であらうと、田邊や峰山から訪ねて來る者であらうと誰でも喜んで迎へ、相手の求めに從つて、知つてゐることなら何でも話して聞かせた。

相手が變るので、幾度も同じ話をしなければならないし、話の順序も一定してはゐない。朝、甲に大阪陣の話をして、午後には乙を聞き手に田邊籠城を語り、夜は山崎合戰に歸るといふ風だつたが、彼はすこしも倦む樣子がなく、かへつて度々同じ物語を繰返す中に、次第に話巧者になることを、ひそかに樂しみにしてゐるやうにさへ見えた。

京都から引揚げて、宮津に隱居所を定めてから數へても、十何年もからいふことが續いた。倅がふと、父が死んだら、もうこの貴重な經驗談も聞けなくなるのだから今の中に書留めて置いたら──と氣付いたのは、三年ほど前、玄信の老衰が際立つて、目に見えだした頃だつた。

奥書に「上羽新十郎藤原政睦」と署名のある寫本「玄信物語」は、この倅が筆記して置いたもので「おあん物語」や「お菊物語」と共に、あの大暴風時代の側面を語る、貴重な文献である。

「玄信物語」は、この古武士の順序不同な物語を、手際よく整理配列したもので、先づ彼自身の獨特な話し方で彼の家系、出身からはじまり、最後に倅から見た玄信の死の當日のありさまが、生々と描かれてゐる。

此寫本には、正史に現はれないいろいろの珍らしい話が出てゐるが、特に注意を惹くのは、玄信と猿飛佐助の關係である。

二

『猿飛佐助とか霧隱才藏とか、あゝいふ忍術者の話は、みな作り話だと聞いて居りまするが――』

恐る恐るうかがひを立てた若い武士たちに、玄信は、とんでもない事だ、霧隱のことは知らないが、猿飛佐助といふ男はたしかに實在の人物だと答へ、更に附加へて、

『現にこのわしが、あの男に逢うて、親しく口をきいとるんぢや。天下にこれほど確かなことはあるまいて。』

と、斷言した。そして、詳しいことは明日の晩に話すと云つて、その翌日皆が聞きに行くと、約束通り詳しくその事情を物語つた。

ここで玄信の思ひ出話を紹介する前に、順序として彼の經歷を、簡單に紹介して置いた方がいいと思ふ。

先祖を大織冠鎌足とする系圖は疑問だけれど、玄信の家がとにかく何代か前から、丹後の豪族中の一軒であつたことはたしかである。幼少の時から武をもつて身を立てようと志し、京都に出て兵法を學んだ。軍學、馬術、劍法、槍術、砲術、弓道を鍛錬した中でも、射藝は性に合つてゐたと見えて特に進境めざましく、丹波の地頭八上城主波多野秀治に仕へるため京都を去る頃には、畿内三强弓の一人に數へられた。

波多野氏が織田氏の部將明智光秀に滅ぼされた後は、一時丹後に引込んでみたり、また國を出て諸所の戰場稼ぎをしてみたりした。山崎合戰に池田勢に加はつたり、小田原攻に前田の陣を借りて、北條方の名ある勇士を射落したりしたのは、この浪人時代のことだつた。射藝と武勇の名によつて、諸方の大名から招かれたこともあるが、主人の人柄が氣に入らなかつたり、待遇が思はしくなかつたりして、天正七年八上開城以後、實に慶長四年までの二十年間浪々生活を續けた。待遇を問題にするのは、武士らしくないやうだけれど、彼には家付の家來と、波多野に優遇されてゐた時代に召抱へ、浪人して以後も彼を主人として仰いでゐる者と、譜第新參併せて數十人の誠實な家來があり、それにやはり波多野に仕へてゐた弟たちもあるので、新らしく主君を持つとすれば、これらの者を、充分に養へるだけの知行を得る必要があつたの

である。

古くから親しくしてゐた細川幽齋が、希望通りの條件で、彼を召抱へてやらうといふ氣になり、その下ごしらへとして彼を、自分の居城の丹後田邊（舞鶴）に、客分として招いたのは、慶長四年のことであつた。豐太閤は前年に薨じ、家康黨と石田小西黨との確執が急速に深刻化し、天下が微妙に動きはじめてゐる時で、名ある浪人が、八方から引張り凧になつてゐた。だから幽齋だけが特別彼に親切だつたわけでもない。彼はとりあへず二百人扶持を與へられることになり、師走の初旬に弟の丹後、當時まだ元服前の少年だつた倅新十郎をはじめ、家來八十人ほどを引率して入城した。

翌慶長五年夏、石田小西黨が起つた。七月下旬に大阪方の軍勢が、田邊城を包圍した。九月十二日勅命によつて和睦開城するまで約二ケ月、僅々五百の籠城軍は、一萬五千の寄手を引受けて實に善く戰つた。玄信も一隊の將として度々武功を樹てたが、特に大橋合戰には寸延一寸二分の强弓をもつて、群がる寄手をさんざんに射仆し追散らした。包圍軍がこの戰鬪を最後として、力攻めを斷念し、和睦運動に奔走するやうになつたのは、玄信一人の功ではなかつたにしても、すくなくともその榮譽の半分か三分の一は、彼が擔ふべきものであつた。しかし、當日の功勞者に對する幽齋の態度は、あまり愉快な感じを彼等に與へなかつた。

關ケ原の役が終つて、細川家が非常な恩賞を受けた時、當然優遇される立場にゐながら、細川家を退散した硬骨漢が二人あつた。三刀屋監物と上羽玄信だつた。玄信はまた浪人になつた。いろんなことに氣を配つて、寸刻も油斷のならない主人持の身分より、二十年間身に付いた浪人暮しの方が、結局彼には氣樂だつた。

『生涯、浪人で暮すかもしれぬから――』

と、彼は家來をさとして、その大部分を諸家へ推薦した。弟と倅は故鄕に歸し、四五人の家來だけ連れて京都に出たのは、慶長六年のことである。

五條坂の近くに、恰好な隱棲所を見つけて、そこに落着いた時、垣根の八重山吹は花の盛りであつた。

關ケ原の役を轉機として、德川氏が事實上完全に天下を掌握した。長い年月、海内のはてしもない騷亂に馴れて來た玄信には、關ケ原以後の平和が腑に落ちなかつた。誰も泰平の世が來たと云ふし、彼の目にも德川氏の實力と聲望が見えないのではなかつたが、それにも拘らず彼はこの平和を、社會の常態と信じることがどうしてもできず、雲の上にでも立つてゐるやうな不安が、彼の心から一日も去らなかつた。

正味十三年間、玄信は不馴れな平和におびえて暮した。京都に隱れると同時に、彼は入道して玄信と號し、南禪寺に參禪したりして、人間としての修養につとめると共に、俗世間の煩はしさから超脫しようと努力したけれど、この平和に對する不安から遁れることは容易にできなかつた。

『今にまた亂世が來るよ。このやうな氣の拔けた世が、いつまでも續くもんぢやないわい。』

彼は、希望的な豫言をした。慶長十九年に至つて、豐臣秀賴と德川氏は遂に正面から衝突した。誰が見ても、戰爭を避ける途はもう兩者に殘されてゐなかつた。

『それ見ろ！』

と、彼は豫言の的中を誇つた。五十五といふ年齡を心配して、家來たちがしきりに諫めるにもかかはらず、彼は大阪に入城した。特別に豐臣家へ同情してゐるわけでもなく、入城しなければならない義理があるのでもないのに、玄信はなぜあはただしく大阪城へ駈けつけたのか……。彼は自分の心境を何とも說明しなかつたし、隨行した家來たちも訊かなかつた。しかし家來たちはかう想像した。

『御主人は、弟御や御子息やわれわれ家來共を、世に出してくださるために、お年をも顧ず、この度の御入城をおぼし立たれたのぢや。ありがたいことぢや。』

單純素朴な彼等は、彼等同士でさう囁き交はして、心からの感淚を流した。けれども實際はさうではなかつた。それは彼等の誤解だつた。玄信のほんたうの氣持は、家來たちには思ひも付かない、別なところにあつた。彼は戰爭が起るといふことについて、世間一般の人間とはちがひ、まだ充分な確信をもつことができなかつた。早く自分が出掛けて行かないと、戰爭が取止めになつてしまひさうな氣がして、とても不安で不安で、京都の隱宅にぢつとしてゐられなかつたのである。

三

玄信が、二度目に猿飛佐助に會つたのは、冬の陣の時でなく、翌元和元年五月の夏の陣の時だつた。

敵は、大軍の進退駈引の便宜上、大阪郊外の東方から南方へひろがる廣い平野に展開し、ひた押しに進んで來た。最前線では一間正面に一萬石の兵力を配置したと云ふ。當時一萬石の軍役の內譯は、だいたい騎馬の士二十騎、鐵炮四五十挺長柄（槍）三十本、弓二十張、のぼり十本といふやうな見當で、士卒を併せ二百乃至二百五十人に達した。一間正面にこれだけの兵力を集中したと云ふのは、あるひは多少の誇張があるかもしれないが、當時一般にそれが信じられた事實から推して、とにかく包圍軍の數の夥しさと、その密集振りとが想像される。

主力の決戰期が迫つて來た五日の夜。玄信は自分が屬してゐる部將、毛利勝永を護衞して、天王寺の陣營から、平野に屯營してゐる後藤基次のところに赴いた。途中で同じく平野へ行く、眞田幸村の一行と合體したので、騎馬と徒士足輕あはせて三十人ばかりの集團になつた。

一行を包むやうにして、道の兩端に並んで行く松明が、人々の物々しい武裝姿を照らした。火繩に點火した數人の鐵炮足輕は、先頭の松明持につづき、幸村、勝永を混へた十騎ほどの馬上の士がそれにつづいた。徒歩の士卒はそのあとから進んで行つた。玄信は徒歩だつたので、後尾にまざつてゐた。

つはもの達は、むんむんと汗の臭氣を、全身から發散させながら、道が狹いので時々肩と肩をぶつつけ合つた。草摺や太刀が重々しい音を立て、明りのせいもあるかもしれないが、誰を見ても日焦けのした黑光りのする顏を、とげとげしく緊張させ、どれもこれもおそろしく切羽つまつた感じの大きな目を、ぎらぎら光らせてゐた。

昂奮してゐないのは自分だけかも知れないと、歩きながら周圍の士卒たちを觀察してゐた玄信は、ふと右手のうしろから來る一人の武士に注意を惹かれた。

その男は、槍も鐵炮も持つてゐないばかりでなく、具足も着けず陣太刀も釣つてゐなかつた。着物の下に鏁のやうなものを着込んでゐたかもしれないが、表面から見たところでは、山樵か獵人のやうな極めて輕やかな身ごしらへで、變つてゐるのは上の單衣も、伊賀袴も草鞋も、ただ一本だけ腰に差してゐる脇差の拵へも、何もかもが黑の一色に統一されてゐることだつた。

（はは あ、甲賀か伊賀の者ぢやな。）伊賀甲賀は忍びの者の産地である。玄信は田邊に籠城してゐた時、細川家の扶持を受ける甲賀者が、盛んに活躍してゐたのを覺えてゐる。當時田邊城には三十人ちかくもゐて、彼等は戰爭の最中でも平氣で敵陣を通りぬけて、敵の後方に放火したり、奔馬を放つて敵陣を攪亂したり、また想像も及ばないやうな早さで、京都へ使ひに行つて來たりした。

戰爭中に、こんな輕裝で戰場を往來できる者は、忍びを職業にしてゐる者の外にはない筈だつた。玄信は眉の上に流れて來た汗を掌で横ぬぐひにぬぐひながら、もう一度、羨望をこめた目つきでうしろを振りかへつた。

とたんに、相手も玄信の顏を見た。

（おや？）玄信はおどろいた。あれからもう十五年にもなるので、その男もずいぶん變つてゐなければならない筈だのに、いくらか頰の肉がうすくなつてゐるくらゐで、ほとんどあの時と同じ若々しさを保つてゐるのはどうしたことだらう。

玄信は、つかつかとそばに寄つて、その男と肩を並べて歩きながら、こんなふうに話しかけてみた。

『失禮ぢやが、貴殿は、慶長五年田邊籠城の折、お目にかかつた、猿飛佐助殿ではござらぬか？』

すると、相手はちよつと頭をひねつて「猿飛佐助……」と呟いた。しかし玄信には、相手がなぜ自分自身の姓名を口にしたのか理解できなかつた。

『お忘れかな、この入道を。ハハハ、何しろ一昔半も以前の話ぢやから無理もないて。それ、貴殿が田邊の城中に忍び込み、甲賀衆に取押へられて、いよいよ火焙りの仕置を受けなさる時、檢視の役を仰せつかつた上羽作右衞門ぢやがな。』

『おほう、なるほどさうであつた。』

佐助は昔の失敗を恥ぢるやうに、ちよつと眩しさうな目をしてにこりと頷き、なつかしげに玄信の肩をぽンと叩いた。

『なるほど御邊は、上羽作右衞門殿であつた。』

『思ひ出されたか猿飛殿。』

『ハハハ、思ひ出しました。たしかに手前は猿飛ぢや、ハハハ猿飛佐助ぢや。』

『今は、眞田左衞門樣の御手に付いて居らるるのか？』

『田邊では、主君の耻辱と存じ、浪人者とのみ詐り通しましたが、實は眞田の譜第の臣でござる。』

『道理で！』

玄信は感服したやうに大きく頷いたが、何に感服したのか自分でもわかつてゐなかつた。しかしとにかく彼は、知らぬ人間ばかり集まつてゐる中で、かういふ珍らしい舊知にめぐり合つたことを、非常に愉快に思つた。佐助の方でも玄信と同じ氣持らしかつたが、ただ田邊の失敗に觸れられることだけは、ひどく迷惑さうな樣子だつた。

平野の陣營で、後藤基次、眞田幸村、毛利勝永等を中心に、明日の戰略が練られてゐる間、玄信は佐助と二人、護衞連中のゐる場所から、四五間離れた芝生に坐つて、互の身の上話をしたり、この戰爭の前途について議論したりした。

佐助は、年齢を訊ねられて當年三十九歳だと答へた。すると、田邊城に忍び込んで三刀屋監物の寢首を掻かうとし、宿直の甲賀衆に捕へられた時、彼はまだ二十五歳だつたわけである。生れは信州の上田、故あつて六つの時から約十年間、戸隱山中の某所で、ある人に育てられ兵法を學んだ後、上田に歸つて幸村の父安房守昌幸に仕へた。眞田父子が紀州九度山麓に隱棲の際も隨行し、昨年幸村入城の際は前驅を勤めたといふやうな話をしたが、玄信の聞きたがつてゐる忍びの術や、その方面での活動については、笑つてゐるばかりで何も話さなかつた。

玄信は、田邊の事件をありありと思ひ出した。いよいよ死刑ときまつた時、玄信は佐助に面會して、潔く名前を白狀したらどうか、とすすめた。それまで幾回となく拷問にかけたのに、佐助は三刀屋監物を暗殺に來たといふ目的の外は、主人の名も自分の名も、その他何一事言はなかつたのである。玄信は「武士」と「名」といふことについて諄々と說いた。事の成ると敗るるとは天命であつて武士の恥ではない、いづれ主命を蒙つてのことであらうが、ここで沈默の儘刑せられては、折角の忠義も後世に傳はらないのだ、それは武士として悲しいことではないか——玄信は自分の信念を吐露し、まごころをこめて勸告した。佐助は熟慮した末に、「苗字は猿飛、名は佐助、東國の浪人でござる」と答へた。しかし主人の名だけは最後まで云はなかつた。玄信も相手の切ない氣持を察して、それ以上追究することを斷念した。

急拵への刑場が、三の曲輪の一隅に作られた。敵の間者であり、殊に城中の士卒が杖柱とたのんでゐる、勇將三刀屋監物を殺しに來た奴だといふので、主將幽齋はじめ上下の憎しみが佐助に集注した。彼は極刑の火焙りに處せられることになつた。

定刻になると、佐助は牢屋から引出された。彼は連日拷問を受けたにも拘らず、すこしも弱つた樣子がなく、微笑さへ含んで悠々と刑場に歩いて行つた。足輕の手で嚴重に火刑用の十字架へ縛められ、柱は引き起して豫め掘つて置いた穴へ樹てられた。燒草や薪がその周圍に堆く積み上げられ、火廻りを早くするため少量の火藥が撒布された。檢視役の玄信は床几に腰かけて、始終の樣子を見てゐた。合圖の太鼓が鳴ると、四方から火が放けられ、火藥がその火を呼んで、燒草が一時に濛々と白煙をあげて燃え上つた。眞紅の焔が巨大な動物の舌のやうに、黑く變つた煙の中から狂ひはじめる。泰然と瞑目してゐる十字架上の佐助の姿も、見る見る煙に包まれてしまつた。玄信は、心の中で南無阿彌陀佛を三遍くり返した。

ところが、この玄信の同情は、まつたくむだなことだつたのである。といふのは、煙が死刑執行人と死刑囚とを、完全に隔てた瞬間に、囚人は忍術者獨特の技能を發揮して逃亡してしまつたのだ。もう黑焦になつただらうと、時分を見計つて足輕が水を打つて火を消して見ると、十字架には半分灰になつた繩だけがぶらさがつてゐた。薪の燃殘りを搔分けて探して見たが、猿飛佐助の死骸らしいものは、全然發見されなかつた。

玄信は、その時の城兵たちの驚愕と狼狽を、彼獨特の巧妙な話術を用ひて、佐助に語つた。

『忍者には、火中にあつても燒けず、水中にあつても濡れぬ術があると聞き居りましたが、現にこの目で見たのはあれがはじめてぢや。いやおどろき入つた妙術ぢや。あれなら首を斬られても死ぬやうなことはござるまいな。』

『ハハハ、おたはむれを仰せられる。忍びの者といへども、不死身ではござりません。死ぬ時が參れば、やはり人並に往生いたしまするよ。』

玄信は、信じられぬといふ顏をした。佐助は相手の熱心に對して、何も語らないのはわるいと思つたか、忍びの鍛錬の嚴しさなどについて、斷片的に語つた。忍びに達することは、百藝に通じることだと聞いて、玄信は忍びの術そのものよりも、それを學ぶ者の熱意と精力とに驚嘆した。

『こんな多愛もないことでも、覺えて置くと何かの役に立つものでござる。』

さう云つて、佐助は芝生に轉がつてゐた一本の青竹の筒を拾ひ上げ、無雜作にその生々しい切口を自分の口へ當てた。

それは防彈用の竹束の切端か何かで長さが一尺餘りあつた。佐助は尺八を吹くやうな格構をして、切口の方からふうッと細く息を吹込んだ。すると不思議なことが起つた。孔もない竹のどこから出るのか知らないが、尺八と變らない微妙な音色が流れはじめたのである。玄信はもちろんのこと、篝火の近くに集まつてゐた護衞連中も、不思議さうにこつちを向いて、その哀婉きはまりない鈴慕の曲にうつとりと聞き入つた。

奇怪な演奏を終ると、佐助は大人げないことをしたといふ樣子で、苦笑しながら靑竹の筒をぽいと前にすてた。玄信はあはててそれを拾ひ上げて、ざらざらした肌を丁寧に撫で廻したり、鼻へもつて行つて匂を嗅いでみたりした揚句、佐助がしたやうに切口を下唇へ押當て、試みに一息吹入れてみた。竹筒は單純に、ぼうッと間のぬけた音を立てた。

四

豫想通り翌五月六日から戰端が開始された。その日は東南道明寺、若江方面の合戰。霧の深い朝だつた。濃霧に禍されて味方の連絡が不完全だつたため、眞田幸村、毛利勝永などの援兵が駈けつけた時には、後藤基次も薄田兼相も討死したあとだつた。

七日は南方、茶臼山、岡山附近の合戰。この方面は眞田幸村を主將とするだけに、豐臣家の全運命を賭けた戰であつた。玄信は毛利勝永に屬して、天王寺の南門から前進した。勝永は此方面の諸將中、幸村を除いては第一の猛將である。甲兵四千を率ゐて、敵の先鋒本多忠朝を一擊のもとに打破り秋田、植村、松下、六鄕、淺野、須賀などの諸軍をことごとく擊退し、更に進んで越前忠直の右翼を衝くと共に、眞田信吉兄弟を追捲つた。銃聲と喚聲は天地をとどろかし、硝煙と砂塵は天日を蔽ふた。

玄信は二間半の長槍を取つて戰つた。正午から夕方まで、休むひまもない激戰に、さすがに體は綿の如く疲れたが、氣力はすこしも衰へなかつた。どこで傷いたか肘と左の股に槍疵を受けた。しかし大したことはなかつたので、家來に手拭で括らせただけで、跛を曳きながらも味方に遲れず前進をつづけた。彼はこの戰鬪が味方の勝利に終ると信じてゐた。たしかに最初の數時間は、大阪方が敵を壓倒した。しかし、後半戰では形勢が逆轉した。幸村は安居天神に討死し、渡邊、大谷などの諸隊も相ついで潰走した。孤軍奮闘してゐた毛利隊も、後方の連絡を絶たれたので、遂に城內へ退却する外はなかつた。その時城內數ヶ所の建物は、すでに裏切者によつて放火され、また變心者中味方に向つて發砲する者などあり、大阪城は擧げて收拾することのできない混亂に陷つてゐた。

日が暮れた時、玄信は、本隊にもはぐれ、家來も見失つて、ただ一人になつて、本丸の內をさまよつてゐた。

城內の櫓や建物が、いくつもいくつも、焰々と燃え上つて、そのあたりはまるで晝のやうに明るかつた。風を呼ぶ火柱の咆哮。狂氣したやうに拔刀を振り廻しながら走つて來る男。金切り聲をあげて、煙の中を逃げまどふ女。落武者を狙擊してゐるらしい間斷なき銃聲。絕望の叫びか勝利の聲かわからない遠近の鯨波の聲……。

玄信は、自分がその敗北者の一人であることも忘れて、さうした淺猿しいありさまを、しばらくの間、ぼんやりと眺めてゐた。彼は戰爭に勝つた經驗ばかり持つてゐるわけでもなかつた。みじめな敗北の苦汁を味はされたことも一再ならずあつた。だが、こんなに支離滅裂な、こんなに凄慘な地獄圖繪は、彼が一度も見たことのないものであつた。

『玄信殿か。』

『おう。』

『上様は？』

『秀頼様は、もはや御自害なされたであらうよ。』

玄信は、さつき人に云はれた通りのことを繰返した。佐助は暗澹とした表情をして、火焔に包まれた天守閣を振り仰いだ。彼も今日の戰鬪には、人並の武士として參加したらしく、一昨夜とは見變つた凛々しい具足姿だつた。

佐助は、俄に槍を投げすてた。そして天守閣の正面の階段に足をかけた。

『猿飛殿、どうするのぢや？』

すると、佐助は彼の方を振りかへつて、例の落着いた聲調で答へた。

『もはや生きて居る甲斐もなければ、わが身を火中に投じて身を滅すのぢや。玄信殿、お見とどけくだされ。』

それを聞くと玄信は、悲痛なこの場面に、はなはだ不似合な笑ひ聲を爆發させた。

『アハハハ、また火遁の術か――』

佐助は、きつとなつて彼を睨みつけたが、腹立たしさと、

（眞田殿か毛利殿かが城内の指圖をして居られたらば、同じ落城するにしても、このやうな淺猿しい滅び方はすまいのに……）大野道犬や修理が馬鹿侍だといふ彼の確信は、ここで悲しくも證明されたのである。

（秀頼樣はどうしておゐでなさるぢやらう。）一人の武士をつかまへて聞いて見たが、「知らぬ」と言ひすてて走つて行つてしまつた。次にとらへた武士は、「御自害なされたであらう」と答へた。結局たしかなことは、この男にもわからないのであつた。

（天守閣ぢやらう。）と彼は考へた。秀頼の最後を見屆けたら、もう一度城外へ出て、華々しく斬死をしようといふ考へが、やうやくまとまつた。

槍を杖にして、跛を引きながら、玄信は天守閣の方へ登つて行つた。

宏壯な天守閣も、四面既に火に包まれてゐた。どこからも中にはいる隙がなかつた。

彼は途方にくれて、虛空に向ひ一本の巨大な火柱となつて炎上してゐる天守閣を、茫然と仰いでゐた。そこへ突然、猿飛佐助が走つて來た。

悲しみとを籠めてから云つた。

『おたはむれを仰せられまい。忍びの者とて、死ぬる時にはやはり死ぬるのぢや。玄信殿、ようござるか、手前は今こそ、詐りなく死ぬるのでござるぞ！』

しかし、玄信は信じなかつた。彼はまた大きな笑ひ聲を立てた。

憐むべき忍術の大家は、華麗な朱塗の手すりの附いた階段の中途に佇んで、しばらく悲しげに、玄信の笑ふさまを眺めてゐた。

『自分の死骸を突きつけて、他人を納得させるわけにもいかぬ……』

彼はさう呟くと、玄信を相手にすることを諦め、身を翻して階段を駈上り、そのまま火焔の中へ飛び込んでしまつた。

玄信は不思議に敵中を突破した。さいはひ浪人狩の手にもかからず、數年間諸方を流浪した後、故郷の丹後へ歸つて倅とも再會し、安樂に老後を送ることになつたわけだが、流浪中もその後も、眞田家のことを知つてゐる者に會ふと、猿飛佐助のことを訊ねてみたけれど、誰もそんな男の名は聞いたことがないと云つた。玄信はそれを、彼等が眞田家の内情に通じてゐない證據だと思つた。

現に自分は、その偉大なる忍術者と、田邊で會ひ大阪で再會して、親しく言葉まで交してゐるのだから、これより確な證明はある筈がないと思つた。そして彼は、猿飛佐助は決して天守閣では死なないで、豐家再興を夢見つゝ今でもどこかに生きてゐるにちがひないと、死ぬまで信じてゐたのである。

（二六〇三年三月）

◇新刊紹介◇

◎船山信一著『現代文化の哲學的反省』
現代文化の諸問題を哲學的思想的に究明し解説せんとする論文集で、時局下知識人に課せられた諸問題を多方面から斬込んだ明快な好著である。戰爭と新文化、東洋文化と合理性及び非合理性、技術と文化、指導者原理の性格、生活文化論、歴史哲學と現代、等。（三圓二十錢、芝區田村町四丁目、今日の問題社）

◎柴田賢一著『米英の東亞侵略年譜』
米英蘭三國が、どんな風に東亞を侵略したかといふ歴史を、克明に年譜化した資料集で、それに著者の解説と、詳細な索引で補つた簡便な著作である。（二圓、京橋區銀座六丁目四、都書房）

◎三田村鳶魚著『江戸ばなし』（其一）
定評のある話題と研究で、相撲の話、以下、敵打、御殿女中、下女、時刻、食事に關して、汲めども盡きぬ滋味を味はしめる樂しい本。（二圓、芝公園、大東出版社）

餘寒

土屋光司

一

正月になつてから、雨らしい雨がなく、大地は堅く氷りつき、地上のあらゆるものが枯れつくして、空つ風に吹きさらされてゐるうちに、二三日ぽかぽかと暖い日が續いた。おや、もうこのまま春になるのかな、といふ楽しみに、村の人々の胸がふくらみかけたところだつたが、今日はまた冬に戻つて、朝から氷雨がシトシトと降つてゐる。やはり、春はまだまだ遠い——

大きな百姓家に、老夫婦二人つきりの朝食は、底にひやりとするものがあつて、お互に口には出さないが、なにか味氣ない。

『今日は山行きはやめにするぞ』

謙吉老人は、お茶を飲みながら、妻のはなの顔を見た。

『さうさよ、この降りだもの……』

はなはわかりきつてゐたといはんばかりの口調で答へた。

『……』

謙吉老人は明けて七十才、もう近所の連中はとつくに長男に家を譲つてゐる年齢だが、男三人、女二人の子供がみんな他所へ出てゐるので、毎日炭燒きに通つてゐる。尤も、山は自分のものだが、他の人に燒いてもらつてゐるのである。自分は木伐りを受持つてゐるが、それも責任者といふわけではないから、無理な仕事はさうしないでもいい身分である。

『つまらねえもんだなう……幾人子供があつても、傍に一人もゐなくて……』

妻が老顔をゆがめて、またその話を始めた。

『うん……』

『せめて、幸一だけは餘所に出さなければよかつた。どうせかうなることとアきまつてただから』

長男の幸一は、縣廳のある市で、中學校の教員を勤め、昨年の三月で恩給年限に達してゐる。

小さい時から學校の成績が良かつたので、望む通りに學校へ出したのだが、それは必ずしも謙吉一人だけの意見に依つたものではなかつた。しかし、この話になると、いつでも妻のはうが強かつた。

『幸一は家において、百姓の嫁をもらひさへしたら、今頃ア孫の子守りでもしてゐられたが……』

『うん……それでも、うちの娘も百姓にはやらなかつたものなあ』

これはまた、妻の責任といふわけではなかつたが、これをいひ出すのは、いつでもきまつて謙吉のはうからであつた。二人の娘はいづれも近くの町の商家に嫁いてゐる。

『そして、あれらも今ぢや百姓のはうがいいつていふからなあ……』

『なあに、いつまでも、こんなことアあるまいよ』

『うん、それやさうさ……人間誰だつて、生きてれや、いろんなことがあるもんだ……』

かうして、老夫婦の話は、幸一の長男、つまり二人にとつては初孫の辰夫が、つひ先頃農學校を卒業して、やがてここへ來ることになつてゐる話に移る。この辰夫を一人前の百姓に仕込む氣力は、もう今の謙吉にはないのだが、それでもこの家に必要なものは、なによりも若い生命なのだ。

それから、兄弟のうち、ただ一人百姓になり、つひ一昨年までは家にゐたが、今は南洋方面に出征中の三男のこと、東京で會社に勤めてゐる次男夫婦のことなど話してゐるうちに、はなの眼の前には、五人の子供がまだ家にゐた頃の賑やかだつた食事時の光景が、ありありと浮んでくる……あの頃は忙しくもあつたが、樂しみも多かつた。そのうちに、子供はまるで誰かの手にもぎとられでもしたかのやうに、一人づつゐなくなつていつた。ああ、あの子供が、妻や夫と一緒に、孫をみんな連れて、この今の淋しい食卓の周圍に、ぎつしりと並んでくれる日はないものだらうか……すると、その兩眼はいつの間にか涙ぐんでゐる。謙吉はそれを見ると、

『また始まつたな。なアに、みんなうちの子供だ。今にみんな揃つて來るさ。ハハハハ』

と、大きな聲で笑つてみせた。が、その瞬間にハツと胸をつかれた。そんなことがあり得るか。ましてや、三男は今戰爭に出てゐる。歸るかどうかが誰にわからう。

『……』

しかし、謙吉には、正月以來その機會を待つてゐた大きな樂しみがある。妻にも子供達にも理解が出來ないらしいが、自分にとつてはこの上ない樂しみであり、それ故にこそ、過去の思ひ出にばかり生きるこの身に、未來をも夢みることが出來るのだと思ふ。

妻が流し元へ立つたのを機會に、

『さアてと……』

と、聲をかけて立上つた。

二

火の氣のない奧の室の空氣は、ひつそりと冷えきつてゐる。

しかし、その寒さも少しも氣にならなかつた。古ぼけた机に向つて、昨年中に來た五人の子供、その家族から來た手紙を整理するのである。

一昨年までのものは、それぞれ分けて、表紙をつけて、『雁信集』と標題もあり、『長男篇』以下『次男篇』まで、十册近く出來上つてゐる。

これを時々出して見ては、子供達の生長の跡を辿るのが、一年を通じての樂しみになる。

しかも、今年はいつにない大きな樂しみがあつた。今までのものは『雁信集』ばかりであるが、今年は、三男の清三の

出征のために、大東亞戰爭の記念になる『軍信集』をつくることに決めてゐたからである。

清三の手紙は全部はがきで、一昨年應召後からの分が、二十枚とはない。細かい字でギッシリと書いてあるのもあつて、その儘綴ぢてしまつては、保存は出來るけれども、後で讀むのには都合が惡い。といつて、手頃の紙に貼つてしまつては、宛名が永久に隱れてしまふ。

そこで、この軍事郵便だけは、臺紙の中央をはがきの大きさよりも少し小さく切取つて、宛名のはうの端に細く糊をつけて貼ることにした。

謙吉は今、手の先きがかじかむのも忘れて、『軍信集』を編纂してゐる。

しかし、長男以下次男までの手紙も、大東亞戰爭第一年の消息として、この上もない記念である。

謙吉は昨年、長男のところへ、來年はおれももう七十才になるのだが、お前ももう恩給がついたし、そのうちにやめて歸つてくれないかといふ手紙を出した。その返事もここにある。

今までは、恩給がつけば、百姓をやる考へでゐた。全然經驗はないが、體に合つた程度の仕事ならば出來ると思つてゐた。しかし、今の時代では、自分をどこにおいたら、最も國家のためになるかを先きに考へなくてはならない。自分は若い時のやうに百姓を嫌つてはゐないが、百姓になつても自分と同年配の人々の半分も仕事は出來ない。だから、自分は今の儘でゐるはうが、正しいのではないかと思ふ。さいはひに辰夫は農學校へ入れたが、もうこの上の學校へ行く氣もないので、あと一年で卒業したら、そちらで働かせるから、もうしばらく淋しいのは我慢してもらひたいといふ手紙である。

辰夫はつひ先だつて卒業式も濟んだといつてよこしたので、やがて來るであらう……。

近くの町にゐる娘二人は、時々來ることもあるし、その子供たちは泊りがけで遊んで行つたりするので、手紙は少い。しかし、以前とはまるで違つてきた町の暮しぶりは、その話が出る度に老夫婦の心に、かすかな悔恨の種のやうなものを殘してゐる。

東京にゐる次男は會社員で、このごろは野菜が少いので、近くの空地を借りて、日曜日には百姓仕事をしてゐるなどといつてきてゐる。

老夫婦は十年程前に、この次男の結婚のために上京したことがある。東京はどこまで行つても家ばかりだつたやうだが、あれでも畑にする土地などが殘つてゐるのかと思ふ。

(あれにも百姓仕事は出來る筈がねえ……大方遊び事のやうなものだらう)

謙吉はさう思つてゐる……。

『また、古手紙かえ……』

妻が來てゐたのだつた。妻は、多分そんなことだと思つたとでもいひたげな顔をして、立つた儘、机の上を見おろしてゐる。

『うん……』

『この寒いのに、火でも入れれやいいのに……』

『なあに、それ程でもねえよ……』

といつて、謙吉は鼻をすすつた。

『圍爐裡傍でやれやいいに……』

『うん……』

『わしや晝まで、隣家へ炭俵編みに行つてくるよ……』

『うん……』

炭俵を編むのは、主に女たちの仕事であつた。隣家は家族が大勢なので、話相手がある。ひつそりした家で默つて手を動かすよりもずつと樂しかつた。

家の中は、しんとしてゐた。

謙吉はふと思つた。

子供達がゐる頃には、かういふ雨の日には朝から藁草履をつくつたものであつた。一日に十何足もつくつても、子供達が遊び盛りの頃には間に合はない位だつた。

今はかうして、子供達の手紙を讀んでゐる。

雨の日と子供達、その思ひ出は懷しいものだつた。

戸外では、まだ雨がひそかな音を立てて降りつづいてゐる。……

三

『軍信集』は、三時間程して出來上つた。

どのはがきも、もう幾度となく讀んだものではあるが、かうして纒めてみると、またべつな味がある。

第一信から讀直してゐるところへ、妻が歸つて來た。

『隣家へは清三のところから年始狀が來たが、うちへは來ないかえ』

『なに、年始狀が?』と、ちよつと驚いたが、なるほど考へてみれば、ちやうどその時分である。

『ふうん、うちには來ねえが、なに、そのうちに來るだろ。一日や二日は早くなつたり、遲くなつたりするさ。なんしろ、遠いからなあ』

二人が晝食を濟ましたところへ、

『お寒うごぜえす……』

と、上の家の宗太郎が入つて來た。

宗太郎はもう去年から隱居したがつてゐる男である。六十二才にならないと、戸籍面の隱居が出來ないからであつた。だから、謙吉よりは八つも年下だが、惣領はもうやがて四十才で、四男五男はまだ家を手傳つてゐる、孫も幾人かあるといふ大家內で、本人はまだまだ元氣である。その上、次男三男と二人も戰爭に出してゐる。

『このご時勢に、そんなに隱居したがるもんぢやねえぞ』と、人がいへば、

『なあに、仕事はよすわけぢやねえ。それに、惣領が四十にもなれば、家の采配をとるのがいいさ』といつてゐる。

謙吉と宗太郎は、碁敵である。しかし、休日とか雨の日とかでなければ、そんな遊び事をしてゐる暇はない。

宗太郎は圍爐裡の前に坐り込んで、煙管を出しながら、

『今日は清三さんから年始狀をもらつてなう』

『あ、お前つちにも來たかえ』

と、はながお茶をくみながらいつた。

『これだよ』

宗太郎は、謙吉に繪はがきを手渡した。

椰子の樹の下に、眞黑な土人がゐる繪で、その上に、清三のペンで、『謹賀新年　今年もがんばります、留守宅をよろしくお願ひします』と書いてある。

『うちにはまだ來ねえよ』と、謙吉はそのはがきをじつと見てゐた。

『明日でも來るかも知れねえが……』

『なんしろ、今日は年始狀をもらつたから正月だよ、ハハハハ』

『ハハハハ、正月だから碁をやりに來たのかナ』

『なに、さうでもねえがな……』

そして、南洋の話から始まつて、戰爭の話、銃後を守る百

姓の話などが一しきりつづいた。

謙吉は、話の途中で、奥の室へ行つて、半日かかつてつくつた『軍信集』を持つて來た。

『今日はかういふものをつくつたよ』

『へえゝ、よくまあ丹念に――』といひながら。宗太郎はそれを取上げて、引つくりかへしてみたり、ベラベラとめくつてみたりした。しかし、讀んでみようとはしなかつた。

謙吉は、清三のはがきを持つて來て見せてくれる程の宗太郎ならば、自分の氣持が少しはわかつてくれると思つたが、ただ感心しただけで、それ以上なんともいつてくれないのが物足りなかつた。

『變つてるなあ、うちのおぢいさんは――』

と、はながいひかけると、

『なあに、かういふことは誰にも出來ることぢやねえよ。ふうん――』

といひながら、宗太郎は煙管を爐の緣でポンポンと叩いた。しかし、その話はそれきりになつてしまつた。

それからまた宗太郎はしばらく煙草ばかり吸つてゐたが、思ひ出したやうに、

『それでも清三さんは感心だ。うちの連中ときたら、近所にもうちにも手紙なんか碌すつぽ來やしねえ。尤も、うちでもどうも、手はいくらあつても、字が書けねえのが多いもんで、めつたに書きもしねえが……ハハハハ』

『なあに、お前つちはいいが、うちぢや近所のお世話にばつかりなつてゐるから……』と、はなが夫の顔をチラと見ていつた。

『そんなことアねえよ、お互えさま、お互えさま』

宗太郎は頭を振りながら、おどけたやうにいつた。

四

『上の家はいいなう、賑やかで……』

しばらくするとまた、はながいつた。

『ああ、賑やかだよ』

『うちでも幸一には百姓をやらせれやよかつたよ……』

『それでも、幸一つあんは今に校長さんになるちうからいいさ。中學校の校長になつた人なんか、この村にや一人もあるめえよ』

『それでも、松原の良治さんは大學の先生になつたとかいふ

話だよ』

　謙吉が横から口を入れた。

『へえ、大學の先生になつたつてかえ……』

『うちでも、幸一が惣領でなけれやよかつたが――』と、はながあきらめかねていつた。

『さうだ、それやさうだなう、惣領はやつぱりうちをやつてくれねえとなう……』

『宗さん、お前は今年中に隱居するかえ』

　謙吉が不意にその話を遮つていつた。

『ああ、どうも……ここでさういふと笑はれさうだが、孫もいかくなつたし……讓つてやらうかと思ふが――』

『まだ早過ぎるよ』

『え？』

『早過ぎるよ、お前、隱居なんて……』

『さうかなあ……』

『上の家ぢや早過ぎないよ。兄さんはしつかり者だし――』

『なあに、早過ぎる、早過ぎる』

　謙吉は宗太郎が倅や孫にとりまかれてゐるのが羨ましいわけではない。なるほど、自分のところには一人もゐないが、遠くにゐるだけに、家とのつながりの點では、却つて自分の所のはうが、近くにゐないとどうしていへようか。

　しかし、そのことは、妻や宗太郎にはわかつてもらへないと思ふ。『雁信集』がただ丹念な性分のために出來たのだと思ふ人には、わかつてもらへさうもない。

『だつて、うちでも幸一が百姓してたら、もう隱居してゐたかも知れないよ』

『それやわかるもんか。その時になつてみなけれや……』

『ハハハハ、大きにさうだなあ』

　宗太郎は大きな聲で笑つた。

『……』

『上の家ぢや仕合はせだよ』と、はなは謙吉の考へには頓着なく、『炭燒きだつて、遠くの山はみんな兄さんがやるし、手がうんとだから、燃し木の心配もなし――』

『なあに、そんなにいふもんぢやねえよ。大勢なら大勢で、厄介なこともあるさ。うちのばあさんなんざ、なんのかんのと、毎日ぐづぐづいひつづけだよ、ハハハハ』

『それでも、百姓の家は大勢に越したことはないよ。百姓仕事は、蠶だつて、田の仕事だつて、みんな一人二人ぢや出來ないことばつかりだ、それに──』

『それやまあ、さうだな』と、謙吉は妻がいつまでもその話にこだはるので、ポツリとさういつた。

子供同志の話では、はぢけるやうな笑ひ聲が加はるので、話が杜絶えて、お互に顏を見合はせるやうな瞬間は殆んどないものだが、老人となると、半日一人つきりでゐた後ですらも、さういふ瞬間が幾度となくあるものだ。

謙吉は、手の先きの冷たさも忘れてゐた午前中のあの愉しい心には歸ることが出來ない、なにか氣まづいものが感じられたので、強いて笑ひ聲をつくつて、

『宗さんは碁打ちに來たのぢやなかつたのかえ』

『なに、さうでもなかつたが、うちにゐてもちよつと退屈だつたもんだから……』

『ハハハハ、家族は大勢だつて、退屈することはあるからなあ──奥へ行かうか、それとも火の傍がいいかえ』

『煙草があるから、こつちのはうが──』

『さうか、さうか、それぢや久しぶりで、うんといぢめてやるかな、ハハハハ』

謙吉は氣輕く笑ひながら、碁盤を持つて來る爲に立上つた。

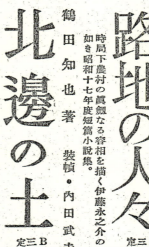

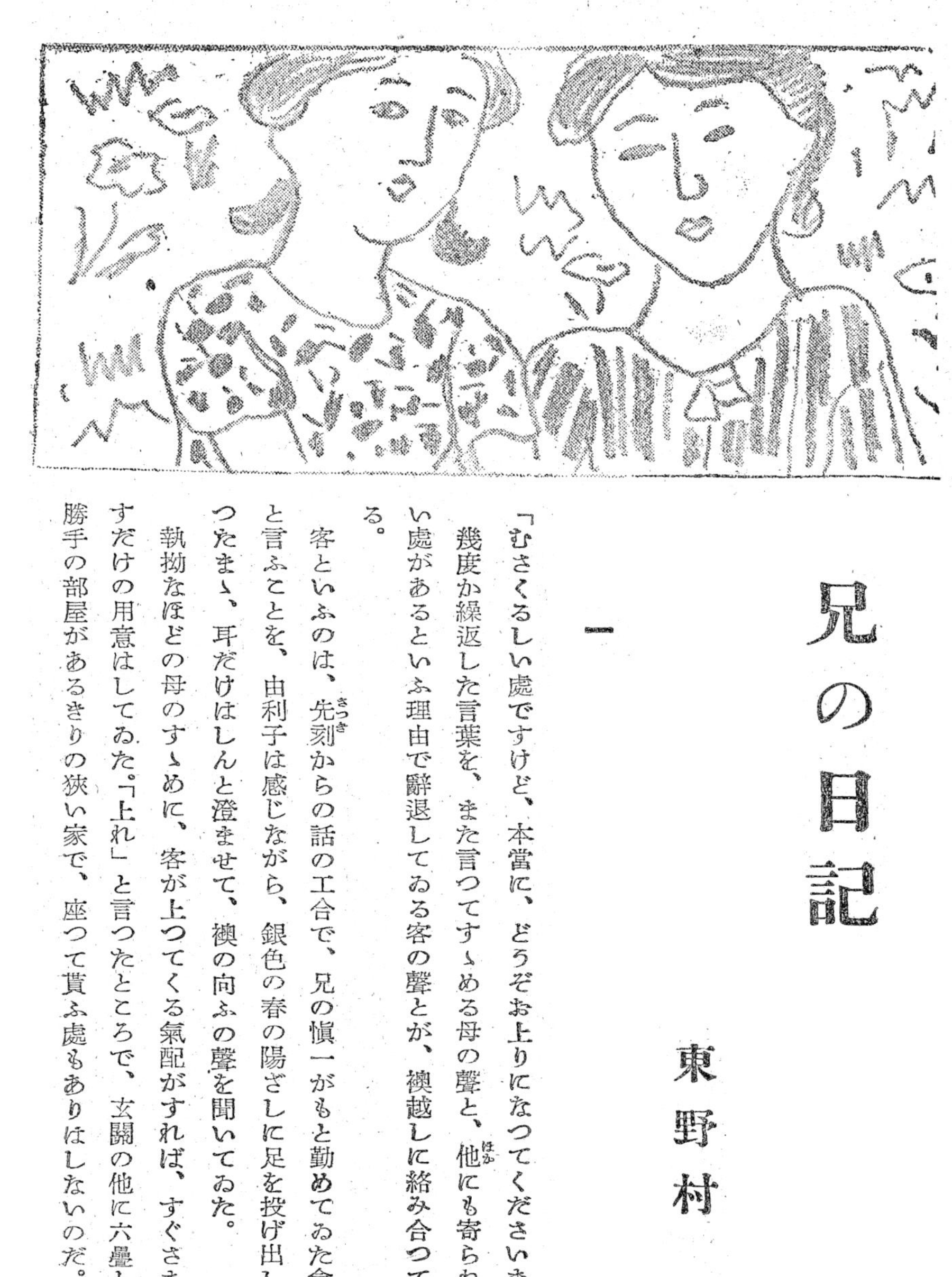

兄の日記

東野村　章

一

「むさくるしい處ですけど、本當に、どうぞお上りになつてくださいませな」

幾度か繰返した言葉を、また言つてすゝめる母の聲と、他(ほか)にも寄らねばならない處があるといふ理由で辭退してゐる客の聲とが、襖越しに絡み合つて聞えてくる。

客といふのは、先刻(さつき)からの話の工合で、兄の愼一がもと勤めてゐた會社の人だと言ふことを、由利子は感じながら、銀色の春の陽ざしに足を投げ出して寢そべつたまゝ、耳だけはしんと澄ませて、襖の向ふの聲を聞いてゐた。

執拗なほどの母のすゝめに、客が上つてくる氣配がすれば、すぐさま身體を起すだけの用意はしてゐた。「上れ」と言つたところで、玄關の他に六疊と四疊半の勝手の部屋があるきりの狹い家で、座つて貰ふ處もありはしないのだ。

「いづれあらためてお邪魔させて戴きますから……」

その約束の言葉に、やつと母は思ひ止まつたらしい。やがて、客の出て行く靴音と、格子戸を開け閉めする音がして、母が戻つて來た。白髪の増えた母の髪は、幾らか亂れてゐるやうだつた。手に何か紙包みを抱くやうにして持つてゐた。

「兄さんの會社の人ね」

由利子は、寢そべつた儘で言つた。

「えゝ」

縁側に向つて置かれた紬絲器の椅子に腰を下しながら點頭いた。僅かだが生活の足しにと始めた眞綿手紡絲加工の内職の機械、紬絲器は、原始的な形であつたが、それが反つて煤けた部屋と、素朴な母の姿にはぴつたりしてゐることが、由利子には何といふことなしに悲しい想ひがするのだつた。

「もう仕事をはじめるの」

「母さんには日曜がないんだもの」

「いゝわよ。あたしがうんと稼いでくるわ」

「お前にはもう澤山働いて貰つてゐるんだもの」

「夜勤を續ければ、母さんの内職ぐらひお手當ででると思ふわ」

「でも……」

「それ、なに？」

由利子は、母がまだ兩手で持つてゐる紙包みを指して、身體を起した。

「兄さんのものなんでせう」

「さう。日記だとかつていまの人が言つてたけれど。棚を整理したとき、これが出てきたものだからつて、お屆け下さつたのだよ。……」

「兄さんの日記ね。兄さん、こつそりと會社でなんか日記をつけてゐたのね。見せてよ。見たつていゝんでせう」

「いけません」

急にきびしい口調で言ひ放つと、それが生地の強い氣性に滿ちた聲で、「出征するときでさへ、持つて歸らなかつた日記だと思へば、きつと、あたし達には見せたくないことが書いてあるに違ひありません。……死んでしまつた兄さんだとは言へ、矢張りその氣持を、犯してはならないと思ひます」

「兄さんに、そんな秘密があるとは思へないわ。思ひたくもないわ。母子三人、本當に信じ合つてゐたんですもの。出征のときは、あんなに慌しかつたものだから、持歸るのを忘れてゐたんだと思ふわ」

「それにしても……日記ですからね……」

「ぢや、兄さんにお許しをいたゞいてくるわね」

由利子は、まだ新しい佛壇の前へ飛んで行つた。軍服姿の兄愼一の寫眞の顏は、心もち仰向いて、空の一點を瞶めてゐるやうに瞳を瞠き、固く唇を結んでゐた。男々しい姿の中にも、三十を幾つか生活の戰ひに戰ひ越した男の勞苦の翳が漾つてゐるやうだつた。

由利子は、そつと手を合した。が、「見せて頂戴」とは言へなかつた。

二

七年前夫が永い病ひのあとに逝つてから、全くの窮乏が一家を襲つた。中等學校を卒業したばかりの愼一が、夫に變る唯一の働き手として向學の心を犧牲にせねばならなかつた。ひたすら一家の生活を支へる爲に奮鬪した。母もまた働いた。一日一日は、窮乏を乘り切らねばならぬ努力の重なりであつた。

愼一の工員としての技術の精勵は、漸く、數年の歳月の結晶をもつて、一家の支柱を支へんとしてゐた。汗の中から滲み出る明るい光明が、狹い家の中にかげらふのやうに昇りはじめたのである。その時、愼一に召集令狀が下つた。そして、二年を經ずして戰死。支那事變から大東亞戰爭へ、思へば、裏街の片隅のこの一家にも、時代の波濤が、緊張の歳月を追つてきてゐたのだ。

母の强い氣性と、娘の若い明るさは、何ものをも克服して生きようとする努力を育んだ。戰死の報があつて二週間が過ぎた。軍人會、婦人會、町會と、知らない人々が、立てつけの惡い格子戶を開けて訪れてきた。遺骨もやがて戾つて來ることであらう。

その日を想ふと、母の心は波立つた。いまでは、娘も一人前に働いて吳れるし、眞綿手紡絲加工の仕事も順調に續けられてゐる。女ばかりの二人の生活は、それで貧しいながらも支へられてゐた。が、還る息子を迎へるために、幾晩かを、徹夜して仕事を續けた。せめて還つて來たその日だけでも、あの子の好きだつた食物を、遺骨の前に並べてやりたいのだつた。

「母さん、そんなに無理をしちやいけないわ。身體の方が參つてしまふわ」

「いゝんだよ。母さんは張り切つてゐるんだから」

「あたしも、何だか。……ぢつと寢てゐられない氣持がするんですもの」

「さあ、早くおやすみよ。寢不足をして會社でしくじりでもしたらいけないからね」

「……母さん。……母さんは、無理をしてゐるんだわ、無理だと知つてゝ、無理をつゞけようとしてゐるんだわ。……あたし、……判るの。……仕事で、悲しみをごまかさうと……

……」

「由利子。……お前は何を言ふの。愼一は、お國の爲になくなつたんだよ」

「さう。……だから……」

靖國の神の母——として、見知らぬ人々の好意があるのだ。今迄に、誰にも一度として涙をみせはしなかつた。それは、護國の柱として散つた愼一に誇りたい氣持でこそあれ、悲しみをおし包む何かではなかつた筈だ。

くるりと向ふをむいてしまつた娘の黒い髪をみながら、この子は何を言はふとしたんだらうと思ふのだつた。ボンボンと時計が二時を打つてゐた。

「母さん」

暫くして、由利子がまた、寢返りをうちながら言つた。

「まだ起きてゐたのかい。本當に、明日になつて仕事にさしつかへるよ」

「兄さんの日記。矢張り見たくなつたんだけど……」

「………」

「母さんも見たいんぢやない？」

「明日、お仕事でしくぢつたりしても知りませんよ」

「母さんだつて、屹度見たいんだわ。だけど見たくないつて言ふのは、あの頃の兄さんの一日一日の出來事が書いてあるからなんだわ。日記を通じて、あの頃の兄さんを想ひ出すのを、何か、いけないことのやうに、觸れまい、觸れまいとしようとしてゐるんだわ。……ね、母さん、夜業（よなべ）のことだつて、日記のことだつて、それから母さんの氣持を考へると、胸が、いつぱいになつてくるの」

「………」

「何でもないことかも知れないわ。でも、でも、……母さんの心は、娘のあたしまで閉め出して入れようとなさらないんだわ。……さうよ、ひとりで、母さんだけで、自分で自分をいじめることで、凝つと激しい打撃を突き抜けようとしてゐるんだわ。……あたしにも心の中で垣をつくらうとしてらつしやるんだわ」

「…………」

「さうすることで、息子を御國に捧げた母の、何か大切なつとめのやうに感じてゐらつしやるんだわ。……由利子も、母さんと一緒だわ、兄さんを迎へるための御馳走は、由利子も一緒につくりたいのよ」

「由利子……」

鈍く、黄色い電燈の光りに、凝つと由利子を瞶める母の瞳が動かなかつた。急に老けたかと思へるその頬に、一すじ光るものが走つた。

三

愼一の日記は、佛前に飾られたまゝだつた。母も由利子ももう、そのことには觸れなかつた。母は、愼一が會社で記（つ）けてゐた自分の日記に何を書いてゐたか、開いてみなくとも判るやうな氣がするのだつた。

三十を過ぎても獨身でゐなければならなかつた愼一。父の死後、窮乏と鬪ひ續けた彼は酒も煙草もやらなかつた。全く一家のために血みどろに働きつゞけたと言へよう。一度の緣談らしい緣談もなかつた。さうした生活の中で結婚は考へられる問題ではなかつたのだ。愼一の年齢を想ひ、疲れて歸つて來る彼の充分に伸びきつた背丈を仰ぐやうにして、母は幾度、結婚すべき年齢だと、そのことを口にしようとしたか知れない。だが、どうしても言へなかつた。

或る日、愼一の背廣の衣囊（ポケット）に、香りのする手巾の這入つてゐたのを見たことがあつた。

さうしたことゞもを想ひ想ひ、彼の日記が、どう言ふ内容のものか判るやうな氣がするのである。それが、どんな解決をもつたものか、其處までは考へてはならないのだ。

生活の爲とは言へ、強いて彼は、そのことを言ふのを避けてゐたことをもつて充分に察してやらねばならない。だが、母の氣持として、嫁を持たしてやる機會のなかつたことが、可哀さうでならなかつた。唯一つの心殘りであつた——。

紬絲器を動かしながら、ともすれば、そのことに想ひが墜ち込んでゆくのだつた。配給品を買ひに走つたりなどで、内職の方は思ふやうに捗らなかつたが、どうやら、幾らかの御馳走が出來さうであつた。

「たゞいまツ」

由利子は、相變らずの明るさを持ち續けてゐた。子供だ、子供だと思つてゐるうちに、何時か子供は、大人の世界に這入つてくるものだ。

由利子が、もう急がなければならない年頃なのを、彼女の明るい聲の中から、ぴーんと胸を突くものゝあるのを母は感じるのだつた。

由利子は女だから、愼一のやうなことがあつてはならない。

「母さん、今日はとても變な日よ」

食卓臺の前にぺたんと座りながら言つた。

「なに？　變な日つて……」

「それがね、由利子の緣談を二つ聞いて來ちやつた」

「緣談……」

「さうよ、お嫁入りのお話よ。一つの方はお養子のお話」

「さう」

母は、明るい微笑を浮べるつもりが、頰がこはゞつてしまつた。

「緣談つて、此頃ぢや、直接本人に話すものになつたのかしら」

「で、どうなんだい。お前……」

「ふるつてるのよ。御遺族の方だから、本當に御心配してあげるんだとさ」

「有難いことだね」

「いやよ。……遺族だからつて言ふ氣持、さう言ふ好意の向け方が厭なの。何か、他人の同情にすがらなければやつて行けないだらうつて思つてゐるやうな……」

「それや、お前」

「判つてゐるわ。判つてゐるわ。それは、屹度、あたしの思ひ過ごしよ。それは判つてゐるわ。だけど、急にみなさんが親切になつたやうに感じられることが……」

「由利子、そのお緣談を、よく話して吳れないかね。お前も、もう理屈ばかり言つてられる年ぢやないんだよ」

「母さんは、遺族だからといふ同情に甘へてもいゝつて仰言るの。あたし、結婚なんかしないわ」

「それや、いけません。結婚はしなきやいけないのです。折角のお話だし、お前がいゝと思つた方に、母さんだつて賛成します。ね、結婚して、お嫁さんになつた由利子を母さんだつて早く見たいんだよ」

「變ね、みんな變だわ」

「何が變なの、年頃になつて結婚する、あたりまへのことぢやないか」

「だつて、母さん。結婚するにはお金がゐるのよ。……それに、お母さん一人ぢや暮してゆけないのよ」

「大丈夫だよ。遺族の扶助をいたゞいてゐるんだし、どうして困ることがあるもんかね。お前も、貧乏の中で育つて、何時か、そんなに氣持の小さいことを考へるやうになつたと思ふと……」

「あたし、本當に母さんの側を離れたくないのよ」

「ね、由利子、母さんのお願ひだから、結婚する氣になつて呉れないだらうか」

「…………」

「お前も、兄さんのやうに、祕密を…………」

「なに？　母さん、見たの。兄さんの日記には、結婚のことが書いてあつたの。ね、母さん、あんなに……あたしに……」

「見やしないよ。だけど……由利子、結婚を……」

母は、ふと立つて、紬絲器に向つた。心の底の方で、一沫の寂しさが滓のやうに溜つてゐた。

（終）

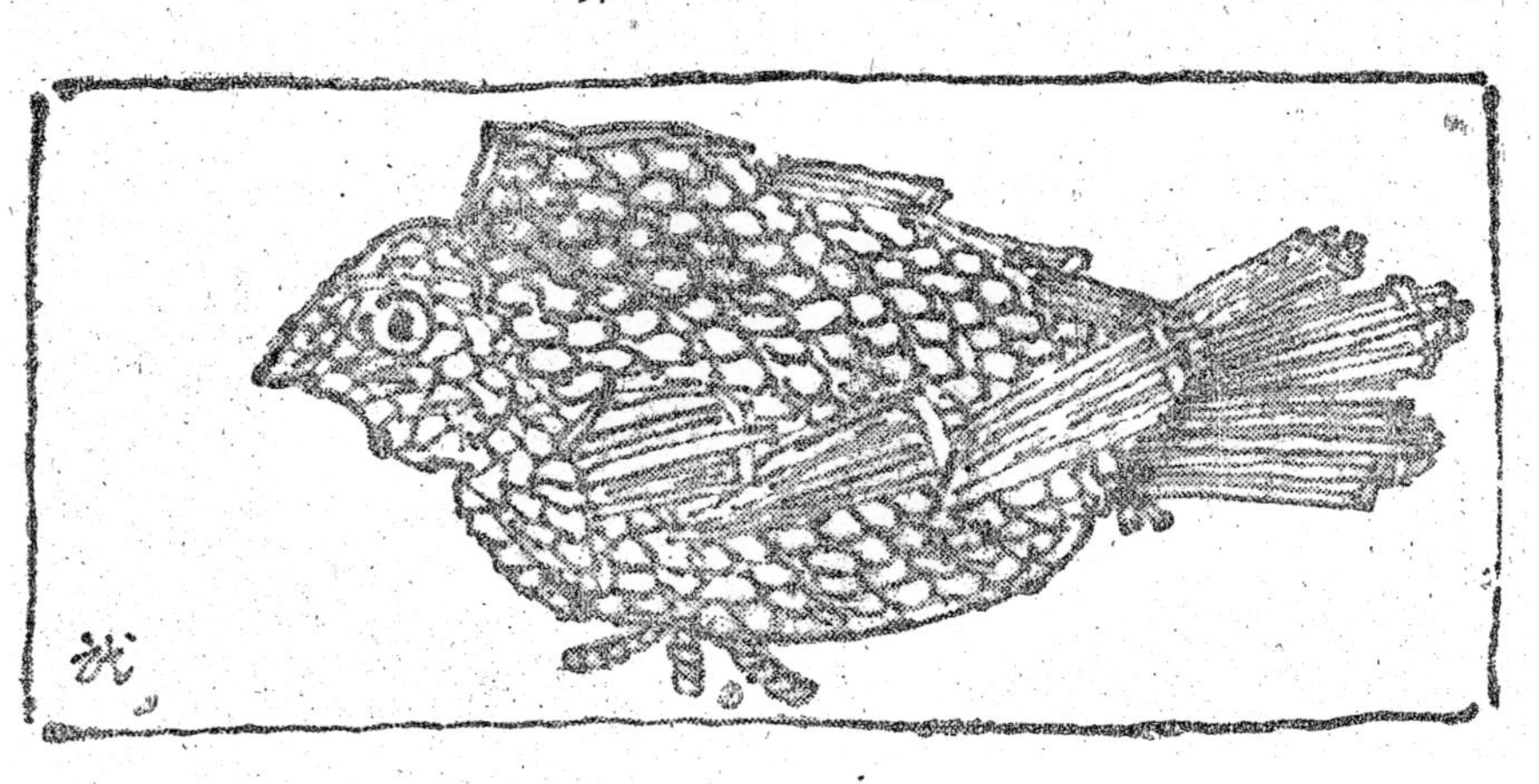

劍舞

岡戸武平

一

モスコーを發つた夜汽車は、その朝七時五十分にツウラ州の一小驛ザセーカに停つて、二人の日本人と三四人の地方人を吐き出した。

明治二十九年十月八日のことで、二人の日本人は三十四歳の德富蘇峰と深井某である。二人はヤスナヤ・ポリヤナにトルストイ伯を訪ねるべく、遙々もこの寒村に降り立つたのであつた。

ロシアの冬は早い。ましてその朝は冷たい霧雨が流れて、ポケットに入れてゐる手を握りしめてゐる寒さであつた。その上その驛は雇ふ馬車一臺ない貧弱な村だつたので、半里ほどの道をどうしても歩かねばならなかつた。二人は手荷物を驛に預けて、敎へられるまゝにポリヤナ街道を歩きだした。

「ロシアらしい景色だね。」

蘇峰が帽子の眉庇から眼をきよろつかせて、右を見たり左を見たりした。霧雨のために遠目は利かなかつたが、丘から丘につゞく平原で、その丘には畑があつたり林があつたり農家があつたりする、荒寥たる景色だつた。

それでもやがて霧雨が晴れ、陽の光りを含んだ乳白色の雲が現れると、いくぶん景色を明るくした。そのとき二人は原始林のやうな大樺林の中に入つてゐた。

「炭を燒いてゐますね。」

深井が指差す林間を見ると、炭燒のけむりが樺の木に絡むやうに低く流れて、人が一人黑々と働いてゐる。

「それよりその切株を見給へ。隨分不經濟な伐り方をするぢやないか。」

蘇峰は炭燒のけむりには無關心のやうに、まだ生々しい樺の木の切株を顎でしやくつた。それは地上四尺もあらうかと思はれるところから、斧でたち切られてゐたからである。

「あの邊が切り易いからですね。」

「とかく物が多過ぎると粗末にするもんだよ。」

蘇峰はこゝである教訓的な比喩を思ひだしたが、それは云はなかつた。

その林をぬけると、また丘に出る。その高みに立つと、丘から丘につゞく無限の草のある砂漠がひろがり、ところどころに置き忘られたやうに村落と林が見えた。放牧してある牛の群が草を食んでゐるのも見える。鷄の鳴き聲も聞える。犬も走つてゐる。たゞ日本の農夫とちがつて、早朝から野良に出る人もないとみえて、畑には一人の人かげも見えなかつた。

トルストイの家はその丘を下つた村落の右手の森の中にあるのだ。

二

さすが今は番人はゐなかつたが、門の兩脇には農奴時代の名殘りと見られる煉瓦づくりの番所があり、そこを入るとやや上り氣味となつて、左には池があり、道には大きな菩提樹が、ある間隔を保つて植ゑられてある。もう殆ど葉をふるひ落して、その道には色褪せた落葉がカーペットとなつて二人の足を柔かくした。

住宅はその緩い坂上にあつて、青屋根白壁の瀟洒たる二階建であつた。二人はかねて通じてあつたので、すぐその二階の大食堂へ通された。

ちやうどトルストイ家の朝食の時間だつたとみえて、伯の次男夫妻や二人の令嬢や家庭教師や秘書やトルストイが順次現れて、二人もすゝめられるまゝに同じ食卓を圍んだ。蘇峰はパンを必要以上に嚙みつゝ、久しく憧れてゐた大トルストイの風丰を、いつかわが筆に描くときもあらうかと思ひつゝ、仔細に觀察することを怠らなかつた。しかし、その風丰をそれとなく視詰めてゐる間も、不思議にトルストイが偉大な小說家であることは忘れ勝ちだつた。

彼は腦裡に、こんな風にトルストイの風丰を描寫した。――「彼翁を見れば、面貌は長崎凧の如く、兩觀骨飽くまで高張し、口は大に、目は窪く、色は赭に、髯は多く、あたかも畫ける天狗面に似たり。その天狗と異なるは、唯鼻の奇峰的に突起せずして、高岡的に蟠屈するの一事なり。更らにその服裝を見れば、あたかも洗禮のヨハネのごとく、皮の帶を締め、露國百姓の常服をつけ純然たる農夫なり」

トルストイは英語で、いろ／＼な質問を二人に浴せた。小トルストイや秘書や令嬢もまたこれに和して日本の様子をたづねたり、自國の風習を話したりした。

「貴君の信仰は？」

突然トルストイが膝の上のパン屑を拂ひながらたづねた。

「私の父は儒教主義によつて身を立てましたので、しぜん私も儒教主義に養はれ成長しました。そして、それは今でも變らない私の信仰となつてゐます。儒教と申すのは、孔子を開祖とする教へで、仁義の道を明かにしようとしたもので………」

「儒教は知つてゐます。貴君は孟子を知つてゐますか。」

「孟子は私の愛誦するところです。私の考へますのに孟子の文章は少しシセロに似てゐるやうに思ひます。」

「左樣、………孟子は同じ意義を何度も繰返すのが常套のやうです。」

「孟子と孔子、ポーロとキリスト、相通ずるものがあるやうに思ひますが如何。」

「イエス、イエス！　孟子の孔子を謬る、猶ほポーロのキリストを謬るごときである。」

慣れぬ英語を喋舌るせいか、六十四歳のトルストイの口髯には、つばきの露がたまつてゐる。それを無造作にルパーシカの袖でふいて、

「儒教は日本にどういふ影響を與へました。」

「武士道を生みました。」

それから人道と愛國心について、二人の論爭があつた。無抵抗主義のトルストイは、人道と愛國心との兩立せざるを主張し、蘇峰は立派に兩立することを力說して、日本に於ける武士道の內容を嚙んで含めるやうに說明した。しかし、トルストイはあくまで追及するので、蘇峰は、かやうな重大問題は一朝一夕では論じ切れないから、他日を期さうと話を轉じた。

(所詮この人には武士道は分らない)

青空の見えだした窓外を眺めながら蘇峰は思つた。

それからトルストイは日課のために書齋にこもり、蘇峰等は小トルストイの案內で邸內を見學したり散策することゝなつた。

馬や羊や犬や鷄がゐるとみえて、それ等の鳴き聲が斷續的に裏の方から聞えてゐた。

三

二人の遠來の客をもてなすに相應しい晩餐會が終ると、大食堂の片隅に一同は集つて雜談をしたり、トランプをしたり、令孃の歌を聞いたりして遊んだ。

「ミスター深井、日本の歌を聞かせてください。」

軍服を着た小トルストイが、とつぜん立ち上つてさう云つたので、みんなが拍手を送つた。深井はいくぶんテレ氣味で立ち上ると、學藝會の兒童のやうにぺこんと頭を下げて、

「では國歌を歌ひます。」

不動の姿勢で嚴肅に歌ひだした。蘇峰が思はず立ち上つたが、一同はその意味が分らなかつたのか腰掛けたまゝである。

それが濟むと、トルストイが「次は德富君だ」と云つたので、彼は椅子を前にして立ち、少し面を上げて呼吸を深く吸つた。

そして、ビクリとするほど大きな、力の籠つた聲で詩吟をはじめた。一同の視線が期せずして蘇峰の顏に集中される。

筑海の颶氣天に連つて黑し
海を蔽うて來る者は何者ぞ
蒙古來る、北より來る

――劍舞――

東西次第に呑食を期す

頼山陽の「蒙古來」である。蘇峰がこゝまで吟ずると、はじめは控え目にクス／＼笑つてゐた小トルストイの新妻が、もはやたまらなくなつたとみえて聲をあげて笑ひだした。それにつれて令孃達が顏を見合せ、つゝき合せ、いかにも可笑しいとばかり哄笑を爆發させてしまつた。

「おだまりなさい。笑ふものは別室へ行きなさい。」

さうたしなめるトルストイも、實は右手で口を蔽ひ、矢鱈に左手を振つて笑ひをこらえてゐた。その言葉に從つて小トルストイの新妻が、ハンカチで顏をかくしながら走るやうに出て行つた。

蘇峰は構はずつゞける。

趙家の老寡婦を嚇し得て
此を持して來り擬す男兒國
相模太郎は膽甕の如し
防海の將士人各々力む
蒙古來る、吾怖れず
吾は怖る、關東の令山の如くなるを
直ちに前んで賊を斫り、顧みるを許さず
吾が檣を倒し、虜艦に登り
虜將を擒にして吾が軍喊す
恨む可し、東風一驅大濤に附して
羶血をして盡く日本刀に膏せしめざるを。

終るとトルストイが眞つさきに拍手をしたので、一同もこれに和した。しかし、どの顏にもまだ笑ひの影が瞭に殘つてゐる。もちろんそれは、詩吟の可笑しさではない。蘇峰の鰐口から發せられる奇聲と、顏中に躍動する大柄な眼と鼻と口との、なんとも形容のつかぬ表情が、彼等の腋の下をつツついたのだ。それは蘇峰にも分つてゐた。だがこゝで、このまま引き下つては彼等の嘲笑をかつたのみで、見世物的存在でしかない。

さう考へた蘇峰は、何喰はぬ顏で云つた。

「私の拙い詩吟が、かくまで諸氏の感興をそゝつたのは、私の最も光榮とするところである。さればもう一聯吟ぜん。」

と、「鞭聲肅々」を高らかに吟じた。それはむしろ人々に聞かせん爲めより、鬱を散ずるための獨吟であつだ。終るとトルストイは、貴君の聲は音樂に適する聲であると賞めた。

（トルストイのお世辭！）

蘇峰は現實的にトルストイが小說家であることを認めて苦笑した。そして、日本にはこの詩吟の伴奏によつてダンスする、ケンブ（劍舞）といふものがある、もし御所望ならば一さし舞つて見せませう。幸ひこゝに居られる深井君は、その名人であると紹介した。

「それは是非一見したいものです。皆もさぞ喜ぶでせう。」

トルストイは顎髯を頻りにしごいた。

「では刀を一本拜借しませう。」

「よろしい。」

小トルストイが部屋を出て行くと、すぐ將校用のサーベルを持つて來た。深井はそれを受取つて拔き放ち、二三度振つてみてすぐまた鞘におさめた。そして蘇峰に日本語で囁いた。

「こんな輕いブリキのやうな刀では踊れませんよ。第一精神が入りません。適當に斷つておいてください。」

「それもさうだね。よし〳〵。」

蘇峰はひとりうなづいて、小トルストイに眞面目な顏を向けた。

「この刀はまだ戰に出て敵を斬つたことがないでせう。」

「ありません。」

「それではケンブは出來ません。ケンブは武士道を象徴したダンスで、その刀は敵を一度でも斬つたことのあるものでないと出來ません。それはその刀に武士道の精神が乘り移らないからです。」

「おゝ！」大トルストイは顎髯を握つたまゝ眼をかゞやかせて云つた。「それは感動すべき話です。武士道をもつ日本の强いことは、その挿話で遺憾なく語られてゐます。すべて精神のないものには生命はない。たとへば藝術にしても！………」

蘇峰はトルストイをあざむいたことを少しばかり後悔したが、やがてこれでいゝのだと思つた。そしてトルストイはやつぱり小說家であるナと思つた。

（完）

◇　◇　◇　◇

白衣の歸還（四）

岩崎　榮

せッちやん3

高光畫伯には、十日に一度くらゐの頻繁さで愛妻加代子夫人からの便りがあつた。

その便りには、長い手紙と一緒に、必ず何か、小包みが伴つてゐて、その内容は、いかに、心こまやかなる愛妻といふものが有難く忝けないものであるかを痛感させるやうなものだつた。

例へば、胃の薬、腸の薬、鎭痛劑、睡眠劑、膏藥類、繃帶。海苔、お茶、菓子漬物や鹽魚の罐詰や鑵詰。マスコツトの人形、玩具の人形、人形の可愛い下駄、まゝごとのセツト。それから畫壇の雜誌、新聞の切り抜き。家族の寫眞……と云つた如きものだ。

マスコツトの人形は四ツか五ツもあつて、ひごろお世話になる戰友のお方にも頒けておあげくださいとあつて、自分も一つ貰ひ、ベツドの枕頭のところの鐵棒に吊るした。唐澤兵長も、郷土藝術ふうな、和服の人形を貰つて、古いシボレーのバツクミラーのところへ括りつけたと云つてゐた。

　手紙は、バンコツクこのかた、何十通と來たのを、一束にし、いつも枕のまはりに置いて眠つた。眼が醒めてゐるときは、いつでもその中のどれかを讀みかへしてゐる。夜なかなど、燈火管制だから、懷中ランプで一字づつ照らし出しては讀み味つてゐた。もう決して奥さんのうはごとは言はなくなつた。

　キリスト敎の信者は、走尿にも行尿にも、バイブルを手放さず、日に何十ぺんとなく繰り返して熟讀するために、表紙も褄もボロ／＼にしてゐるが、高光畫伯夫人の、めんめんたる手紙も、封筒のふちなどは、すつかり擦り切れ「高光一也さま」とある宛名の裾の方で「さま」の「ま」といふ字が消えて無くなつたり、上の方の「高光」の「高」の字など、半分ちぎれてゐたりするのがあつた。

　久保さんといふ軍醫が診に來て、

「わツ、これア、高光さん、もう君は全快してるぢやないか。偉いものだなア、僕の手あてゞ癒つたんぢやアない。奥さんの手紙が利いたんだ。まゐつた」

　と感心し、すこしは妬けるやうに、邪險な態度で、高光君の腕をとり、力任せに寢臺から引きずりおろした。

「ほんまや、僕癒つたんやなア」

　と云ひながら、腕をふりまはし、その勢ひで水浴をして來て、

「これも女房のおかげやな」

　と云つた。

「いゝかげんにしろ、君にはおかげでも、岩崎さんにや大毒だぞ」

　久保軍醫は、わざと、むづかしい表情をつくりながら、ぷり／＼して歸つた。

　癒つたとなると、畫伯は、すぐに繪を描き出した。まつたく、仕事には熱心な男である。

「けふは、樋口君をモデルにして、と、うんさうだ、兵隊が銃を抱へ込んで、草ツ原に足を投げ出して眠つてゐるところを描かう」

　と云ひ出した。いくらなんでも、一週間も飲まず食はずで

臥してゐた人間だから、脚つきが、なんとなくふら〳〵してゐる。大丈夫かねといふと、あゝさうや、と想ひついたやうに、ボーイのパルデスを呼び、湯と殘飯を持つて來させ、鰯の鑵を切つて、うまさうに山盛りの飯を掻き込んでしまつた。いかにも現金なことである。ぢつと見てゐて、パルデスは呆れたやうにマスタアは、シツクは、グツドか、と訊いた。高光君は、グツドやグツドや、ベリグツドやと應へる。この兩人の、英語みたいな對話を聽いてゐると、大きに病床の欝さ霽らしになる。

急に西の空が曇つて來て、部屋の中の色彩が褪せたやうになつた。雨期が近づいたらしくこの頃は、毎日くらゐに、そんな空模樣を見せる。

「おいパルデス！　雨カムか」

高光君は繪筆の尖きで、窓外の天を指す。

「あ？」

パルデスに、雨は通じる筈がない。唐澤兵長が、そりや無理だ。雨は、高光さんレエンですよと注意する。

「あゝさうや、レエンカム？　こらパルデス・レエンカムか」

「あ？」

「レエンが、ざアツとカムするかいふんやがな」

パルデスは、空を見上げ、また一同の顏を見廻はし、當惑の極、泣き笑ひの表情をしてゐる。

「判らんか、馬鹿だなこいつ。ほら、あのウオーターが、ざアツと。あのエアから落ちてカムするか、ウオターが、こんなに、ざアー、ざアーツと」

「おゝ、ワター！　あゝワターカム、カム」

やつと、通じた。雨を水と云はなくては通じない。たいへんな英語だ。唐澤兵長は、

「天から水がくるか、困つたな。おいパル公！　その、ワターはホヘンカム？」

と、これも妙な問答を始める。

「イエス、サア」

「なに！」

「は？」

「ワター、ホヘンカム？　ジスナイト？」

「ノー、テンデー」

「テンデー？　テンデースアフタアか」

「イエス」

「こんちきせう！十日後だつてやがら、藤原博士だよこいつ」

高光君は安心して、畫布を擴げながら、パルデスに、食卓や、土間を掃除しろと手眞似で命じる。オヱス・サアで、パルデスは、肩にかけてゐたタオルで、先づ、床板を撫で廻し、ついでにそのきれで、食卓の上から、僕たちのコップまで拭いて、出て行つた。

自分は、パルデスがそんな不潔なことをするのをはじめて見て、急に胸が惡くなつた。さすが無口の樋口上等兵も、ひでえことオしやがると眉をしかめ、皆のコップを盆にのせ、水浴室へ洗ひにたつ。

「なに、あの先生と來たら、あのタオルみたいなもんで、便所のふちや、風呂の中まで拭くんだもの、一々恐縮しとつたら際限がないよ」

と平氣な顏で、愛妻が送つてよこした金鶏に火を點ける。

「こんちワ」

涼しい聲で、せツちやんが駈け込んで來た。まつたく「こんちワ」などといふ言葉は、この際、旱天に一滴の白露を甜めたほどにも、なつかしく涼しい響きをもつ。

會友作品評

──わが小品三篇──

◇おとなりの風呂　　柿本秀夫氏

『わが小品』は、コントよりもむしろ、氣持の上では短篇小説が欲しかつた。この短い作品では、作者の意圖が貫いてゐないやうに思ふ。いろいろなものを見ても、作者は心の奥底でぐつと構へてゐるところが欲しい。この短い作品で、から散漫になつたのは、何故であつたか、御一考が願ひたい。

◇我愛儞（ウオアイニイ）　　伏木一行氏

この作品でも、以上と同じことがいへるやうである。滿洲といふ土地を書からとするのは、からいふ短い形式では餘程愼重を要する。また、ここには今發表するのには一寸問題になる部分もあると思ふ。

◇明るい夕　　（同　氏）

徹頭徹尾頭の中でつくつた作品である。からいふ作品は、明治時代から既にいくらもあるが、これでは讀者を打つことは絕對にないと思ふ。理想を書くにしても、そこに必然が伴はないと、讀者の感情は盛上つて來ない。

以上三篇。何れも揭載出來なかつたのは殘念である。形はいくら短くても、作者に凛然たるところが欲しかつたと思ふ。

（土屋光司）

「あら、イワザキさん、まだ病氣なの？もう起きちやいなさいよ。暑いわねえ。あたし先生のおうちイ行つて來たのよ、いま歸りなの、英語の先生。あんた、脚揉んだげましよか」

一度にいろんなことを、あとから、あとから、つゝかけるやうに、けつまづくやうな云ひ方をする。このおちびが一人ゐると、暑ツくるしくてしかたがねえ。まつたく騷々しい聲を出す油蟬だよと、唐澤兵長が感心したやうに云ふ。おせつかいね、默つてらつしやいよと、せツちやんは、唐澤兵長を睨み、自分のベツドへ這ひ上り、左の脚を揉んでくれる。左ぢやない、こつちの脚だよと云へば、ぜいたくねどつちだつて同じぢやないのと叱りつける。貞夫さんはどうしてる？と訊いたら、平氣な聲で、あの人ツたら、お隣りの黑ン坊娘のお尻ばかり追つかけ廻してるわと、大變なことを云ふ。みんな啞然としてせツちやんの顏を見る。

「だつて、おばさんが云つてたわよ、すこし早すぎるつて。十六ですものまだ」

「せツちやんは、妬けるんだらう」

と唐澤兵長がからかふ。

「ヤケル？　なに、ヤケルつて」

「キミは貞夫さんのお嫁さんになりたいんだらう」

「あらいやだ、唐澤さんずゐぶんおませなのね。いけすかない」

ぷいツと寢臺を飛び降り、窓際に出て、外の方を見ながら、いつまでもこちらに背を向けてゐた。その姿が、なんとなくあはれで、この少女の、これからの運命と云つたやうなことが考へさせられる。

母親は捕へられて、カルカツタにゐるらしいと云ふが、そのことを、この女の兒は、どんなに悲しんでゐるだらう。平氣な態度はしてゐるが……長期戰だ、三年や五年で、母と子の再會があるかしら。それまで、その母親が無事でゐるだらうか。

「歸るわ、あたし」

せツちやんは窓際を離れて、自分の枕頭に來て立つ。

「へ、これあげよう」

誰かが吳れたドロツプがそこにあつたのを、紙包みのまゝ渡すと、ありがとうと、あつさり受け取つて、また窓のところへ行き、西の方の空を見ながら、一つづゝ紙包みから出して食べはじめた。

「なにをそんなに見てばかりゐるんだい、せッちやん」

と訊いてみる。

「パゴダ。あのシユヱダゴン・パゴダ。あんたあそこへおまゐりした？」

依然うしろ向きのまゝで答へる。

「まだ行かない」

「あの金の塔ね、あの上のところに、いろんな寶石が一ぱい入れてあるのよ。昔の王様がお入れンなつたんですつて。それを、泥棒が盜みに行つたんですつて。そしたら俄に大地震になつちやつて、泥棒は塔の上から落つこちて死んぢやつたんですつて、いゝきび、唐澤さんみたいな泥棒よ、きつと」

「おや〳〵、ひでえことになるもんだ」

唐澤兵長は首を縮め、頭を搔きながら苦笑する。カムパスを睨んでゐた畫伯も吹き出しながら、そんなことを云ふもんぢやない。それよりや、歸りにあのお寺へ寄つて、お母アさんが早く歸つてくるやうにお祈りしなさいと云つた。

自分はひやりとなつた。傷ついてゐる小鳥のその傷のところに觸るいぢらしさだつた。

「だいじよぶよ、あの人とても強いんですもの」

案外な返辭だつたので、ほツとする。

「あの人だなんて、いやに他人みたいに云ふんやな」

畫伯は、すこし不愉快らしい聲を出した。

「他人ですもの、あの人マヽハヽなのよ、あたしの」

自分と高光君は、期せずして顏を見合はせた。なんとなく荒涼とした氣持にならされた。しばらくは、誰も口を利かずにゐた。北側の窓の外で、マンゴーの大木に群れ寄つた鴉が、まるで調子のない、破れたブリキ板のやうな聲で騷ぎ出した。日が暮れるのだ。

△新刊紹介

◎河竹繁俊著『管原傳授手習鑑』
歌舞伎の精神と傳統を、名作淨瑠璃管原傳授手習鑑をテクストとして、縱橫無礙の解釋と鑑賞を以て、親切丁寧に行きとゞいた筆で說かれてゐる。まことに河竹先生その人のお人柄の如く、あたゝかく、まどかなる絕好の手引書である。（一圓六十錢、牛込揚方町二七、至文堂）

◎綿谷雪著『ことばの民俗學』
早口言葉、尻取遊戲、地口、洒落、重言その他の言語現象を、あらゆる資料によつて蒐集解說すると共に、ことばに對する現在當面の反省を促がす主張を强く盛り込んである。資料蒐集の努力は、その豐富なる引例を見ても知られるが、われ〳〵の昔の夢を思ひ出させる懷しい本でもある。（二圓八十錢、銀座六丁目四、都書房）

偶感

岡戸武平

いかなる雜誌にしろ雜誌を發行するにあたつて、その雜誌の文化史的使命を考へないものはないであらう。試みにその第一卷第一號の卷頭をひらいてみるがいゝ。おそらくそこには、れいれいしくその使命が宣言されてゐるにちがひない。そしてその使命は、直接間接一國文化のために、なにがしの貢献をするであらう使命であることも疑ひない。

偉大なる健忘性で、何事も約束を果さない人のことを「資本家」と云ふ――とある本に書いてあつたが、大なり小なり雜誌の方のソレも、宣言した使命を忘れて、個人的使命に孜々としてゐたといふのが、大東亞戰爭直前までの雜誌社の經營方針であつた。もつとも中には、卷頭言的使命をあくまで遵守して、かへつて成功した人もある。

○

作家の方もこれと同じ意味の罪を犯してゐたとも云へる。眞に文學のために筆を執つたといふより、讀者の顏をうかゞひうかゞひして書いた人があつたからだ。もつともあくまで文學に喰ひさがつて、迎合、妥協を排し眞に文學道を精進したために、かへつて成功した人も少からずある。

しかし、以上のやうな雜誌經營者も作家も、今やその存在を容されない時代となつた。けふほど編輯者と作家とが、同一理想に向つて進んでゐる時はあるまい。さういふ意味から、けふほど雜誌をつくるのに樂な時代はない。もし、そこに困難がありとすれば、それは作家がよい作品を書かないことであらう。

○

たま〳〵野上豐一郎氏の「世阿彌と其の藝術思想」を讀んでゐたら、次のやうな一節にでつくはした。意外な人から意外な意見を聞されたやうに思はれて、泌々と拜讀に及んだ。

「世阿彌を大衆の藝術家と見る此の見方が、もしそれがために世阿彌の眞價を貶しめるものとする人があれば、それはその人の誤解である。何となれば、いかなる藝術といへども、苟くも偉大といふ形容詞を冠し得る限りのもので、大衆に呼びかけ、大衆を高めようとしないものはない筈である。ホメロスもさうであつた。ソポクレスもさうであつた。シエクスピヤもさうであつた。モリエールもさうであつた。また世阿彌もさうであれば近松もさうであつた。たゞ此の言葉が今日誤解を與へさうなものは、今日われわれの讀書界に大衆作家と呼ばれる特殊の存在があつて、卑近な表現と淺薄な意向を以つて大衆の無智無趣味に迎合し、大衆の幇間の如き態度を取つて新聞雜誌に書き散らしてゐる。これ等の聯想から、世阿彌の大衆關心を誤解することは著者の心外とするところである。今日の大衆作家なる者の中には、大衆の中に交つて大衆の趣味と同程度のものを臆面もなく發表するものがあるのであるが、世阿彌はさうではなかつた。彼は決して彼の保有する壇上から下りて來なかつた。彼は一段高い所に立つて、その方へ大衆を引き寄せようとした。壇を下りるのと下りないのとは雲泥の相違である。だから、世阿彌をばどこまでも壇を下りようとしなかつた大衆藝術家として十分に認識して置いてもらはねばならぬ。

しかし、方便のために壇下にあつた大衆作家も、今は壇上に雄々しく立ちあがつた。（あがりつゝある人もあり、未だにウロ〳〵してゐるのもあるが……）

○

總戰爭主義の下に於て、作家も國家の要請する目的に向つて驀進しなければならぬことはいふまでもない。だが、進む方向は同じでも、その道はあくまで文學の大道でなければならぬことも論を俟たない。またそれ故に、作家の使命の意義があるといふものだ。その道をはづれては作家は犬死となる。文學のための文學――もはやそんなことを考へてゐるものは一人としてない。むしろ私は作家がはやる心のまゝに、掛聲ばかり大きくして足が大地をはなれて居りはしないかを危むものである。

○

雜誌編輯者に望むことは、よく〳〵考へてみたら己れ自身に希望することであつた。どんなに有益な雜誌を作らうと思つても、そこに作品を提供する作家にその精神がなかつたら、なんにもならないからである。

編輯者諸氏よ。われわれも突撃寸前にまへ、この人生最高度の美しさを見忘れないだけの、心の餘裕と勇氣とをもつて、職場を守らうではないか！

いろは國民歌の提唱

村　正　治

愛國百人一首は日本文學報國會が現在までに實現した企畫の中で、最もヒットした代表的な事業だ、と云つていゝだらう。この企畫は東京日々新聞社の黑崎文化部長だといふことになつてゐるが、實際は、農民歌人吉植庄亮の主宰する短歌雜誌「橄欖」の社友である無名の短歌青年がおもひついて、日々へ投書したのを日々が採り上げたのである。日々は之れに對し、愛國百人一首が情報局の後援に依つて完成の域に入つてから、其の創意者である宇佐見文雄君に高石會長の名で感謝狀を送つてゐるが、紙上には此の經緯を明かにしてゐない。こんなことなら、自分の師事する吉植庄亮氏を通して直接に、日本文學報國會へ提案するんだつたのに……と宇佐見君がかこつてゐるのを讀んで、鳥渡、義憤めいた感情に誘はれた。

然し、愛國百人一首に類した企畫は、宇佐見君以前にも、既に何人かの歌人に依つておもひつかれてゐたことで、其の點、必ずしも宇佐見君の獨創に歸すべきでない。唯之を具體的に行動の上に表示した、といふ點で創案者たることを主張し得るのであつて、斯ういふ企畫は單り胸に秘めてゐたのでは、何等効を成さない。

さういふ意味から、敢て提案者たることを誇らうといふのではないが、或ひは情報局や翼贊會あたりで採り上げてくれるやうなことになれば……と、僕は新假名歌のいろは國民歌の制定を提唱したい。

諸行無常　是生滅法　生滅滅已　寂滅爲樂との佛教思想を、色は匂へど散りぬるを、我が世誰ぞ常ならむ、有爲の奥山今日越えて、淺き夢見し醉ひもせず。と草假名四十八字に配したいろは歌は、其の無常、諦觀、退嬰的な歌意に於て、今日新世界建設の途上に勇躍邁進すべき日本國民の口誦に適しないものがありはしないか。

本居宣長が、このいろは四十八文字を使つて作詞したのに

雨降れば井堰を越ゆる水分けて　安く諸人下り立ち植ゑし群苗　その稻よ　眞穗に榮えぬ

といふのがあり、さう一般に知られてゐないが、食糧増産の叫ばれる今日、農民が豐稔を讃へるのには適はしい。また、萬朝報が明治三十七年に募集した新いろは歌の、一等當選作に、坂本百次郎氏といふ人の作詞で

鳥鳴く聲す夢覺ませ　見よ明け渡る東を空色榮えて沖つ邊に　帆船群れ居ぬ靄の中

といふのがあり、前者の農村風景に對し之れは海國日本といふ感じであるが、漁業か海運か、曖昧模糊と、帆船群れゐぬ靄の中と片附けてゐるあたり、宣長大人の「安く諸人」の一句がひつかしをだけで、すつきり筋の通つてゐるのと、比較にならない。「言語遊戲考」の著者でもある戸伏君にでも敎はれば、まだ斯ういふ類歌が擧げられるのではないかとおもふが、この二つが代表的なものとされてゐるやうで、いろは歌に匹敵する秀作など無いらしい。

大東亜戰爭の完遂、八紘一宇の大理想の顯現といふ現上の日本國民の大精神を、草假名四十八字に配しての國民歌を、今度は、朝日あたりの企畫として、翼賛會にでも後援して貰つて公募しては如何。欣んで、此のプランは無償提供します、と創案登錄をして置くこと斯の如し。

黒潮の風

塚本篤夫

ぢいつと耳を澄ましてゐると
どうつ…どうつと怒濤を蹴り拓き乍ら
荒天の海　海　海に
旭日の旗なびかせて征きに征く
逞しいくろふねの勇姿が
脈々と身に魂にかがやき蘇く日よ
春の風はいゝ
黒潮の海から渡つて來る
春の風は

昔の主從

（會友）大草倭雄

私は學齡期まで殆んどキミの家で育ちました。

キミは十二才の時、私の子守として雇はれて來ましたが、彼女の實家が私の家の附近であつたゝめ、授乳以外の時間は殆んど私を連れて自宅に歸つてゐたさうです。

私が二才の年、縣の婦人連が參宮（お伊勢樣詣）を計畫しました。

母は未だ誕生日も迎へない私をキミ親子に託して、約二ケ月の豫定で、お伊勢樣か

ら日光まで旅行しました。

私がまだ授乳期にあつたので、母は廣島まで行つた時、乳が張つて一夜泣き明したさうです。

如何に母がキミ親子を信頼してゐたかを、私は今になつて驚いてゐます。

おそらく今の若い母達は滿一ケ年も經たぬ我兒を、召使に託して長期の旅行に出るなどの亂暴はしないでせう。

母の旅行中、母の母、卽ち私の母方の祖母が、私を自宅に連れ歸つたさうですが、私はどうしても祖母の宅に居つかず、夜間など幾度か泣いてゐたさうです。

するとキミの兩親は毎夜十二時頃まで祖母宅の雨戸の外に、私が安眠してるかどうかを立聽に來て、私の泣聲が聞えねば安心して歸り、若し私が泣いてゐる夜は泣き止むまで、霜の戸外に佇んで去らなかつたさうです。

約六十日後に母は歸つて來ましたが、其時祖母の家からキミの家に移されてゐた私は完全に母の顔を見忘れてゐたさうです。

其後私はどうしても自宅に歸るを喜ばずキミの家を我家のやうに起居してゐたらしく、四五才の頃など、キミの母・サルの一方に肥料を入れ、片方に私を入れて、天秤棒でかついで野良仕事に行つてゐたのを憶へてゐます。

其頃旦那寺の和尚がよく私の母に
「お宅様などの坊ちやんを、あんな家に預けて置かれては、教育上非常に惡いと思ひますけど――」

など幾度か忠告してゐたさうで、其頃のことでせう。母が毎日のやうに私を迎へに來たのを記憶してゐます。

そんな時、きかぬ氣の强い私はキミ宅の納戸に種々な棒切などの武器を用意して、母を擊退したのを憶へてゐます。

老夫婦が如何に私を愛してゐて吳れたかゞわかると、姉は今でも其ことをよく語ります。

こんな私の生活は學齡期まで續きましたが、八才になると母は向學心に燃ゆる小兒の心理を巧に摑んで、

「坊やが歸らねば學校には行かせない」

と嚇して、とう／＼私を連れ歸ることに成功しました。

私は故鄕を思ふ毎に、此老夫婦の姿が瞼に浮びます。キミに先立たれた老夫婦は其後も優しい心で人々に交はつてゐましたが、二人共數年前に世を去りました。私は歸鄕の度毎に、キミと其父母の墓參をすることが、たのしみの一つとなつてゐます。

たまらなくいゝ
みよかよわくは見えるが
そこには一億　民の力强さを偲ばせつつ
きびしい冬の生活に耐へて
今こそ青々と麥は
麥の穗は素朴な囁きを交しながら
たゆまぬ背伸びを始めてゐる
例へ都心の夢は淡くとも
黃金(きん)と匂ふ朝の陽の畑に立ち
神の御國の
聖農の歌をしらべながら
大御代に生くる歡びを
春の風にきくのは
たまらなくいゝ

日本文學報國會詩部會員

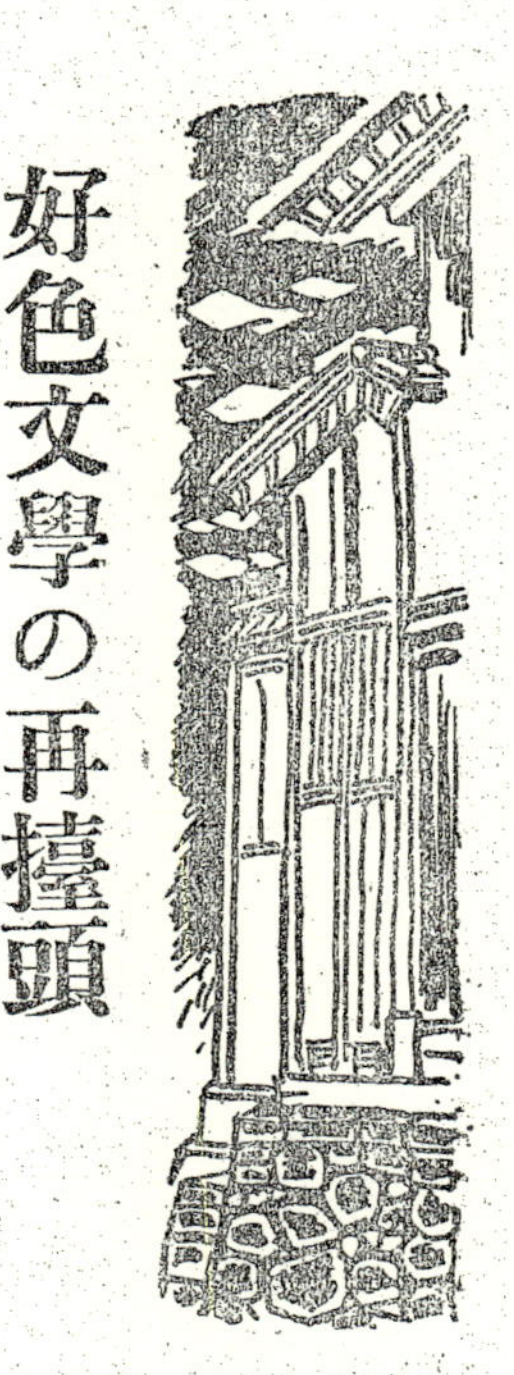

好色文學の再擡頭

中澤巠夫

◇

大東亞戰爭勃發に際して、幾多の中堅新進作家達が、國家の要請に應じて、前線に赴き、彈丸の下をくゞつて、宣傳戰に宣撫工作に、力を盡したことは、日本文學史上特筆して、記憶さるべき事柄である。この筆の勇士の徵用によつて、日本の文壇には、一時的ではあつたが、變つた現象が表はれた。それは、旣に文學的生活から引退したと考へられてゐた人達の復活がさうである。然し、之は決して復活を意味しない所に奇現象の奇現象たるところがある。

この現象に隨伴して、昭和十七年の初めから、昭和十八年の初めにかけて、奇妙なことが續けておこつた。大新聞の連載歷史小說の、中途休載、中斷である。まづ、和和十七年初頭から朝日新聞夕刊に掲載され始めた、邦枝完二の「官軍入城」、次に東京日々新聞に十七年末に掲載された土師淸二の「鷹」。今年一月から初まつた東京新聞掲載、鷲尾雨工の「太閤外征」である。

邦枝完二は、約八十回、土師淸二は約五十回、鷲尾雨工は、僅か三十回餘りで、中斷されたのである。朝日、日々、東京と、東京に於ける三大新聞が、さながら申合せたやうに、このやうな不體裁を行ふに至つたのは外部からは、窺ひ得ない特殊な社內事情によることとであらうが、我々は、特にこの問題について、奇異の感に打たれるのは、この三人の作者が、揃ひも揃つて、嘗つての好色文學者達であるからである。

邦枝完二と云へば、すぐにも「お傳地獄」「歌麿をめぐる女達」を想像せずにはゐられない感能描寫を御家藝とする好色文學作者である。彼の作品は、決して歷史文學ではない。江戶時代の戲作者の脈をひく、好色本作家なのだ。いかに彼が力味返つて見たところで、性根の腐つた彼には、到底、明治維新の雄渾壯大な新日本の誕生が把握出來やう筈はない。さればこそ、材を市井遊蕩無賴の徒にとり、溝浚ひ人足が大義に眼ざめて、皇國の爲につくすといふ怪しげなる筋を考へ出すに至つたのである。彼の好色趣味から發した江戶時代懷古を、彼はさながら、江戶趣味又は粹、通といつたもののやうに誤解し、妙なべらんめい調で大義をとく、鼻もちならぬ醜體を演じたのも、又やむを得ない所である。

作家の稟質は、根源的なものである。大東亞戰爭が勃發したからといつて、カメレオンの如くに、稟質を變化させることは出來ない。保護色の變化に巧みな一群の國策便乘作家が、續々と雜文家に轉落して行くのも又、之の理由によるのである。

◇

土師淸二はどうか。彼の出世作「砂繪呪縛」を想起せよ。彼の文學生活の長い歴史を振り返つて見るとき、すべてこの「砂繪呪縛」の淫虐性が流れてゐるのだ。曰く「血ろくろ傳奇」この題名から何が感じられるか。

恐らく近頃の人達は「砂繪呪縛」なる小說は知るまい。この小說は、ある怪奇醜惡な老人が、若くて死んだ美女の新墓を發くといふ事件を發端としてゐるのである。內容以て思ひ見るべきである。

或は美女を誘拐して、何んとその娘を硝子箱の人形箱に入れて生人形として、田沼家へ賂にするといふ話、或は、六十の老爺が十八九の妾を愛する話――等々、土師淸二の好色癖は、次第に歪んで來るのである。

「鷹」は上杉鷹山公を主人公とする緊縮政策鼓吹の小說だ。それであるのに、まづ、若き鷹山が上杉家の養子となり、婚禮がちかづくのに、家附の姬君、妻となるべき女が、發育不全で、まだ少女のやうだといふ惱みから始まる。下劣な表現を以て、この惱みを描くのである。かくの如き小說が、この非常時局に如何に節約、儉約奬勵の時代で、この國策と鼓吹するからといつて存在が許されようか。これが中止は當然すぎる結果なのである。

◇

鷹尾雨工――吉野朝太平記に直木賞が與へられた。もう忘れてゐる人もあらう、しかしこの直木賞は、決して「吉野朝太平記」の作品の優秀性に對して與へられたのではないといふことを銘記せねばならない。

下手糞な小說を、よくあきずに書きつゞけてゐる努力賞の如きである。この當時の大衆文藝作家は不勉强で、尊王佐幕で手輕に解決をつけてゐた維新時代が、風俗考證も時代考證もいともお手輕に濟ませられたので、苦しんで、吉野時代や戰國時代をとり上げやうとはしなかつた。その爲に、吉野時代を描いてゐる鷲尾雨工の小說が珍らしかつたといふ點にもある。然し、直木賞を與へられるについて、その詮考委員は、おそらく一册も「吉野朝太平記」に手をつけてゐなかつたに違ひない。下劣な文章で、たどたどしく描かれた感能描寫なのだ。雨工に「鬼啾」といふ小說がある。一人の性的白痴に類した女が、轉々と男から男へと、移り動いて行く無節操も甚しい小說だ。北畠親房の出て來る小說（敢へて、出て來るといふ）に、男裝の麗人が現はれて、性的倒錯の妙な好色味を發揮する。吉野朝太平記もさうだが、最近、日本讀書新聞に掲載した戰國武將傳の中で、彼が最も力を入れて書いたのは、吉野時代の痴漢高師直だ。女房の湯浴を垣間見て、兵馬を催して女を掠ふといふ痴漢を、丹念にこれは惡人だ惡人だといつて書いてゐる。そんな惡人なら、賴朝や義經などいふ立派な武將と肩を並べて、日本の武將としてとりあげんでもよろしい。日本には立派な武將は何人でもゐるのだ。惡人なら惡人として、もつと掘り下げて書くのならとにかく、作家が惡人だ惡人だといひながら、それは惡人といふより痴漢だといふ方が正しいと思はせるのだから、一向に惡人がぴんと來ない。

こういふ稟質をもつてゐる鷲尾雨工が、「太閤外征」を書く。

聚落第の行幸を前にして、大和守秀長の女善姫が、嫌な男に嫁に所望されはせぬかとびくびくしてゐる。そして、とうとう口說かれるといふ發端である。

小說そのもののくだらなさ加減は、言語道斷だ、「太閤樣、朝鮮陣陣立の覺」を、二回に渡つて書いてゐる。「あつこれはいかん。」「これは困つた」の連發で、遂に作者病氣につき中止は大笑ひだ。がしかし、こゝで、この下手さ加減を問題にはしない。問題は、この妙な好色趣味が、又しても、ぽつぽつと芽を出しかけたといふ現象の方にある。

邦枝完二、土師淸二、鷲尾雨工と札つきの好色趣味のぷんぷんたる作者が起用され、そして、美事に失敗してゐるこの珍現象の方が問題なのである。

◇

私は今月編輯會議で、江戶文學に於ける短篇小說の研究を命ぜられた。そこで、京傳を讀みかけたのであるが、公務多忙で、この約束を果すことが出來なかつた。然し、京傳を讀みながら、ふつと、この現代の文壇に於ける珍現象に思ひが移つたとき、江戶文學の世界に於ても又これと同樣なことが、あることに氣がついて苦笑したのである。

天保の改革で、淫猥なる遊蕩文學が大壓迫を受けたとき、京傳は、敎訓本の形で倚も、遊蕩文學を書き（出版元がこの名の下に出版したとも云ふ）遂に、手錠の厄に出逢つた。そこで、彼は、轉向を志したのであるが、歷史小說の畑では、遂に、一度は彼の門下に加はつてゐた馬琴の名聲をしのぐことは出來なかつたのである。洒落本禁刊の次に於ける爲永春水はどうだつたか。彼此思ひ合はせるとき歷史はめぐるの思ひが深い。

作家には稟質がある。遊蕩文學で名をなすやうな作家は、社會が歪んでゐて、そのやうな遊蕩文學を欲した時代であつたので、その稟質が、偶々その時代の欲求に合致した爲に名をなしたのである。何故なら、この人達の文學は、文學として永遠なものは、かけらほどももたないものであるからだ。文學ならざる文學として名をなしたのは、たゞ、その稟質にある遊蕩的持味に於て、社會の愚劣なる大衆の興味と合致したのに外ならぬ。

このやうな稟質を有する作家を、この非常の時代、稍もすれば思想的に頽廢を生みやすい時代に起用することは充分警戒しなければならない。

◇

繰り返していふ。

大東亞戰爭勃發によつて、明らかに國民の氣構へは違つて來た。然し、それだからといつて、國民が、ころりと全部善人になり、眞の日本人となりきつたのではない。

この非常時を利用して、闇取引をやるユダヤ的日本人も悲しいかな數多く存在する。國民に、五割五分泥の入つた靑海苔を食はして、二萬圓の金儲けをやる鬼畜の如き惡商人もゐる。

前時代の惡の影をその儘背負こんでゐる人間なのだ。このやうな惡人は、やはり稟質の問題なのだ。政府が、やつきとなつて、國民錬成を考へるのも、このやうな惡の影を放逐しやうといふ考へからである。これは又一面に、稟質といふものが一朝一夕に改變出來ないことを意味する。

勿論、これは、正しく導き、正しく敎へることによつて、正しい人間にすることは出來る。たゞ一朝一夕のことではないといふことだ。大東亞戰の開始、十二月八日の大詔を拜し、九日から眞人間にはなつてゐないのだ。特に作家のやうに社會的影響力の強い職業にあるものの稟質については、いよいよ愼重に考へねばならない。

以上の三人は、まだまだ、魂まで清淨にはなりきれてゐないものだ。

山に閉ぢこもるなり、前線にかけ向ふなりして、身も心も清めて來なければならない人間であることは、最近の作によつて證明されたわけである。（京傳の研究に代へて）

會友募集

文學は國民のものである。文學者の專有物ではない。國民の中から常に新たなる文學者が生れて來る。そして日本の文學は進歩するのである。然し、出版界の現狀は、文學界の新人出現の途を、やゝ阻むかのやうに見受けられる。

本社は、日本國民文學樹立を目標として、運動を續けてゐる團體だ。國民文學に志望を有する新人に、どし〴〵誌面を開放するつもりだ。志を同じくする士は、本會の會友となつて貰ひたい。

一、文學建設會友は會費半ケ年分六圓を前納すること

一、會友の原稿は、編輯委員會に於て批判し、その推薦によつて揭載すること

文學建設

四月の文學報國會に對する準備は、着々進捗してゐる模様である。この大會は、われわれが大東亜文學者會議に對して感じた不満を充足し、次の大東亜會議を、一層完全なものにすることを以て、その目的としなければならない。

×

要するに、問題の中心點は、對大東亜文藝政策と、對內文藝政策の二つであり、外に對しては、共榮圏內各國各地方との緊密な協力と、文藝情報の交換、文學を中心とする文化戰爭遂行の具體方策確立、內に對しては國民文學の保護育成と、良き文學の普及に關する具體方策の確立である。

×

實行力を伴はない議論は、いかに立派であり、景氣がよくても、所詮は無用の遊び事である。理論の無い實行ほど、他に危害は及ぼさないにしても、危害を及ぼさないといふ理由によつて小田原評定ばかり續けてゐることを認めるわけには行かない。抽象的な議論から、具體的議論へ、そして議論から實行へ邁進するやうにしたい。

×

白井喬二が首唱してゐる作家登錄制の內容はまだよくわからないが、表面に現はれたところを見ると、既成作家が、自由主義時代の實績を現文壇へ擔ぎ出し、自己保存の具に供しようとしてゐるやうな感じを受ける。

×

もしさうであれば、一國文學發達の原則である文藝思潮新舊交替の理を阻害しあるひは破壞するものである。文學者の地位を法律的に確定し保護することは、逆にその保護を受けない者のあることを豫想せしめる。極端な例を採つて云へば、エロ文學獵奇文學によつて有名になつた舊大家が登錄され、未だ充分に有名にならない新文學の新人が登錄されないといふ危險が充分に有り得る。

×

文學の世界は、相撲の世界の如くあるべきである。芝居國の如き因習は、藝術の發達を甚しく妨げる。作家の地位は、作家の名によつて定まるのではなく、作品の質によつて定まるべきである。一作々々が眞劍勝負になつてこそ文學の發達は期待さるべく、名によつて、あるひは法律によつて、既成作家に一種の特權が附與されるといふやうなことは想像するだに戰慄を禁じ得ない。

×

繰返して云ふ。國民文學確立の重任に耐へる者は、むしろ無名の作家群の中にある。彼等の進出擡頭を妨げてゐる舊作家の退場こそ文壇當面の喫緊問題である。

×

慰問用だから內地では賣らないと稱して作家を口說き落し、慰問に藉口して印稅を値切り、粗惡劣等の赤本「〇〇作品集」といつた風のものを何萬と作り內地に氾濫させてゐる不良出版社がある。ところが作家の方でも慰問專用でないことを知りながら、印稅欲しさにわざと欺された顔をしてゐるといふのだから、呆れて物が云へぬ。

×

島村伸吉著「現代短篇小說集」（金鈴社）は他人の作品を剽竊收錄した不良出版物である。島村伸吉なる者の實在と否とは知らぬ。尠くとも卷頭の「霽れ行く船路」の作者が島村伸吉といふ筆名を持たず、且つこの書物の出版に無關係であることは事實である。

×

本誌は前に某の「眞木和泉」と挾間祐行の「會津戰爭」を剽竊、燒直しの不良出版物として摘發した。不良出版の防止については指導當局も頭を惱ましてゐるところだが出版業者の自肅自戒を促した位では、到底效果は擧るまい。此際拔本塞源の果斷な措置が望ましい。剽竊、燒直し、僞作の常習犯は、所謂雜文屋と呼ばれる一群の賣文業者である。彼等の跋扈は實に事變以來の現象であり、さらでだに不足してゐる紙が彼等の不良出版物によつて夥しく浪費されてゐる。彼等を取締ることこそ、不良出版防止上の最大急務である。

×

雜誌を薄くするにも限度がある。雜誌としての機能を果さなくなつては、部數だけ維持してゐても發行の意義がない。機能を果すための最低限度といふことを充分研究して、ある程度以上は部數を減じることにした方がよい。部數の減少は、回讀制度の普及などにより補ふことだ。方法はいくらでもある。戰爭に勝つためだ。

×

新潮賞、有馬賞、芥川賞、直木賞、池谷賞、朝鮮藝術賞、開拓文學賞は文報の手を經、且つ文報の副賞と共に授與されることになつたが、詮衡權が文報に移讓されないのは何故か。

×

出版業者の文學賞は、どうしても營業政策を加味するため、看板の詮衡委員に廻らない中にあるひは委員連の馴合で情實賞にしてしまひ、眞の文學賞の意義を喪失する傾向がある。最近の授賞振りを見ると、八分通りは營業政策賞又は情實賞である。こんなことでは日本の文藝文化にとつて、害こそあれ益は無い。全部文報へ移讓してやり直すか、それが出來なければ、一應全部禁止でもした方がせいせいする。

×

短篇小說の本質研究が今後旺んになるだらう。長篇と短篇の本質の差違が今更らしく檢討されなければならないのは、純文學と大衆文學が、違つた行き方でこの區別を破壞して來たからである。

×

歷史的人物に對する好惡は各人の勝手だがそれは單なる感情であつて、歷史科學の關知するところではない。森銑三の「佐藤信淵」に對する安津基彥の反駁は、信淵贔負の感情的獨斷であつて、第三者たる我々にさへ不愉快な感じを與へる。好惡の論爭は別である。實證的方法に依つて說明されたこの信淵を否定するためには、反對者もそれだけの用意をしてかかるべきだ。獨斷は決して人を首肯させるものではない。

×

文藝批評家は今こそその職能を見直さねばならぬ。新しい批評の尺度を決定して、共同目標に協力せよ。

＊　＊　＊　＊

蟹聞

宮良當壯

一

蟹と云ふやつは吾々に親しみの深い、なつかしみのある動物である。堅剛なる甲羅、十脚無手、胴一杯に犢鼻褌を締め、長い兩眼が忽ちにして直立し、忽ちにして滅し、前行するかの姿勢を見せていつも横にばかり走る。怪奇觀たつぷりと云へよう。支那人が横行君子と稱した所以もうなづける。

漢字の蟹は、漢音「カイ」であることは今更云ふまでもないが、日本語にも蟹を表はす言葉に「ガイ」と云ふのがある（沖繩縣今歸仁・伊平屋・伊是名・久米・久高島等の方言）。併しこれは漢音の「カイ」から「ガイ」に轉じたのではない。同縣久志・金武・座間味・鳩間島などの方言では「ガニ」と稱して居る。卽ち「ガイ」は「ガニ」の「ニ」の子音「n」の脫落したものであることがわかるであらう。「ガニ」と云ふ言葉は右の地方のみではなく、青森（淺瀨石其他）、岩手（涌谷其他）、福島（川內・勿來・檜枝岐）、栃木、群馬、千葉、神奈川、新潟、山梨、長野、靜岡、愛知、岐阜、三重、京都、大阪、兵庫、淡路、石川（輪島其他）、福井、島根、隱岐、鳥取、岡山、廣島、山口、德島、愛媛、福岡、長崎（壹岐）、大分、宮崎（延岡）、鹿兒島（種子・屋久・大島）等の諸地方にも行はれ、殆ど全國的に分布して居ると云へる。寧ろ「カニ」と云ふ言葉よりも優勢である。但し「蟹は食ふともガニは食ふな」の「ガニ」は蟹の毒鰓を云ふ。この濁音化は既に述べた如くその動物の怪奇的相貌に依るものであらう。福島縣其他で特殊方言はと聞くと

ビル・バチ・ドンボ・に、ガニ・ゲール

と答へる。卽ち「蛭、蜂、蜻蛉に蟹、蛙」で、何れも語頭を濁音を以て始めたものである。これ等は悉くその特殊的形相から受くる强い感じを表現する方法として濁音語を用ゐるやうになつたと思はれる。カメ（龜）なども「ガメ」と云ふ地方

が尠くない。カニ(蟹)を濁音で云ふ所は、この外に

ガニィ(nï)　岩手縣遠野。宮城縣荒濱・七ヶ宿。
ガニクロー　神奈川縣津久井郡
ガニンマ　靜岡縣富士郡
ガニメ　栃木縣芳賀郡
ガニンベー　神奈川縣津久井郡
ガニンド　岐阜縣大野郡
ガネ　福島縣蓬田。高知。壹岐。野母。甑島。鹿兒島。指宿。伊座敷。内之浦。中之島。
ガンジョ　隱岐島海士村
ガンチ　輪島

などである。語頭濁音を用ゐない地方では、カニツ〔愛媛縣大洲町〕、カニンマ〔隱岐布施村〕、カニンドー〔靜岡縣榛原郡〕、カニマタ〔岐阜縣郡上郡〕、カニンベー〔靜岡縣田方郡〕、カン〔對島今里。宮古島。石垣島。竹富島〕、カンシャ〔名瀨町〕などが用ゐられて居る。青森縣の樵夫の忌詞には dzïppo(ヅィッポ)と云ふ言葉が用ゐられて居るが、これは十本(脚が)と云ふ意味であるまいか。箋注和名抄に「蟹亦作蠏」と云ひ、この外螃蠏。な蜞蟚どの漢名から見て、カニが陸棲、水棲、或は水陸兩棲の動物であるがために、蟲類にも魚類にも排屬せしめられた形跡が窺はれる。

蟹が吾々の日常語に利用されてゐることも頗る多い。形態の上から見ると、先づ扇のカナメ(要。蟹の目)、蟹目釘、蟹面戸、蟹爪(釘拔具)、ガニッテ(蟹手。手の指の曲つたもの。神奈川縣津久井郡の方言)、蟹殿(鋏。隱語)、蟹座(星座。Cancer)の如きで、また性狀的に見ると、その泡吹く所から蟹泡(酒の酛・醪等に沸く泡)、蟹の念佛(口中にてブツブツつぶやくこと)などの語があり、又その橫行する狀態から蟹の橫這ひ、蟹走り(忍術つかひの特別の歩き方)、蟹の穴這入り、蟹文字、蟹忠義などと云ひ、その他ガニガタマリ(蟹固。小さき者の寄り集ること)、蟹嚙み、蟹の死鋏なども、その習性を表はしたものである。

蟹の形態が吾々に餘程興味深く見られてゐる證據の一として植物名稱を擧げることが出來る。私が山形縣飽海郡鳥海山の南麓で採集した植物の一に蟹蝙蝠(Cacalia adenostyloides,Franch et Sav.)と云ふ菊科の多年生草本があるが、葉が蟹の甲殼狀を呈し、毎年夏秋の候に白花を開く雅味豐かなものである。この外に蟹を利用した植物名稱には蟹雄竇から、

蟹草、蟹葉孔雀、蟹仙人掌（蟹足）、蟹小豆（蔓小豆）、蟹釣草、蟹釣野刈安、蟹取草（垣通。薺）、蟹の爪、蟹の手、蟹目などがあり、又動物名稱にはカニダマシ（僞蟹）、蟹蟲、蟹蛭、蟹守貝、蟹食マングースなどがある。

前掲蟹取草と稱する垣通は貴人の產衣の蟹取小袖を薄縹色に染める（蟹取染と云ふ）ものであるが、民間ではまた之を蔭干にして小兒の疳の藥とするので、カントリサウとも云ふ。これは蟹取草か疳取草か、一寸考へさせられる。

實用的に見ても蟹は吾々の生活に緣が深い。而も相當に高度を示したものである。蟹飯に蟹醢、蟹の甲羅蒸しに蟹半平など、却々味覺をそゝるものである。通人は蟹の甲羅に蟹味噌を殘して酒を注ぎ飲み、農人は山川の石を動かして小蟹を捕へ、鹽茹にして喜び食らふことがある。壹岐島では田植の後磯下りをして採取を始める。この日を蟹落しと稱して村人のゑらぐ聲で磯は明るく見える。

二

昭和十三年春、青森縣の北端、津輕半島の平館から三厩に行くバスの中で、同乘の人々の方言を手帳に記入したところ翌朝豪雨の中を三厩の旅舍に尋ねて來た刑事があつた。或人の密告で昨夜半起されて蟹田（青森灣の西岸、東津輕郡の北部。三厩から約十里）から調べに來たのだと云ふ。手帳を示すと忽ち氷解して、却つて私の方言調査に參加して吳れた。刑事君には氣の毒でもあつたが、併し北邊の護りの强固なるに意を强うした。右の蟹田は蟹田川（一に中師川）に臨み、恐らく蟹嚙の行はれた所であらう。

蟹の害に依つて命名された地名の有名なのは江州甲賀郡土山村の蟹坂で、昔大蟹が棲んでゐて、こゝを通る旅人を惱ましたので或僧が成佛させて此處に埋めたと云ふ。蟹に因む地名は尠くない。宮城縣玉造郡鬼首村には蟹澤と云ふ鹽類含有單純泉があり、愛知縣海部郡には天正十二年、德川家康及び織田信雄に圍まれて降つた瀧川一益の城のあつた蟹江町があり、攝津國西成郡には賤者考の所謂「情を鬻ぐ女」の里と云ふ蟹島と云ふ部落がある。

また、人名としても地名を負うて蟹江、蟹澤などが多い。開化天皇の御曾孫即ち神功皇后の御祖父に當らせられる迦邇米雷王の御名、掃守連から出た掃守氏の名なども蟹に緣あるものであらう。

蟹に關する民俗や傳說も吾々の生活表現の一部として沒却することが出來ない。——長野縣の小縣・北佐久・諏訪郡などでは、正月六日が年越で、此日澤蟹を捕へ、年取魚として食ふので蟹年と稱する。そして疫病を祓ふために蟹を串差しにして門口に置き、或は紙片に蟹の繪や文字を書いて貼る。和漢三才圖會に「懸門上辟瘧」と書いてあるのを見ても、古くから斯る風習のあつたことが知れるのである。近江國八幡町の子供達は毎年舊正月十五日の夜、左義長の時に張子造りの蟹を頭に戴いて出る。これを蟹稚子と稱する。羽後國仙北郡淀川村の諏訪神社では七月二十七日に神前に蟹を供へ、金澤附近では蟹の初夢を吉とする習俗がある。

蟹を堅固・健康などの象徵として尊重した形跡も見られる。沖繩縣八重山郡では家普請の時、大黑柱の元に蟹を埋める風習があり、また越中國西礪波郡五郎丸の蟹掛堂は、養老年中に、大蟹の甲羅の上に建立したのだと傳へられ、美作國久米郡久米村の八幡宮社殿敷地の繩張は大きな神蟹の步いて行つた跡を辿つて礎を据ゑたと傳へられてゐる。蟹が堅固、健康の象徵物であつたことは、豐玉姬が海宮で鸕鷀草葺不合尊を産み給ふ時、天忍人命が是に陪して蟹を這はされた古俗に依つても明らかである。沖繩縣にも子供が生れた日に、便宜によつて、川下り、濱下りの儀式が行はれ、赤子に産湯を浴びさせた後で、衣物を被せて蟹を這はせる風習がある。「カニ」と云ふ言葉の語原に就いて、新井白石の『東雅』に「カニの義不詳」と云つてあるが、私は「カネ」(金屬類の總稱)と同樣に固いもの、强固なものの義であると考へる。姙婦が蟹を食ふと祟るとか、蟹をいぢめると齒痛が起るとか、云ふのは蟹を神聖視した證左であると見てよからう。

聖武天皇の御代、山城國紀伊郡の一少女が、八疋の蟹を助けてやつた所、又或時、蛇が蛙を呑んで居るのを見て、蛇の妻になることを約して蛙を助けてやつた。蛇は約束の日に女を迎へに來た。この時先に命を助けられた八疋の蟹が現はれて來て救つたと云ふ。京都府相樂郡棚倉村綺田の蟹滿寺(新義眞言宗。綺田寺、紙幡寺、蟹滿多寺とも云ふ)は平安朝以前からの古刹であるが、この寺の緣起に、法華經普門品を愛誦する少女の父が蛇から蝦蟆を救ひ、ためにその蛇に襲はれた。此時嘗て少女が救つてやつた蟹が來て、蛇と鬪つて之をはさみ殺し、自らも傷いて斃れたと云ふ報恩譚がある。隱岐の赤蟹は三光國師に救はれた燒蟹の蘇生したものだと云ふ。

能狂言には蟹を侮つて挽かれた話があり、長門貴船の氏子の左眼の小さいのは、この神の晝寢をしてゐる時に、蟹に左瞼を挾まれたためだと云ふ。また、大和國宇陀郡宇賀志村大字上芳野の惣社宇太水分神社の祭神が川で足を洗つてゐられると、一疋の大蟹が現はれて來て、その足をはさんだので神の怒にふれて、郡中に蟹が棲めなくなつたと云ふ。蟹の惡行譚はまだある。土佐國の日浦坂ホド落淵の主蟹（ぬしがに）は美少年に化けて百姓家の娘を攫つたと云ひ、能登國珠洲郡上戸村大字寺社字飯田村の法成山永禪寺は一に蟹寺と稱するが、その理由は、貞和年中、月庵禪師が巡錫の途次、この寺に宿つたところ、夜半兩眼日月の如き怪物が現はれ、「四足八足兩足大足右行左行眼天に在り」と云つた。禪師は言下に「汝は蟹なるべし」と答へ、拂子を以て退治されたからだと云ふ。

斯くの如く蟹と吾々の生活との間には古くから種々の交渉があつたのである。磯邊に蟹を逐うて逃げ込む穴を掘り當てて喜ぶ兒童もあれば、水邊に靜かに憩うて蟹の話を聞いて慰める變り者もある。川柳に曰く

鵜鴉草（うかや）の降誕蟹聞は這つて賀し

（つゞく）

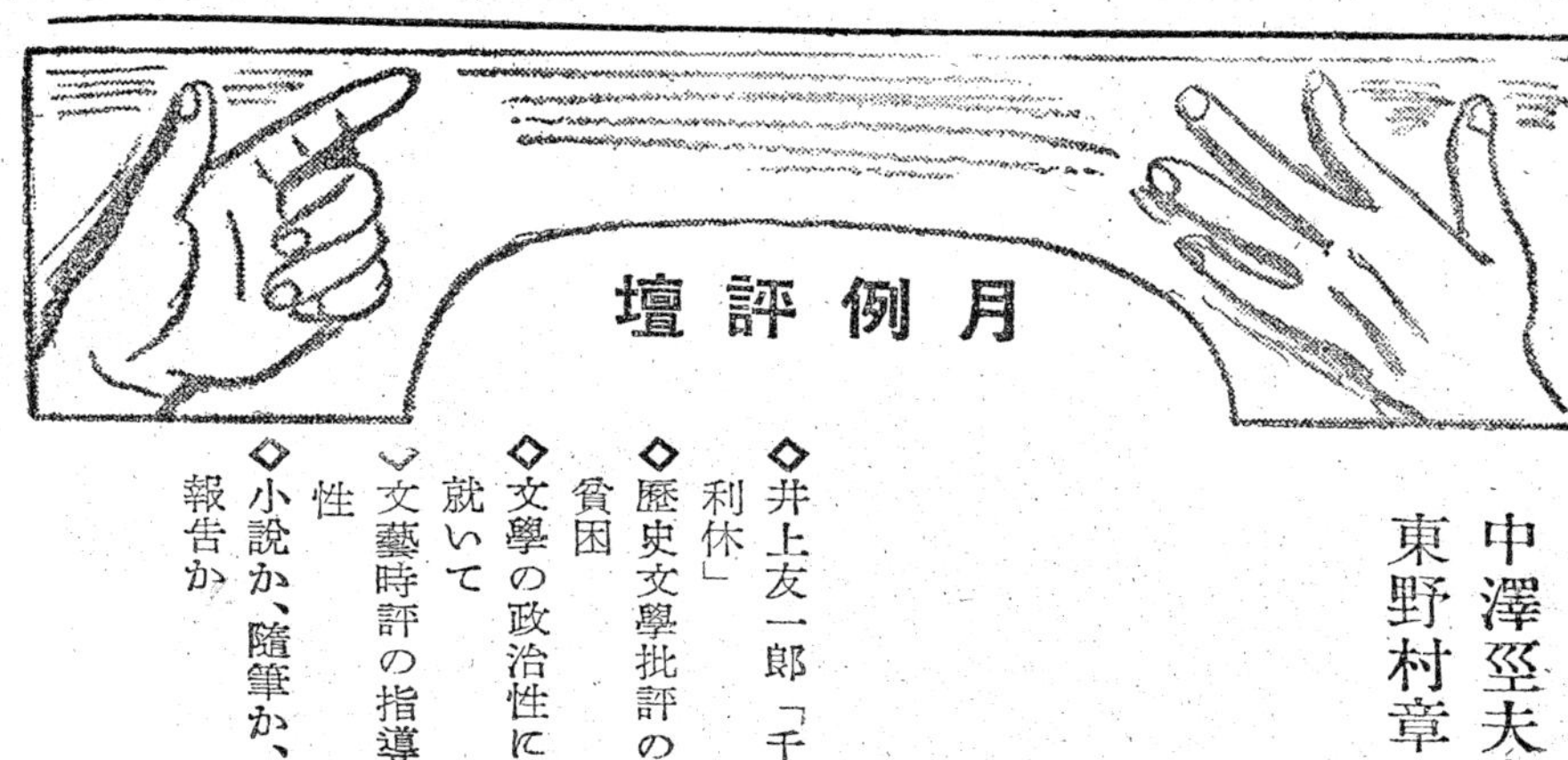

月例評壇

中澤巠夫
東野村章

◇井上友一郎「千利休」
◇歴史文學批評の貧困
◇文學の政治性に就いて
◇文藝時評の指導性
◇小說か、隨筆か、報告か

井上友一郎「千利休」

井上友一郎氏の文學は散歩文學であるとは、戸伏太兵君の評言である。氏の近著「千利休」を讀んで、戸伏君の評言の適中してゐることを知つた。井上氏は、歴史の中を散歩して、この一書を著したらしい。この書を目して歴史文學だと誤解するものがあつたら言語道斷である。

井上氏は、歴史上の知識は皆無であるといつてもいゝ。この點は、歴史知識なしに、歴史的時代に自由に取材する大衆文學の時代物作家と五十歩百歩の所だ。

近頃、野村胡堂氏が、週刊每日に連載し始めた「隱密合戰」なんかと同じだ。野村氏の作品などを批評したつて、大體が文學としての批評を受くべきものではないが、それにしても、大岡越前守樣の生きてゐる頃に、赤坂の辨慶橋などが出來てゐたりするのは、國民教育を誤ることだけに注意すべきものだ。しかし、これは、最初から、德川の江戸入府以來幕末までは、一つの時代で、そこに何の進歩も發達もないときめてかゝつてゐる胡堂氏の無學さ。そのいゝ例は、公方樣を久保樣と書く位のづ太さのある胡堂氏のことだから、まあ問題にもなるまいが、井上氏の「千利休」も、これと同じ位の心臟であるから、鼻もちがならぬ。

（その夜―月はかすかに光つてゐたが足もとは危かつた。僅かに大堀川のせゝらぎを便りにして歩いてゐた。――〔九頁〕―やはらかな月光と斜めに受けて、その水色の地に白い桔梗の紋所のゆらめくのが見えた。〔十二頁〕―天正十年六月二日の未明……云々）

これは、第二節の初めと終りの方を拔いたのである。その夜はとあるのは、六月一日の夜のことである。然かも、章中屢々舊曆六月とことはつてあるから、正に、舊曆の六月朔日のことに違ひない。

今年から、曆に舊曆の日がのらなくなつたので、井上氏も大いに困つたと見える。井上氏は、舊曆といふ言葉は知つてゐるらしいが太陰曆といふものは全然知らんらしい。太陰曆とは、月齡を基準とする曆法である。太陰曆六月朔日には、氣の每だが、月は出ない。この小說に於ては、この夜月があつたか無かつたかは大問題なのである。この夜月がなかつたら、主人公の友人は殺されなかつた筈であり、又友人が殺されなければ主人公の人生觀は變化しない筈である。だから月の有無はこの小説にとつて決定なものであるにかゝはらず、かくの如くに杜撰な構成をとるに至つては作家の常識が疑はれる。こんな常識の缺けた作家がおぞましくも歴史文學を書くとは、何といふ思ひ上つたことだ。生命がけで、歴史文學に精進してゐる我々にとつて迷惑至極だ。このやうな沒常識の男が常に、已れの無知を棚に上げて(我々は歴史を書くのぢやなくて、文學だからさういふ考證がどうだとか、空氣が出てゐるとかゐないといつたところで、文學的なものが一貫してゐればいゝ)(決戰と文學對談〔文藝〕火野葦平談)といつた考へ方を、後生大切とかつぎ出して來るものだ。しかし狼てゝはいけない。火野氏は、こう言葉をついでゐるのだ。(飯を食ふのにも德川時代に食ふのと平安時代に食ふのとは、今こゝで食つてゐるのとは非常に違ふ。さういふ飯を食ふといふ行動の中にも時代の動きとか時局の感覺とかが出て來なくちやならん)といつてゐるのだ。

太陰曆も太陽曆も見分けがつかぬやうな作家が、歴史時代の動きや感覺をどうして把握することが出來ようか。後書によれば、數々の書物を讀んださうだ。丹羽文雄氏も(勤王屆出一つを書くだけでも參考書をどれだけ讀んだかわからないといつてゐるが、歴史文學を書くのに、參考書を讀んだだけでは何にもならないのだ。一つの小説を書くために、二十册位の參考書を讀んで歴史文學を書けると思ふのが、所謂純文學作家の歴史小説觀なのだらうか。歴史文學の作者の任務は、まづ歴史を把握することである。歴史的事實のせんさくは、その次の問題だ。二千六百年の歴史を通觀し、自己の確固たる日本歴史觀を把握することだ。その後には政治史、經濟史、藝術史、思想史の各部分からの研究も必要だし、又東洋史も世界史も研究しなければならない。嘗つて私は、「勤王屆出」を批判してこの問題に觸れ又、「勤王屆出」の誤謬を指摘して置いたが、「千利休」に至つては、誤謬を指摘してゐる暇がない程、べらぼうである。

この作品の主人公は利休ではなく、乞食茶道をやる愚昧といふ男が主人公なのだ。こんな小説で、千利休などいふ標題が莫迦らしすぎる。

千利休は、秀吉の主、信長の茶堂(さだう)で祿三千石を頂く名譽の茶人。嘗つては、秀吉を筑州と呼んでゐた間柄である。

追申候。森三右衞門尉方大壺儀、貴所御存分尤に候以上
いとちや碗一段見事に存候並釜も見候珍敷候右之兩種桑原次右衞門尉に被遣候事候秀吉も被成御祝着候さりとては御めきゝきとくに存候恐々敬白

正月十日　　抛筌齋　　宗易(花押)
秀吉(花押)
木下助兵衞尉殿御宿所

この一通の手紙のもつ意み並に內容に想を致したなら、あんな愚劣な小説はかゝなかつたであらう。

後書によれば、續篇を書くとのことであるが、恐ろしい次第だ。

(大衆作家がパツパツと何か事件を拵へて書くことではなしに、少くとも歴史小説を

書からとしたら調べねばならぬ)(決戰と文學丹羽談話)丹羽文雄氏のこの言葉も、我々から見たら、幼稚の言だ。歴史文學を書くのに、歴史の知識がいることは、自明のことではないか。とかく、井上氏のやうに、この自明のことが自明でないものが棲息して、しかも高級な文學を氣取つてゐるから、丹羽氏のこのやうな言葉も、又一理窟として、通用するのである。

(今まで歴史小説を書いてゐる者が非常に不勉强であつたといふことは、これは確かだと思ふけれども、——僕なんか歴史小説といふけれども、かういふ面白い材料があると人からいはれて、自分が本を讀んでこれは面白いと思つても、いざとなると怖い。手をつけるのが、どこから調べていゝか、いつたいどこまで調べていゝか憶劫で……)丹羽文雄氏の一流の正直な告白を讀んで、井上氏の歴史の散歩が判るやうな氣がする。

井上氏は、どこから調べて、どこまで調べると、歴史研究に、自己の作品に必要とする極限をつけて散歩を開始してゐるのだ。だから、信長と利休の關係は、調べやうともしない。事件は、本能寺の變から始まるからである。信長と利休との關係は判らぬから、秀吉と利休との關係をつけるのに困難を感じて、茶道吟味などいふものをもち出して來る。大衆作家がパツパツと事件をこしらへるやうに純文學作家の歴史小説は、パツパツと歴史を作り直したり、創作したりするのだ。丹羽氏もそれをやつてゐたし、井上氏は、全部それだ。そして彼は、利休の逸話でつないでゐる。又小説として「千利休」は落第だ。小説の構成がない。これは井上氏の文學の缺陷だ。敢へて歴史小説に限るわけではないが。

(この作を書く爲に私もやはり人並に相當の書物も讀み、又京・伏見・堺・大阪の古い街々を何度となく歩き廻つた。——結局この作品を書くためにはそれが大して役に立ゝぬと百も承知で……この續篇を書く爲に更に私はさういふ無益な旅に出ることだらう。作家冥利といふものである)。これは井上友一郎君の告白である。こんなくだらぬ「千利休」を書いても、このやうな紙不足のときに出版されるといふことは、誠に作家冥利に盡きる話である。中川一政氏の裝幀はいゝ。

歴史文學批評の貧困

井上友一郎氏の「千利休」のやうなくだらぬ書物が、一人前の歴史文學のやうな顔をして出版されるのは、實に歴史文學が盛んになり乍ら、正しい批評が、たくさんないといふことを證明してゐるのである。

歴史文學批評の貧困は、歴史文學批評が、單に文學批評のみでは足りない。批評家が、歴史の充分な知識を持たなければならぬといふ條件があるからだ。

近頃、親切な批評が少ないと丹羽氏が云ふ。作家の内面へはいつてする批評が少ない。冷酷な人を嚴しく裁くやうな批評が多いと火野氏がいふ。

文學批評は決して、作品を裁くものではない。文學批評の任務は、文學作品を組織化して、文學に統一を與へることと、文學の方向を把握して、文學を向上させることにある。その任務を果す爲には、當然、火野氏のいふやうに、「作家の表現してゆく過程とか作家の内部にはいつてする批評」が必要なのだ。

歷史文學の作品をとりあげて、作家の表現してゆく過程や作家の內面にはいりこむと、すぐに突き當る問題は、その作家の歷史把握、歷史觀なのだ。作家の哲學とか思想とか或は世界觀とかいふものもこの史觀といふものの中に含まれるのである。然るに批評家が、その史觀をもたないのでは、歷史文學の批評なぞ出來るものではない。

然し、極く僅かではあるが、鞏固たる史觀を有して、歷史文學の批判を行ふ批評家がゐることはゐる。だが、多くの今の歷史文學は（題材は歷史だけど、中に出て來る精神は現代と同じ樣な調子で書いてゐる）（丹羽談）ものが多いから、正しい歷史文學の批判の對照にはならないのである。

この爲に、歷史文學批評は、對照の貧困を來たしてゐる現狀だ。

文學の政治性に就いて

政治的價値を目途して制作された文學は、文學たり得ないとは、我々の主張するところだが、このことから、我々を目して藝術至上主義のやうに曲解するものがある。

我々は、文學が政治から切りはなされて存在するといふやうなことをいつたことはない。現在の日本に於て、政治から切りはなされた國民の行動はない筈である。

自由主義を基調とする時代に於ては、國民の行動は、個人の自由恣意によつて行はれてゐた。そして、それを規制するものは經濟であつた。これが自由主義時代の特徵でもあつた。多くの文學は、またこの傾向からまぬがれなかつた。しかし、現下の日本ば、かゝる米英的觀念からの行動は許されない。國民の行動が、國家の目的につながつてゐる今日、文學者の文學行動も、當然に國家目的につながつてゐる。今日の文學者で、自己の文學行動の政治性を意識しないものがあらうか。若し、自己の文學行動の政治性を意識しない作家があるとしたら、それは現代の文學者ではない。

文學行動の政治性を意識することと、文學の政治性を目的とすることとは違ふ。この違ひを認識することが、現下の文學者の一つの任務でもある。

文藝時評の指導性

「文藝時評」の貧困は、雜誌、新聞の頁の激減に因るばかりでなく、事實ひどい貧困ぶりを示してゐる。時偶現れる若干の「文藝時評」は、「時評」的價値の甚だ少ないものである。「文藝時評」は、或る點で指導的役割をもつものであるべきだと、僕は思つてゐる。その點で、これまでのもの（嘗つての全盛の中でも）では、正しいあり方ではなかつたと思つてゐるのである。

最近での「文藝時評」では、東京新聞での雅川滉のものが、すぐれた態度を持してゐた。そのなかでも言はれてゐたことではあるが、作品批評が親切になされてゐないし、指導性がないことなのだ。「優れた作品を生むためにはやはり優れた批評がそれに協力しなくては」ならないといふ見解には大いに贊成するところである。

さて、その優れたといふことの理想的基準が、今日問題になるのではあるまいか。今日までのこの國を流れてきた文學の歷史を無視することは出來ないのは勿論であるが、近年までの三十數年間の輸入的文學の習慣からでは、到底この基準を割り出すことは出來ないと思ふ。

例へば、新潮二月號の「文藝時觀」に「平行線の文學」と題して、純文學と大衆文學との今日的見解を述べてゐるのであるが、それによると、純文學と大衆文學との區別がだんだんなくなつて來たやうに言はれてゐるが、これは飽迄平行線の文學であつて、一部の者を（慰め、潤してくれるところの）純文學は、（壓倒的最大多數を以て充滿してゐる）とみる（低い讀者層）のものとしてある大衆文學とは何處までも一つになるものではないといふのである。

別に大衆文學を辯護しようといふのではないが、いつたい、今日純文學がどれほど高い文學としてあるのだらうか。既に、かつて孤高を叫んだ純文學は崩壞した筈ではないか。いや、かりに今日在るとしても、さうした純文學に何の希望や理想があるだらう。低級な讀者への娯樂的讀物は、全くまだ當分は存在するものであらう。が、それにいつたい（文學）の名を冠していゝだらうか。

保田與重郎は朝日新聞に「根柢の問題」と題して書いてゐる一文の中に、「今までは大衆作家の旨と描くところと、純文學者の旨と描くところとが、あまりにも別々に分れてゐたが、將來文藝の道はこの中間から出るかと云へば、さういふわけは毛頭ない、いづれの側の描いたところからも出ぬと思ふのが正しいし、今我々の文學者の描かねばならぬものは、さう云ふ既得技術ですまされるほど安易でない」と言つてゐる。これは事實だ。もしかりに、平行線文學が飽迄存續するのが正しいとするなら、いつたい何處に新しさを求めることが出來るであらう。いや、既に、平行線だと考へる文學者は、過去の殼に醒めきれぬ夢を見つゞけようとするに過ぎないのだ。

今日、國民文學樹立が叫ばれ、努力されてゐるのは、全く新しい意欲と、文學本然の理想に依るのであつて、純文學だ大衆文學だといふ、自然主義的、或は商業主義的過去の殘滓的見解、思考からは、到底、この大きな問題の解答を曳き出すことは出來ぬであらう。

飽迄、純文學の孤高の冥夢に、獨善的自慰を持し、世界的飛躍のこの秋に、なほ個人の殼に閉ぢこもらうとする非日本的文學者が、文藝雜誌の冒頭に大手を振つてゐるのはむしろ奇異なものと言はねばならない。

純文學作家、批評家が、通俗小説から大衆文學に至る大衆文學を知らずして大衆文學を語り、大衆作家が、純文學を知らずして純文學を語つてゐたのは、かつての混亂期の一現象であつた。「平行線の文學」を書いた文學者は、恐らく一篇の大衆文學と言はれる作品も讀んだことがないのであらう。

國民文學樹立に先だつて、過去の純文學、大衆文學作家は、深く反省すべきである。

さて「文藝時評」の貧困は、その批評の基準となる文學の確信の喪失にある。過去の純文學や、大衆文學にあつた文學の基準をもつてしては批評できないからである。

新潮二月號の二篇の文藝時評も、大まかな感想にしか過ぎない。新しい日本文學の確信と、國民文學樹立の理想をもつて、其處に、指導的役割をもつことによつて、この歎のやうな「文藝時評」から救はれるのである。

この指導的役割は、作家に對すると同時に、讀者をも、その觀賞方法を導いてゆくものであるべきだと思ふ。

福田恒存の「文藝至上主義的風潮に就て」は、結局、「政治と文化、生活と文學、個人と全體との間に於ける文化主義的混同を排さねばなら」ぬと言ふのであるが、「文藝至上主義的風潮」は、純文學の孤城を守る一部文學者の冥夢に漾ふもので、全く、全體的な問題からは遠いものである。

宮内寒彌の「或る暗示」は、暗示といふほどの薄弱なものではあるが、國民文學についての思索があり、何かしら探りゆかうとする意欲の表れを見る點で、まだしも期待出來る何かゞあると思ふのである。

「文藝時評」の活潑なる活動を、その指導性の上に於て、今日ほど要望されてゐるときはないのではあるまいか。新しい日本文學としての文學の確信をもてぬものは、一流文學者の名をもつてゐる者も退場して欲しい。國民文學の批評基準をもつて、「文藝時評」は追求し導く役割があるのだ。

小説か、隨筆か、報告か

從軍作家の小説を讀んで、しきりと小説のことを考へる、小説とは何か──と、根本的基礎的立場に立ち還つて考へなければならないとさへ思ふ。いつたい今迄の純文學作家といはれる作家の中には、小説を本當に知らないのではないかと、そんな疑問が時たま浮んでくるのであつたが、今月の「文藝」及び「新潮」の作品を讀んで、いつさう強く感じられたのである。

目的たる「國民文學」の立場から見ようとするからであるが、今日「國民文學」以外に文學の批判的基準を他に求め得られるであらうか。作家たるもの「國民文學」の精神をもたずして、今日存在の意義はないとさへ確信してゐる。

凡ては、根本的に考へ直さねばならないのだが、他は別として、小説といふことさへ、眞劍に過去のそれ等の作家の作品と取りくむことさへ出來ぬとは、何といふことだ──といきまいてもみたくなる。

「鞭」は、陸軍報道班員としての寺崎浩の作品である。上海ブルウスをやつてゐる酒場で醉つてゐる報道班員が、醉つた機嫌で三輪車に行き先も告げずに乘るが、やがて、或るホテルの前に停まり「俺たちよりも來る所を知つてやがる」と笑つて、そのホテルに入り、また飮む。店が閉まる時刻となつて「客にまだ用があるかないか伺つてから閉めるのが日本の禮儀だぞ」とボーイに叱りつける。其處を出て、歸つて寢るにはまだ早いとて、人力車を飛ばす。途中で車夫はこれ以上は駄目だと彼等を降したので「貴樣日本人を何と思つてるんだ」と大いに怒り「片手でいまにも革帶をふり上げる身構へをみせ」る。そこでエミーといふ女の所を訪ねる。生活に困つてゐる彼女の生活が、ピアノがあり、卵と牛乳のプデイングを出したりするので、贅澤だと、日本人と彼等の生活程度を比較する。そして夜が明けて「昨夜は馬鹿なことをしたな」とてれて笑ふといふのがこの小説の略筋である。これでいゝのか──と誰しも考へないではゐられないばかりか、から言ふ報道班員は困ると考へさせられるのである。同時に、從軍してからいふことしか書けぬ作家が居ると思ふと身慄ひを禁じ得ない。雅川滉はこの作品を不愉快な、たわいない作品とし、その描かれた人物や凡ての淺薄さを指摘してゐるが、この作家は御苦勞にも、東京新聞紙上にその批評に對する「抗議」を書いてゐる。「作品には宣傳班員とは書いてない」し、「多分モデルにした青年も事件も宣傳班員ではない」と辯解することによつて、抗議としてゐるのだが、この抗議も宙に浮いてゐて、いつさらこの作家の無能ぶりを見せてゐる。宣傳班員とは書いてなくても、さう感じられるのは事實だし、さうであつてもなくてもこの作品の主題は、作家が「抗議」の中で述べてゐるところのものは微塵も感じられないのであるから、主題となるところをも分明と表し描けない作家だと言ふことになる。かういふ作家が純文學作家なのか？

「**歸路**」北原武夫――この二月號の「文藝」は歸還作家特輯で、全號歸還作家で埋められてゐるのであるが、隨筆や報告記とこの小説と何處が違ふのかと言ひたいのだ。何故にこれは隨筆ではなくて小説なのかと問ひたいのである。

報告記となる素材を小説とするには、小説への構成がなければならない。從軍記を文學とみ得る場合はあるかも知れないが、小説になることはないのだ。

小説とするうへは、小説としての素材の把握と構成がなければならない。

作家よ、「小説」を、もう一度よく考へて貰はねば困るではないか――。

新潮　三月號

作品の前に「文藝時觀」に於て、「文學者の任務」と題して、國民文學が一時あれほど提唱されたにもかゝはらず、今日全く問題とされない。それではいけない。文學者たる者の任務は「國民文學」の樹立にこそある。といつたことを言つてゐる。

われわれが既に言ひ盡し、理論と作品の實踐的段階に來てゐることを、今頃漸くとりあげてゐることも文藝雜誌の卷頭論にしては間が拔けてゐるが、兎に角漸くにでも其處に氣をつけたことは買へよう。が、「文學建設」の運動を强いて無視してものを言はふとするところに純文學の狹さがまだ尾を曳いてゐるのだ。

二月號の平行線といひ、三月號この「文學者の任務」といひ、「新潮」は卷頭の「文藝時觀」でひたすら「文學建設」の尻を追つかけてゐるやうな氣がする。

「**風雲**」**倉本兵衞**　尼子の殘黨が、尼子勝元を奉じ、山中鹿之介の采配の下に烽起したが、武運拙く尼子再興は挫折し、山中幸盛は、死んだといふお話である。一體この作者は何を書かうとしたのか。陰德太平記の一部分を現代語譯をして、ちよつぴりと現代の時局に於ける國民の戰爭に對する氣構についての敎訓を、味つけ程度に加へて、それで小説になると、自からも思ひ又、編輯者も思つてゐるのだから、いつまでたつても、所謂純文學作家から眞の歷史文學は生れないのである。讀んで聊かの興味を感じさせない小説は、國民文學ではない。日本の文學の傳統は、飽くまでも興味深き物語でなければならない。この小説には物語性はないし、それ故に興味もない。然も、主人公はどれだか判らぬし、戰國時代の雰圍氣も書けてない。何をとり得に、こんな馬鹿げた小説を載せたのだ。講談尼子十勇士の方がよつぽど面白い。なほ他の作品にも亙るべきだが、紙數の都合で割愛する。

特輯・古典の回顧

竹取物語のプロット

綿谷雪

一

作品とは——靜的にのみ見れば——謂はゞ表現の秩序づけられた或るものである。

そして、觀照とは——こゝでは作品觀照の場合だけを言ふのであるが——謂はゞ或る作品を對象として、その總體を或る意味で直接的に把握するのをいふ。從つてこれは、分析とは根本的に違ふ——分析は、分析者の主觀で、對象に或る秩序を與へる場合であるが、觀照とは、對象それ自身の持つ秩序を客觀的に把握して、その總體的意味を考へる——換言すれば、分析は「意義　を見付けて設定するが、觀照は「意義」を作らない、たゞこれを「觀照する」——。

と、僕は先づ考へるのである。「觀照」の哲學的意味はむつかしい。だから僕は、ともかく僕一個として、右のやうに考量しておくことにする。

それから、もう一つ——。

作品の總體的意味は、表現の對象たる內容と、その對象の取扱ひ方すなはち形式、の兩面から觀照しなければならぬといふこと。これは自明の理である。元祿時代以後の如き町人の物質生活の旺盛な時代には、それが文藝表現の對象となつたであらうし、平安初期の如く、知識階級としての上層生活圏の觀念生活のさかんな時代には、かゝる觀念生活そのものが時代文藝の表現對象となつたといふことは、その時代の作品觀照に際しては、根本的な重點であるといふことは、今さら言ふまでもないことである。

ところで竹取物語であるが、この物語は源氏物語、「繪合の卷に「物語の出來はじめの親なる竹取の翁」とあるやうに、日本最古の小説だと言はれてゐる。小説としては非常に素朴な作品で、殊にその内容は、當時の現實生活そのものではなく、何種かの古來の説話から延長された空想的觀念を取扱つてをり、小説といふよりは寧ろ童話（メールヘン）の構成に近いものである。そしてその意味は、この物語のプロット構成法を眺めることによつて、直ちに明白にすることが出來ると思ふ。

二

最初に、極く大雜把な構想の骨格に付いて考へて見よう。竹取物語の、おほよその組立てかたは、いくつかの小事件の連鎖であつて、だいたいに於て次ぎのやうな骨組みから成つてゐる。

(一)――(二)
　　　　(三)
　　　　(四)
　　　　(五)
　　　　(六)――(七)――(八)

(一)は此の物語の發端であつて、次の三部分が一つの延長線上に於て移動し推移してゆく形に纏められたところの、繼起的叙述である。

(イ) かぐや姫の出現と成長。

(ロ)「世界の男、貴なるも賤しきも、いかで此の赫映姫を得てしがな見てしがな」と思ひ憧るゝ者多き内、多くの者は後に思ひ切つたが、「色好みといはるゝかぎり五人」の者だけが尚ほ思ひ切らない。

(ハ) 竹取の翁を仲介として、この五人の者と姫との問答。及び五人に對する姫の五難題。

さて右の難題に對する解答的結果としての五つの失敗談は、併列的に叙述せられ、次ぎの五部分より成つてゐる。

(二) 石作皇子の失敗。
(三) 車持皇子の失敗。
(四) 右大臣阿部御主人の失敗。
(五) 大伴御行大納言の失敗。
(六) 中納言石上麻呂の失敗。

以上の如く、發端は早くも發展して、既にひとまづ或る種の解決點にまで到達した。これだけで、すでに一つの作品としてのプロットが終止してゐても、一應さしつかへは無い筈であるが、然し發端に於て、物語の中心人物たる赫映姫の不可思議な出現を叙述したのであるから、少くとも、姫自身の後半生を述べることは、當然の約束と言ふべきである。そこでプロットは、さらに第二段的に發展せしめられる。

(七)「赫映姫容世（かたち）に似ずめでたきことを帝きこしめして」宮仕へさせんと思召して遂げず。更らに「帝俄に日を定めて御狩に出で給ひて、赫映姫の家に入り給ひて」、これを「率ておはしまさむとて御輿寄せ給にふ、この赫映姫きと影になりぬ。」「實にたゞ人にあらざりけりとおぼして」連れ歸ることをあきらめると言はれると「もとの御かたちとなり給ひぬ。」結局、御こゝろを殘して歸館された。

この部分は、一面、姫の美の宣揚であると同時に、帝でさへ觸れ得ぬ彼女自身の不可思議的存在たる所以の强調と見られる。

（八）は、この不可思議的存在たる彼女の本體暴露の驚異的場面で、次の三叙述に分たれるであらう。

（イ）月世界中の人たることの告白。

（ロ）月世界からの迎へ、及びその前後の情景描寫。

（ハ）姫が奉つた文と不死の藥の壺とを、兵士どもが帝の仰せで「駿河にあなる山の頂き」で火をつけて燃やす。そして、憧憬したものを失ふ寂しさと諦觀を、「いまだ雲の中へ立ち昇る」富士の煙に託して、たくみな終止符としたのである。

三

竹取物語は、內容としては一つの童話的神仙譚の域を脫しない。赫映姫の地球上の短かい生涯を敍述しながら、滑稽な各種の事件を盛り込んだといふにとどまるのであるが、然し、前記のプロットの有機的連結の秩序には、相當成熟した大人のこゝろが働いてゐると思ふ。

先づ第一段、物語の前半について考へて見よう。

（一）が、それのみに於て終り得ないで、その解答的結果たる（二）乃至（六）を期待せしむるのは、物語構成としては最もありふれた形式であるが、作者は斯ういふ秩序に於て實は先蹤の口承文藝たる傳奇的說話の各分子を、ひとつの筋のうちに包合・膠着せしめようとしたのである。勿論、各分子自身としては、當時の人々の觀念的所產、もしくは先行傳說の繼承であるとするも、それら各個が、各自・個的の存在たる限りに於ては、要するに說話以上の何物でもあり得よう筈はないのである。これらが、一つのプロットに包合せらるるためには、當然それらを貫いて一つの主題を通すことが必要であつた。——そして、作者は、その主題を、人間の本性に根差す美に憧るゝ心に選んだのである。

（二）乃至（六）の失敗談は各種各樣であるが、ねらひどころは各約束に於ける滑稽的場面であることは無論のことである。五つの失敗談が斯くの如く純然たる併列體系にまとめられたのは寧ろ當然であつて、この各失敗談は各個に於て一つづゝの發展をするが、その結末は凡て（一）の（八）に還元する。

而して作者が、こゝに「色好み」の人物五人を特に選んで、これに滑稽な役割を持たせたのは、「色好み」の觀念が當時の現實生活に於ける一つの理想的觀念であつたことを明確に把握してゐる。

偖て、物語の後半である。

――後半は、それ自身ひとつの物語として成立することは出來なかつた。それは當然、前半に於ける伏線を受けて、更らに新たなる發展がなければならぬのである。然も單なる繼起的の發展ではなく、絶えず伏線をかへりみながら、具體的に、前段の筋に膠着しなければならない。

（七）「赫映姫容世に似ずめでたきことを帝きこしめして」云々は、當然（二）乃至（六）の結末を受くる繼起の形式で描かれてゐるけれども、實にたゞ人にあらざりけり」といふくだりまで來ると、俄然、讀者の疑惑は赫映姫の一身上に集中してしまふ――かへりみるべき伏線は、實に姫の不可思議な出現それ自體にあつたことを想起せしめる。

尤も、（七）の部分は、まだその伏線をスツカリぶちまけてはゐない。敏感な讀者ならば、（二）乃至（六）の單なる繼起的事件として描かれた（七）に於て、早くも（一）の（イ）の伏線をかへりみると共に、未來の事件をその意味に於てヨリ多く期待するかも知れぬ。然し、鈍感なゝ讀者といへども今や興味の中心が如何なる方向へむかひつゝあるかは、みづから會得し得るところであつた。

（八）に到つて、プロツトは斷然、明瞭なるコースを示して最初の伏線に還元する。すなはち、

（一）イ、姫の出現――（八）イ、姫の本體告白――（八）ロ、月世界へ去る……

であるが、この後へ、更らに（八）の（ハ）の事件が繼起して來る。この最後の富士山命名緣起のくだりは、單なる蛇足ではなく、重要な登場人物中たゞ一人決算されなかつた帝の心理を成算するのに必要な場面で、謂ゆる後シテの整理をすると共に、作品の結末的雰圍氣釀成のための、總收的な叙述部分をなしてゐるのである。

四

以上の如く、竹取物語は現實生活の理想的觀念を意識的に取上げてはゐるものゝ、要するに、內容的に未だ童話的神仙譚に過ぎない。然しプロツトの正確な秩序は、すでにそれが一應成熟した小說的機巧を具へてゐることを充分に觀照できると思ふ。

たゞ――かういふ點は些か幼稚たるをまぬがれないであらう。それは、（二）から（六）への五個の併列である。その併列が、事件としては頭を揃へてゐるに拘はらず、相互間に何らの交渉が認められないのは、結局、童話的メカニズムの上に出でぬ素朴な作品たる一面であると云ひ得る。

竹取物語は浪漫的・非現實事件の連鎖であるのみならず、テーマの進行が事件の興味のみによつて運ばれ、しかもその事件が一貫した筋のうちにあつても未だ相當に個別的であつて、その相互間に於ける二重的な葛藤がゑがかれず、また事件の底にうごく人物の性格や、人物の内面的觀照が無かつたために、單に各個の事件のみを印象づけるに止まつてゐるのは、理の當然と言はねばならないのである。

夕顔の個性

戸伏太兵

源氏物語全篇のもたらす情趣は、因果應報的な大きなスケールのうちに、前半の中心人物たる光源氏、及び後半の對照的人物である薫大將が、この長大篇の各帖に於ける主要人物とのあひだに起す事件の脈絡・人情の葛藤を根幹としてゐる。

そして、その各卷は決して各個の短篇小説ではないのだから、その中から纔かに一帖だけを拔き出して考察するといふのは、だいたい無理なやり方なのだ。然し僕は、やはり便宜上の理由から、さしあたり此の無理なやり方で滿足しなければなるまいと思ふ。そして僕は、こゝでは取り敢へず夕顔の卷を選んで、作者がどういふ風にこの卷のヒロインの個性を築いてゐるかといふ一點をしらべて見たい。

作者の趣向叙述の順序からいふと、先づ、みすぼらしい夕顔の宿で、源氏の君とヒロインがくすしき偶會をするのに初まるのであるが、その當初においては無論おたがひに相手の氏素性もわからない。頭の中將が雨夜の品定めに仄めかした常夏の女ではないかといふ疑惑が源氏の君に起る。その女ならば、かつては頭の中將の愛人だが、本妻におびやかされて心弱くも逃げ隱れてしまつた女なのである。

この疑惑は、遂に彼女の死ぬまで暴露されることなしに持ち越される。

一ぱう夕顔の方でも、推しあてに其れとは思ひながらも、誰れと定かには知らぬ貴公子に信頼して、氣味のわるい廢院に移り住むことになる。そして結局、物の怪のために悲しい死にかたをするのだが、この女性を、作者は源氏の君の側からほとんど一元的に描いて、哀切きはまりない彼女の半生を活寫してゐる。そして、その素性の暴露を、彼女の死後にまで遠ざけるために、それがサスペンスとなつて、たえず内攻的に内攻的にと、心理を積み重ね〳〵するやうな構成をとつてゐる。

夕顔の教養

源氏の君が、夕顔に對して、例の「すきごゝろ」を動かすに至つた動機は、第一に彼女の教養である。

彼女が夕顔の花を源氏の君に捧げた扇子は、「もてならしたる移香、いとしみ深うなつかしうて」その持主の人物の上品さを偲ばせ、その扇に書きつけた歌は「あではかに故づき」たるものでさへあつた。

このしゆの教養は、平常貴人としては茶飯事であつたにちがひないが、その女が「むつかしげなる大路」の一隅に、しかも軒は傾き「このもかのも怪しううちよろぼひて」「はかなき住居」に住んでゐる女性であるといふところに、元來好色な源氏の君でなくても「いと思のほかにをかし」く優美に感じられるのは無理のないところであつた。そこで、源氏の君の旨を受けて、惟光の探偵が初まる。

ところで、作者は、夕顔の素性をかくして置くといふ念願を持つ。筋を源氏の君の側から進めてゆくためには、プロツトの自然的進行を阻害する必要がある。夕顔の素性を割つてしまはない用意だ。そこで惟光はマンマと失敗する。二度目の探偵報告には「その人とは、更にえ思ひより侍らず」云々とあつて、源氏の君の推察は、一應霧のあなたへ押しやられる。

夕顔の靡き

身もと不明のまゝ、戀愛事件は進行する。源氏の君は「さまをかへ、顔をもほの見せ給はず、夜深きほどに人をしづめて、出入などし給」ふやうになる。かうしてゐるうちに、女が他へ移つては、尋ねるよすがも無からうかと怖れて、いつそのこと二條の院へ迎ひ取つてもよい、ともかくもと、或る廢院へ夕顔を伴ふことに成つた。

女は「もの恐ろしくこそあれ」とは言ひながらも、從順に從ふので、源氏の君も「世になくかたはならむ事なりとも、ひたぶるに隨ふ心は、いとあはれげなる人と見給ふ」と、いとしさが増して來た。この女の從順さは、ひとつの特殊性として取り立つて顯著だ。

夕顔のあどけなさ

夕顔の宿の一夜は、まもなく明ける。住居のさまは俗世間に近接してゐる。樣子ぶる女ならば、はづかしがつたり照れたりすべき筈であるが、この女は「のどかに、つらきも憂きも、かたはら痛きことも、思ひ入れたるさまならで、わがもてなし有樣は、いとあてはかに兒みかしく」――おぼこらしくて上品だ。

後で明確にわかるやうに、彼女はすでに戀の經驗を持つてゐる女である。それだのに斯うもあどけないのは、天性の資質といふべきであらう。

夕顏のいたいけなさ

夕顏の容姿も容貌も、今までのところでは少しも述べられてゐない。源氏の君が、夕顏の容姿を一瞥したのは、夕顏の宿の曉であつた。女は「白き袷に、薄色のなよゝかなるを重ねて、花やかならぬ姿、いとらうたげにあえかなる心地して、そこと取り立てゝ勝れたることもなけれど、ほそやかにたを〳〵として、物うち言ひたるけはひよりはじめて、あな心ぐるしと、只いとらうたく見ゆ。」

彼女は、決して花やかな容姿、持ちぬしではない。作者でさへ、「御志ひとつの淺からぬに、よろづの罪免さるゝなんめりかし」と推察してゐるやうに、源氏の君は、たゞ愛着する心の深さのために、その女の、この缺點を見のがしてゐたのである。ほつそりとした姿體、どことなくいたいけないあどけなさ、さうした肉體上・精神上の女らしい極度の弱々しさが、却てこの場合の魅力であつた。「心ばみたる方を少し添へたらば」と要望したいほどに弱々しいのである。「そことなく取りたてゝ勝れたることもなけれど」、ともかく源氏の君の愛着心をひどくそそつたのは、すなはち斯ういつた弱々しさ、いたいけなさであつた。

夕顏の容貌

容姿は、かうして一瞥する機會があつたけれども、まだ顏を見たわけではない。いよいよ廢院に到着する。女は未だに面を隱して見せない。それを、歌の應答があつて、やつと打ちとけることになる。

彼女は美しかつた——「世になく、所がら、まいてゆゝしきまでに見え給ふ」とあるから、荒れた廢院を背景に、何だか氣味の惡いほどに美しいといふのである。

思ふに、彼女は顏も容姿も、華やかな點は少しも無いやうである。美しいと言つても、青白い美しさだ。どこまでも、弱々しい、いたいけない女の、靜かな、沈んだ、寂しい美しさだ。

夕顏の恐怖症

夕顏が性來の臆病であるといふことは、右近のことばにも「物おぢをなむわりなくせさせ給ふ御本性にて」と見えてゐる。この弱い、内氣な、臆病な女が、この廢院で、おそろしい物の怪に襲はれたのである。

「いみじくわなゝき惑ひて、いかさまにせむと思へり。汗もしとゞになりて、われかの氣色なり。」然も「息もせず、引き動かし給へど、なよ〳〵として我にもあらぬ樣」で、やがて「息はた疾く絶えはて」てしまつたのである。

むすび

ともかく、夕顔といふ女は、物におびへ死ぬほどに神經の弱い女であつた。この特異的な極度の弱々しさに、特殊の美を持つてゐたのである。彼女の弱々しさ、なよ／＼しさ、いたいけなさ、あどけなさ、そして溫順さ――これらの凡ての屬性が、彼女の個性に結び付いてゐる。

これは、描かれた事件としても特殊であつたが、源氏物語中の性格としても實に特殊の個性であつたといふことが出來る。「ほそやかにたを／＼と」といふ一句こそは彼女の特殊の美を適確に表現する言葉であると共に、善くも悪くも、過去の日本女性の一典型をその言葉に發見するのである。

柳亭種彥

土屋光司

柳亭種彥の創作態度については、『國字小說三蟲拇戰』のまへがきに、かういつてゐる。

『……今の蟲拳といふものの如く、蛙蛇蜒蚰の三蟲闘爭なす事、古き書には見えず。それはともあれ、彼の戯れに基きて、例の小說一編を著はす、破窓を補ふ書に似たれど、善を見てまなび、悪を見て愼まば、善人も師、不善人も亦師ならん歟。』

また、『淺間嶽面影草紙』の序に、

『此ノ書ハ淨瑠璃本ヲ飜案シ、更ニ一點ノ實ナシトイヘドモ、唯善ナルハ榮エ、悪ナルハ亡ブルノ天理ヲ洩ラサズ。サレバ書ヲ披クノ兒女、其ノ善ナルヲ好シ、悪ナルヲ悪マバ、勸善懲悪ノ素意、空言ノ中ニコモルベシ。』

といつてゐる。

讀本。草双紙合はせ百餘の作品を殘してゐる種彥は、飜案と因緣と勸善懲悪に終始してゐるやうである。樂しみに書くのではあるが、その作品を通じて、社會道德を高めることに直接目的をおいてゐる。藝術が『驚き』から生れるものとすれば、『戯れ』から生れたものには、根本的に近寄れないものがあるのは止むを得ないであらう。

笹川臨風博士の解說には、

『種彥の小說には當時の讀本家に通じた癖があつて、因緣がひどく附き纏つてゐる。隨分取つてつけたやうな、しつこいところに厭味を感ずるが、種彥の特色はどこかに品があつて、下卑たところが無い。彼の地位と人格とが然らしめたのであらう』といつてをられる。種彦の作品を讀んで考へてみたいのは、この因縁の問題と、文學に於ける惡の問題であると思ふ。尤も、『源氏物語』を飜案した『偐紫田舍源氏』三十八編といふ大作を讀んだら、またべつなことをいへるかも知れないといふ條件をつけておきたい。

種彦の作品では、「因縁』が無形の法律である。しかも、絕對至上の法律である。小說はつくりものであるといふ考へ方が非常に强かつたと思ふのであるが、不可能なことを可能にするために、この絕對至上な法律をふりかざしてゐるといつた感じが强い。『近世怪談霜夜星』といふ作品がある。『……あでやかにして、貌は暮れゆく春を惜しむ桃花の如く、腰は百すぢの絲をつかねしにもたぐふべし。柳の眉、けうらなる髮のかかり、にほひある面つき、繪にうつすとも寫し得じ、筆にかくとも言葉及び難からん』といふ美しい娘を見そめた主人公が『いかなる宿緣の報ひにや、容貌あくまで醜く瀧の淀みなす髮短く、膚は松の老木に似て、鼻ゆがみ頰高やかにして、黑き齒の斑なるは雪をおびたる烏の如く、月にほゆる狼の聲樣なれば、誰あつて娶るべき者もなく』といつた醜婦と結婚、後に初戀の女に出會つたので、妻を自殺せしめてから、結婚したところ、妻の死靈が蛇になつて附纒ふ話である。いろいろな因緣があつて、話そのものは非常に面白い。また、日本人の生活の一斷面があつて、廣い意味での記錄文學とも考へられるのである。

これは、ほんの一例を取上げたのに過ぎないが、要するにいづれを見ても、かういつた色彩のものである。作者は樂しげに、因緣といふ塔の中に立てこもつて、いろいろな人物を都合よく操つてゐる。

ところで、これは明治大正の文學とすつかり切離された、全然別個なものではないといへる。その證據には、西洋文學を輸入して、日本の文學を打建てようとした明治文學、大正文學が殘したものはなんであつたか。因緣などといふ古めかしいものには笑つたかも知れないが、兎に角殘されたものは、本誌二月號の鹿島氏の『三代の女性』評の中にあるやうなものに過ぎないのだ。

同時に、我々は、かういふ因緣の代りに、全くべつな因緣が我々に附纒つてゐることを忘れてはならない。幽靈は江戶時代にもゐたが、現代にもゐるのだ。（現代の幽靈も、必ずしも洋服を着てゐるとは限らない。）

〇

次ぎに、文學に於ける惡の問題では、ブレンターノが詳しく論じてゐて、（岩波文庫『天才・惡』）、『全體として見れば――特に最高の價値が附與されるやうな作品にあつては――善が惡よりもはるかに多く文學的表現の對象とならねばならないであらう』といつてゐる。

ブレンターノは、文學を喜劇藝術と悲劇藝術に分けて、前者は諧謔的・遊戯的に表現して、魂の低調に到達せんとし、後者は人を感動させ、威壓して、魂の高調に到達せんとしてゐるといふ。(ここに、ユーモア文學論の出發點もあると思ふが、それは割愛することにする。)

ところで、勸善懲惡とはなんであるか。これは道德教育の目標ではあるが、文學の場合には、それに包括されて、一部分の位置を占めてゐるものである。從つて種彥の場合には、たとへその題材はなんであつたにしても、悲劇藝術よりも寧ろ喜劇藝術に近いといへよう。作者が序になんといはうとも、その時代の讀者からして既に、教訓を與へられるよりも寧ろ樂しまされる部分のはうが多かつたであらうと思ふ。

たとへば、淨瑠璃から飜案した『阿波の鳴門』の中の海賊十郎兵衞である。十郎兵衞の惡業は、彼が罪の子に生れたことから始まる。それは、彼の責任でもなければ、母の責任でもなく、强盜であつた父の責任である。そして、幼にして不良少年、長じて海賊となるが、その結果には兎も角、動機にはなんらの惡もない。

しかも、勸善懲惡の作意からいつて、この海賊は亡びなければならない。もちろん、「藝術のための藝術」と同樣に「惡のための惡」は避けなければならない。問題は、作者の取上げた惡が、果して善たり得ないかどうかである。種彥の作品を喜劇藝術であるとしたのはそのためである。

しかし、總じて作品を讀んでゐる時の面白さといふ點からいへば、大正時代から起つた所謂大衆作家は、江戶時代の作家の多くに頭をさげなければならないであらう。彼等が、眼前の讀者に媚び、これなら面白いだらう、これならどうだ、といはんばかりの態度は、今思つてもまことにあはれな圖である。

同樣に、喜劇を書いた江戶時代の作家が、お伽話の『めでたしめでたし』ではなんとしても承知が出來ず、六つも七つも繰返さずにはゐられない態度もまことに滑稽な圖である。いづれもブレンターノのいふ『魂の低調』である。

しかし、いふまでもなく、國民文學樹立のためには、この面もまた見逃してはならないことを痛感する。問題は、これを乘越えてゆくことなのだ。『この瞬間といへども、過去のあらゆる條件に關聯を有しつつ、未來にかかつてゆく』のである。

私の種彥觀は、その作品全部とまでゆかないでも、その大部分を讀んだものではないし、またその背景たる時代とは沒交涉で綴つたものなので、あるひは偏狹なものになつたかも知れない。これは『實驗室内で行つたある日の實驗』といつた程度に見て頂いたら幸である。

(二月二十二日)

編輯後記

◇國民文學の建設運動が力づよく開始されてゐるといふのに、世の文藝批評家は、いまだ徒らに右顧左眄のみして、おのれの虚榮と怠惰を、時局的な言葉の修飾でゴマかさうとしてゐるかに見える。彼等は無用なる比較と解說に汲々として、遂に眞の目標を見失つてしまつたらしい。彼等は個人的な偏見や、昨日的思想の殘滓を以て、御託宣的な威壓で世の中に害毒を流さうとするのか！何故われわれと共同して、眞の判斷を追求して新しい國民文學の樹立に協力しないのであらう？

◇われ〲は、作品實踐に並行して、おのづから「批評」の役目をも自給自足せねばならなかつた。然し、われ〲は、決して世の批評家に、われ〲との對立を求めてゐるのではないのである。落付いて互ひに協同するための、正しい目標と、正當な方法を直視したいといふのである。しばらく休んでゐた「文學建設」欄を復活するのを機會に、益々今後とも、批評活動の活潑化をはかりたいと思ふ。

◇今月は陽春を期して創作五本立ての豪華を以てのぞみ、かた〲古典文學の回顧・觀照を特輯して目先を變へた。創作は本誌中堅同人の短篇を動員したが、特に紙數制限問題のやかましい折から、短篇小說の構成と表現に關する研究材料として、來月號では、これらについて忌憚のない批評を開陳するつもりである。なほ前月以來本文の組方を變更したので、從前より多くの紙數を收載する餘裕が出來たから、今後は每月少くとも五本位の創作を載せてゆくつもりでゐる。

◇特輯の古典は今回は竹取、源氏、種彥だけであるが、機を見て、更らに第二回を續行する豫定である。

◇月例評壇は、今月は型を變へて、歷史物を中澤君、現代物を東野村君——この兩君に總括的にやつて貰つた。なほ中澤君の戰鬪的な評論「好色文學の再擡頭」は、文壇惡とジヤーナリズムの急所を痛快に爆擊してゐる。

◇方言學者として、篤學の譽の高い宮良當壯氏の研究をいたゞいた。これは來月號と二回に分載する。興味の深い好よみ物である。

◇加盟希望者が多いので、別項に會友募集規定を出して置いた。遠慮なく御申込乞ふ。

文學建設 四月號　(定價三十錢 送料一錢)

昭和十五年五月六日第三種郵便物認可
昭和十八年三月二十五日印刷納本
昭和十八年四月一日發行　(每月一回一日發行)

東京市小石川區白山御殿町一一四
編輯兼發行人　岡戸武平

東京市赤坂區青山南町二ノ一六
印刷人(東東一八)　岩本米次郎

東京市赤坂區青山南町二ノ一六
印刷所　愛光堂印刷社

東京市神田區神保町一ノ二二聖紀書房內
發行所　文學建設社
文協會員番號(一二八五二五)
振替東京一五六五九八

東京市神田區神保町一ノ二二
發賣所　聖紀書房
電話神田(25)二〇六八
振替東京一二五八八

東京市神田區淡路町二ノ九
配給元　日本出版配給株式會社

昭和十五年五月六日 第三種郵便物認可
昭和十八年三月二十五日印刷納本 昭和十八年四月一日發行
（第五卷第四號通卷五十一冊）
(停)三十錢